W9-BKQ-645

COLLECTION « BEST-SELLERS »

DU MÊME AUTEUR

chez le même éditeur

WHITE, 2001

ROSIE THOMAS

LA FEMME SANS PASSÉ

roman

traduit de l'anglais par Jean Lefèvre

BIBLIOTHÈQUE PUBLIQUE

ROBERT LAFFONT

R
THOMAS
151772

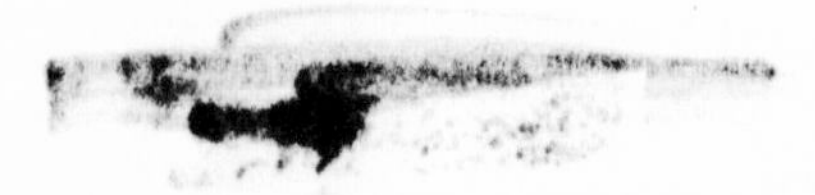

Titre original : THE POTTER'S HOUSE
© Rosie Thomas, 2001
Traduction française : Éditions Robert Laffont, S.A., Paris, 2004

ISBN-2-221-09616-9
(édition originale : ISBN-0-434-00457-X William Heinemann, Londres)

Pour Theo

Il était une heure sept et j'étais assise sur la jetée de pierre devant l'hôtel. Ma peau était rêche de sel marin, j'avais sur la langue le parfum minéral et piquant des oursins. Je devais avoir le sourire aux lèvres car je pensais à la journée qui se terminait, à tout le bonheur que j'en avais retiré. Les muscles de mon visage portaient encore l'empreinte de ce sourire après que tout le reste se fut désintégré.

Il y eut d'abord un changement d'atmosphère. Comme une menace dans la nuit tranquille. Une fraction de seconde, les lumières du remblai vacillèrent et je sentis passer un souffle sur mon visage, en provenance de la ville assombrie et filant vers la mer.

Puis on entendit une sorte de soupir et la terre trembla. Elle frissonna, sursauta avant de céder, me laissant en suspension dans l'air lourd. Dans une lueur implacable, aussi blanche que celle d'un éclair en nappes, je vis l'hôtel s'affaisser lentement, lentement sur le côté, les balcons se détacher de la façade en blocs volants, plumeux, puis sombrer en se comprimant en un magma informe.

L'épisode avait paru se dérouler dans un silence complet. Un fracas atroce lui succéda. Broyage de roches, roulement de pierres tandis que se renversaient les structures fragiles, bruits de succion comme si la mer était avalée par des mâchoires ouvertes. Un noir total éteignit la blancheur aveuglante et un grondement assourdissant, dense comme du métal, ensevelit tout autre bruit. La terre revint, se redressa pour me frapper et je tombai tête la première. Le souvenir du sourire disparut sous ce coup de poing et je me mis à hurler.

La jetée ondulait sous moi. Les vagues déferlaient avant de se rompre sur mon corps cramponné à son lit de rochers.

J'ignore combien de temps s'écoula. Des heures, me sembla-t-il, mais peut-être ne fut-ce qu'une seule seconde. Chaque seconde était un tourbillon de bruit assourdissant et de terre frissonnante. J'entendais mes propres hurlements, mince filet de son perdu dans les rugissements.

Enfin, après un temps infini, la déchirure de la terre s'apaisa en frissons vaincus. Les chocs décroissants remontaient dans mon corps comme des galets et le sable se mit à pleuvoir autour de moi. Puis ce furent enfin le calme, un silence neuf, terrible.

Je relevai la tête, ouvris les yeux. La jetée n'existait plus. Je gisais dans un amas d'éboulis et dus réunir toute l'énergie de la terreur pour m'en dégager. Lentement, je me mis à quatre pattes, secouant la tête comme un chien malade.

Un tremblement de terre.

Je voyais le mot plus que je ne le pensais.

J'avais traversé un tremblement de terre.

1.

La première fois que je vis la femme qui devait m'enlever mon mari, elle donnait des instructions à deux déménageurs. Ils s'efforçaient de soulever un sofa pour négocier un angle difficile de l'escalier de l'immeuble : j'attendais pour passer.

Il y avait deux appartements par étage à Dunollie Mansions et il s'agissait à l'évidence de la nouvelle propriétaire s'installant juste au-dessus. La vieille Mme Bobinski, après vingt ans passés là dans un brouillard de vapeurs de soupe et de naphtaline, avait succombé à l'hôpital à une maladie foudroyante et ses héritiers avaient vendu l'appartement. Il était resté sur le marché pendant des mois, parce que les appartements dans les vieilles demeures transformées comme la nôtre n'étaient plus à la mode – l'avaient-ils jamais été ? – mais surtout parce que les deux neveux en demandaient trop. J'avais appris par les Fraser du dernier étage qu'ils avaient finalement trouvé preneur mais personne ne connaissait l'identité de notre nouveau voisin.

— Quelque couple sympathique, anodin, tout comme nous, avait plaisamment supposé Graham Fraser.

— Ou comme nous, avais-je renchéri d'un ton plus réfléchi.

Je m'effaçai pour laisser passer la nouvelle venue et son escorte ahanante. Elle gravissait l'escalier à reculons et m'aurait cognée si je ne l'avais détournée de la main. Elle me fit face aussitôt.

— Mon Dieu ! Excusez-moi ! Je ne sais même pas où je vais. Arrêtez-vous une seconde, dit-elle aux deux jeunes gens, dont le dernier, en contrebas, rajusta son harnais en levant un front dégoulinant et incrédule.

— Ne vous gênez pas. On a toute la journée, hein, Col ? lança-t-il.

Mais elle l'ignora et se présenta :

— Je suis Lisa Kirk. J'emménage au numéro 7.

— Repose ton bout, Col.

— Oui, t'as raison.

Je me présentai et indiquai notre porte. Elle était plus jeune, et de loin, que tous les résidents actuels de l'immeuble. Tout de suite, là, je lui aurais donné vingt-trois ans même si j'appris plus tard qu'elle en avait vingt-sept. Environ quinze ans de moins que moi. Elle avait les cheveux blonds avec ici et là quelques mèches décolorées, un sac à dos en cuir souple jeté sur une épaule. Même son treillis venait d'un endroit chic et cher, fort éloigné de la ligne de feu. Elle paraissait davantage adaptée à un loft de Clerkenwell ou à une petite bonbonnière à façade pastel de Notting Hill qu'à un appartement d'immeuble en brique, dans le quartier endormi de Kensington.

— Si vous avez besoin de sucre. Ou peut-être de gin… fis-je.

— Merci, répondit-elle avec un sourire séduisant. C'est vous qui viendrez boire un verre chez moi lorsque j'aurai déballé les verres. Vous me donnerez des conseils de décoration.

Je m'aplatis contre le mur pour permettre à Col et à son acolyte de hisser le sofa. Ils passèrent en soufflant devant moi, précédés par Lisa Kirk. Je sortis poster mes lettres et acheter des légumes pour le dîner chez l'épicier du coin puis revins lentement à la maison.

L'escalier et les paliers spacieux de Dunollie Mansions étaient parfaitement tenus par Derek, le concierge, qui remplaçait aussi avec zèle les ampoules grillées. Il habitait l'entresol. Une table d'acajou, à gauche de la porte d'entrée, accueillait les notes d'information de la copropriété, concernant par exemple les coupures temporaires d'eau, les travaux sur le vieux mais non moins efficace système de chauffage, ou encore les collectes de charité. On percevait un parfum discret de cire, un effluve encore plus discret de désinfectant et parfois le cliquetis de la grille de l'ascenseur suivi du bourdonnement du moteur. C'était un lieu tranquille, sans ostentation.

J'avais toujours aimé les deux portes massives sur chaque palier, qui se faisaient face un peu obliquement de part et d'autre de la cage d'escalier, et les plaques de cuivre ouvragées, polies et nettoyées, les carreaux de verre biseauté sertis de plomb de part et d'autre du panneau central. Les vestibules des appartements étaient sombres et auraient poussé à la claustrophobie si les plafonds n'avaient été si hauts, mais les pièces qu'ils desservaient étaient lumineuses et bien proportionnées, surtout les salons d'angle avec leurs bay-windows ouvertes dans deux directions. Depuis les étages supérieurs, on apercevait le dôme de l'Albert Hall et un paysage de toits et de cheminées, tandis que nos fenêtres, en contrebas, n'encadraient en été que les platanes feuillus de la rue. Agités par la brise, les motifs de feuilles jouaient sur le sol et les meubles. Même en hiver, les branches nues faisaient un écran aux murs et aux fenêtres du côté opposé.

J'aimais ce sentiment de clôture. Et la simple sécurité ordonnée, terne et sans imagination de toutes choses.

Ce n'était pas un décor devant lequel on aurait imaginé, par exemple, que quelqu'un puisse dérailler. Personne ne pouvait fracasser à coups de hache les portes d'entrée épaisses de dix centimètres. Les murs et les planchers étaient solides eux aussi et aucun murmure du monde extérieur n'y pénétrait jamais. Nous vivions tous dans nos châteaux séparés, en termes sympathiques, nous en remettant à Derek pour balayer : les Fraser au dernier étage, Mark et Gerard, le couple d'homosexuels habitant en face de chez Mme Bobinski, Peter et moi, et les autres. Mais chacun chez soi. Pas d'enfants dans l'immeuble. Les appartements n'étaient pas assez grands pour les familles. C'était un endroit pour petits chiens, comme le schnauzer de Mark et Gerard, et pour couples stériles en mal d'enfant, comme le mien.

Quelques jours s'écoulèrent avant que je ne rencontre à nouveau Lisa Kirk. Je parlai d'elle à Peter ce soir-là, lorsqu'il rentra du travail. Je le revois assis dans le fauteuil devant le mur jaune impérial du salon, son verre posé sur le tabouret à côté. On était au mois de septembre et les feuilles des platanes commençaient à brunir et se racornir sur les bords.

— Quel âge ? demanda-t-il.

Je lui annonçai « vingt-trois », me trompant de quatre ans, comme, je l'ai déjà dit, nous le découvririons plus tard.

— Oh Seigneur ! On va avoir droit à de la techno à toute heure et à des fêtes épouvantables, avec des tas d'allées et venues dans les escaliers. Nous devrions mettre sur pied un système de cooptation, comme les Américains. Pas d'admission sans approbation du comité.

Il arrivait à Peter de jouer au vieux schnoque. C'était l'une de ses façons de veiller sur moi, en faisant semblant d'être plus rassis, sûr et réactionnaire qu'il ne l'était en réalité. C'était l'un de ces contrats tacites conclus par les vieux couples, où chacun est conscient des besoins et des histoires du partenaire. Il montrait en réalité beaucoup de tolérance et une aptitude remarquable à passer sur les défauts d'autrui et l'irritation qu'ils engendrent.

— On verra bien, fis-je car il n'y avait rien d'autre à dire et je passai aux autres petites nouvelles du jour.

Je ne travaillais pas, à cette époque, et j'avais parfois du mal à trouver quelque chose à raconter. L'arrivée de Lisa Kirk était un sujet neuf et bienvenu.

Lorsque je la rencontrai pour la deuxième fois, nous rentrions toutes deux avec nos cabas, au terme d'un après-midi humide pénétré d'une odeur d'automne.

Elle posa ses sacs sur les marches après avoir dépassé notre porte et me regarda.

— Montez donc prendre une tasse de thé. En avez-vous le temps ?

De fait, j'en avais plus que besoin. Je poussai mes courses dans notre vestibule et la suivis, curieuse d'en voir et d'en apprendre davantage.

La décoration de la vieille Mme Bobinski était encore en place, pour l'essentiel : un papier peint Régence à rayures avec la marque claire et rectangulaire laissée par des tableaux sombres, des lambrequins de bois cannelés, des suspensions hideuses dorées, avec du verre fumé. Lisa avait provisoirement installé son canapé en cuir élégamment décati, une colonne de rangements de disques laser et deux grandes urnes en verre remplies de serpentins scintillants.

— C'est une sorte de bric-à-brac, fit-elle en soupirant. Je n'ai pas eu le temps d'y réfléchir, ni évidemment de lancer des travaux. Je devais déménager rapidement après ma séparation avec Baz. Et l'endroit me plaisait vraiment. Les lofts sont un peu passés de mode alors que Dunollie Mansions est si…

Elle me regarda, se demandant à l'évidence quel mot employer qui ne fût pas offensant.

— Neutre, conclut-elle. Vous voyez ce que je veux dire. J'ai le sentiment qu'on pourrait faire n'importe quoi ici, créer n'importe quelle décoration sans que ça ait l'air déplacé.

— Vraiment ?

Je ressentis une pincée d'angoisse. Ce refuge, mon havre de sécurité, allait être transformé en un truc ultrabranché. Je ne voulais pas le voir envahi, voir sa vieille peau retendue.

— Pourvu que j'en aie le temps ! Passons à la cuisine, je vais nous faire du thé.

La même schizophrénie régnait dans cette pièce. Une planche à découper de boucher en érable sur roulettes, une machine à expressos et des bibelots de Philippe Starck devant le Formica jaune de Mme Bobinski et l'un de ces réfrigérateurs américains, nanti d'un distributeur de glaçons, peint en rouge pompier. Ce monstre n'avait pu trouver place nulle part et bourdonnait dans un coin de la pièce à côté de la porte, comme un Tardis attendant de se dématérialiser. Je me surpris à toucher sa poignée de métal et à me demander où j'aboutirais si je le laissais m'emmener.

— Avez-vous faim ? me demanda Lisa en voyant ma main s'égarer. Je crains qu'il n'y ait pas grand-chose là-dedans. Je ne suis pas une vraie cuisinière. Nous l'avions acheté ensemble et je ne voulais pas le laisser à Baz qui ne s'en servait que pour y mettre ces petites bouteilles de vodka ou de champagne que nos copains buvaient debout avec une paille. Mais je rapporte quelques trucs dans ces sacs si vous voulez…

— Non. Je n'ai pas faim.

Je retirai la main.

— Mais j'accepterais volontiers une tasse de thé.

Elle continuait à farfouiller dans ses placards tout en bavardant.

— Du thé parfumé ? Framboise ? Citron et gingembre ? Menthe ?

Groseille à maquereau et poireau. Tamarillo. Feuille d'artichaut.

— Ah, en voici du nature.

— Le nature sera parfait, merci.

En ouvrant la porte du Tardis pour prendre le lait, je découvris qu'il était vide à l'exception d'une bouteille de champagne et d'un de ces sachets de salades multicolores et prémélangées. Nous nous installâmes sur une paire de chaises en inox et cuir de part et d'autre de la table de cuisine. Lisa leva sa tasse, en me souriant à nouveau. Elle avait les yeux gris, les traits nets, une jolie peau qui semblait comme translucide. Moi qui me sentais lasse et terne, j'éprouvais une certaine envie. Mais il n'y a aucun sens à envier la jeunesse, me rappelai-je. C'était un fait, frappant mais éphémère. Autant être jalouse d'oranges.

— Je lève ma tasse aux nouveaux voisins, dit-elle.

Nous trinquâmes l'une à l'autre puis elle désigna la pièce du menton.

— Que croyez-vous que je doive en faire ?

— Vous pourriez tout peindre en blanc.

Elle réfléchit attentivement à la suggestion, comme si c'était la proposition la plus imaginative qu'elle eût jamais entendue.

— Ça pourrait marcher, oui.

Puis, changeant brusquement de sujet :

— Êtes-vous mariée ?

Je lui appris que oui, depuis quand et que nous n'avions pas d'enfants.

— Cela vous pèse-t-il ?

— J'ai appris à l'accepter.

Elle se leva et alla s'adosser à l'un des placards tandis que le Tardis se mettait à bourdonner comme s'il se préparait à se rematérialiser. Les ailes incurvées de ses omoplates bougeaient sous son T-shirt et des petits os saillaient, émouvants, à la base de son cou. Ce jour-là, Lisa avait serré ses cheveux sous une barrette en forme de papillon. Elle se dressait là, sans vraiment me regarder tout à fait, hésitante et j'attendais. Il faisait chaud dans cette cuisine ; Derek avait mis en marche la grande chaudière depuis le début de la semaine. Il faisait bon. La chaleur, le bourdonnement du réfrigérateur et cette sensation d'être dans un lieu clos, protégé, coutumière à Dunollie Mansions engendraient un sentiment d'intimité, comme si Lisa et moi étions de vieilles amies ayant momentanément glissé dans un silence pensif.

— Je suppose que ça se passe comme ça. Qu'on apprend à accepter les choses. J'aimerais en être capable. Cela s'apprend-il ?

Je me redressai sur mon siège de cuir et d'acier. Aussitôt elle s'approcha pour me resservir du thé. Elle ne voulait pas que je parte encore, elle avait besoin d'un interlocuteur. J'étais une bonne candidate, après tout. De femme active qui allait et venait, j'étais plutôt devenue quelqu'un qui était là et écoutait.

Je me dis que Lisa Kirk était sans doute solitaire. Et que cette solitude ne durerait guère plus d'un dixième de seconde avant l'irruption du nouveau Baz.

— Est-ce que ça s'apprend ? Je l'ignore. C'est ce que l'on dit en tout cas. Soit on accepte ce qu'on nous donne soit on se rebelle. Au bout du compte, ça ne doit guère faire de différence.

Tout en réfléchissant à cette déclaration, elle tâtonna sur le sol à la recherche de son sac à main. Elle sortit un paquet de cigarettes, en alluma une ; je regardai son sac. En veau retourné vert chartreuse, il avait la forme d'un ananas ou peut-être d'une grenade.

— Vous aimez ? C'est moi qui l'ai créé. Je produis des sacs à main. J'ai ma propre société. Je vais bientôt ouvrir une boutique sur Walton Street. Ça s'appelle Bag Shot.

J'avais déjà repéré ce nom, peut-être dans un reportage de *Vogue* sur les accessoires branchés.

— J'aime beaucoup, répondis-je sincèrement.

J'étais impressionnée. J'aurais eu tendance à ranger Lisa dans la catégorie jeune héritière ou fille à papa et voici que je la découvrais styliste et femme d'affaires.

Elle retourna l'objet, en fit tomber un trousseau de clés, du rouge à lèvres et des souches de tickets.

— Voilà ! dit-elle en me le tendant.

J'examinai l'astucieux système de fermeture, la doublure de soie verte. Sur la petite étiquette dorée cousue à l'intérieur, on lisait « Bag Shot by Lisa Kirk ».

— Il est magnifique. Vous ne pouvez pas m'en faire cadeau comme ça !

— Mais si, je peux, je le veux. Nous parlions de la nécessité d'apprendre à accepter les choses, ce serait plutôt de les oublier dans mon cas. Baz était mon associé, vous savez, c'était lui l'expert en création d'entreprise, l'expert financier, moi je me contentais de dessiner des foutus projets et de choisir les matériaux à partir desquels les réaliser. Nous vivions ensemble aussi, évidemment. Depuis mes vingt et un ans. Le travail et le plaisir, ensemble. Et puis tout s'est écroulé, comme un mécanisme qui rend l'âme d'un seul coup. Il a rencontré une femme à une réception, je papotais et buvais mais j'avais parfaitement conscience, glacée, qu'ils s'éprenaient l'un de l'autre – je voyais ça comme dans un film, de l'autre côté de la pièce. Une fois que c'est arrivé, il est devenu vraiment difficile de continuer à travailler ensemble…

Elle étendit la main, pour englober la cuisine, le réfrigérateur rouge et nous-mêmes, assises l'une en face de l'autre.

— Je comprends, dis-je.

Un ange passa.

— La nouvelle amie de Baz est enceinte.

— Oh ! Et quand est-ce arrivé ?

— Ils se sont rencontrés il y a quatre mois.

— C'est allé vite.

— Oui, n'est-ce pas ?

Je fermais et refermais l'attache du sac.

— Vous rencontrerez quelqu'un d'autre, vous savez. Plus vite que vous ne pensez, probablement. Je suis certaine que tout le monde vous le dit. Et vous pourrez trouver un nouvel associé en affaires, même si ça risque d'être un peu plus difficile. Les qualifications requises sont plus élevées.

La remarque la fit sourire.

— Peut-être que je ne trouverai personne, d'un autre côté. Je me sens plutôt inutile.

Je lui dis ce qu'elle espérait sans doute entendre, qu'on ne se voit pas consacrer des articles dans *Vogue* et qu'on ne s'installe pas dans des appartements confortables de Kensington à son âge si l'on manque de talents et d'aptitudes. Nous bûmes encore un peu de thé en parlant de la manière dont Baz et elle avaient travaillé ensemble, puis de l'appartement et de ses projets de transformation une fois que la boutique marcherait d'elle-même, « sur des roulettes », selon son expression. Elle me fit faire le tour du propriétaire. Son lit – aussi étroit que celui d'un enfant – se trouvait dans la deuxième petite chambre dont Peter et moi nous servions comme chambre d'amis ; elle avait installé sa planche à dessin dans la belle chambre, celle qui avait la meilleure lumière, et de grands panneaux de liège portant des bouts de tissu, des esquisses, des pages arrachées à des magazines étaient adossés aux murs.

Je pensais à nos pièces ordonnées à l'étage en dessous, statiques et silencieuses à ce moment de la journée, à la manière dont la toile d'incertitude, d'essais, d'aspiration vers l'avenir tissée par Lisa s'y superposait exactement, pas seulement sur les pièces de Mme Bobinski. J'avais l'impression d'être aussi raide que notre décor.

Nous regagnâmes la cuisine. Lisa ramassa le sac et me le tendit.

— Merci.

Elle me raccompagna dans l'entrée et je regardai à travers les carreaux biseautés et troubles l'aspect déformé du palier.

— Aimeriez-vous avoir des enfants ? s'enquit-elle, la main sur la poignée.

Je savais qu'elle ne me posait cette question que par rapport à elle, au bébé qu'attendait son ex-amant et dont elle pensait qu'il aurait dû être le sien.

— Vous aurez un bébé, dis-je aussi doucement que possible. Vous avez toute la vie devant vous.

— Mais vous ? répéta-t-elle avec le manque de tact de qui est trop absorbé par son cas.

J'ai l'habitude d'écarter ces pensées, mais je revoyais malgré tout ces images, leur procession écœurante encadrée et figée par l'obturateur de l'appareil, *clic, clic, clic,* en remontant toute l'histoire.

— Non.

Sa main était retombée le long de son corps. J'ouvris la porte moi-même et passai sur le palier. Nous échangeâmes de vagues invitations à boire un verre ou à dîner à la bonne franquette. Puis je redescendis dans l'air confiné de notre appartement où les sacs des courses attendaient que je m'occupe d'eux.

Peter se tenait dans son fauteuil habituel, un whisky à portée de main. Il avait eu une journée satisfaisante, me dit-il. Active. Les gens de chez Petersen étaient des amateurs qui n'avaient pas inventé le fil à couper le beurre, sans parler de la gestion d'un programme de licence de logiciels, mais on ne pouvait pas se plaindre.

— Et toi ?

Il me regardait, les sourcils arqués derrière l'ovale de métal délicat de ses lunettes. Je lui parlai du thé chez Lisa Kirk et lui montrai la grenade vert chartreuse.

Il l'examina, à l'extérieur et à l'intérieur.

— Un peu extravagant, non ? Les femmes achètent vraiment ce genre de trucs ?

— Oui, je crois. Elles sont probablement prêtes à payer deux cents livres pour ça. Elle a sa propre affaire et va bientôt ouvrir une boutique.

Il mima un sifflement muet. Son intérêt était éveillé. Peter était consultant en gestion, son expertise me dépassait de cent coudées. Il lisait et écrivait des rapports dans une langue à mes yeux aussi impénétrable que le mandarin ; il avait lui aussi une société dont les bénéfices confortables nous permettaient de mener notre vie tranquille à Dunollie Mansions. « La carpe et le lapin », avait dit ma mère avant notre mariage, c'est-à-dire peu de temps avant sa mort précoce d'un cancer des ovaires. (Mon père et elle s'étaient séparés alors que j'avais une douzaine d'années puis il s'était remarié, acquérant une nouvelle famille qu'il avait promptement élargie avec sa deuxième épouse. « Ce sont les beaux et les demis », disions-nous avec ma mère.)

Peter et moi étions peut-être la carpe et le lapin mais nous étions fermement décidés à nous aimer. Nous avions été présentés par un photographe de mes connaissances lors d'une fête de Noël bien arrosée dans son atelier. Peter était un invité de dernière minute, amené par l'agent du photographe. Je me revois dans la grande salle, fendant du regard une mer de gens bizarres qui ne me semblaient pas l'être à l'époque, pour découvrir son costume bien coupé et le scintillement des lampes sur ses lunettes. Il était le seul qui parût déplacé dans ce milieu de garçons à la Mapplethorpe et de femmes longilignes. Au bout d'un moment, l'agent du photographe l'amena vers moi et nous présenta.

— Cary Flint, Peter Stafford.

Je me rappelle que nous avions parlé de nos camarades invités et d'un nouveau livre sur les photos de notre hôte ; d'une exposition Matisse que nous avions vue tous les deux dans le sud de la France. Alimenter ce genre de conversation de cocktail me demandait beaucoup d'efforts. J'étais très mince à l'époque, prenais quantité de pilules, je me sentais droguée et folle. J'étais surprise par la manière dont cet homme inclinait la tête vers moi de façon à ne pas manquer un mot de mon papotage inepte, je voyais aussi comment ses cheveux tombaient sur ses tempes, la douceur de ses yeux derrière les lunettes : j'en tremblais presque de désir pour lui. La fête atteignait son paroxysme. Deux garçons s'embrassaient à pleine bouche sous l'armature de l'escalier en colimaçon qui nous abritait, Peter et moi. Une procession de jambes de mannequins défilait devant nous mais je remarquai qu'il ne jetait pas le moindre coup d'œil sur toutes ces cuisses et ces fesses : il fixait les yeux sur moi. Je me mis à parler plus lentement, bien qu'il me fallût crier pour couvrir le bruit : durant tout ce temps, son attention ne quitta pas mes lèvres. Le sang me bourdonnait à l'oreille, noyant le vacarme de la musique.

Peter m'ôta finalement le verre des mains et le reposa, en frôlant les garçons enlacés.

— Nous partons ? me demanda-t-il.

À l'extérieur, le vent froid nous frappait le visage. Ma minuscule robe du soir découvrait une bonne partie de mes jambes, que mon manteau ne cachait guère.

Peter m'entoura les épaules d'un geste protecteur.

— Ma voiture n'est pas loin.

Je ne me rappelais même pas si j'étais venue en voiture, *a fortiori* où j'avais pu la garer. Voilà comment j'étais à l'époque.

La voiture de Peter se révéla basse, à deux places, très vieille, avec un intérieur de cuir veiné et de bois rutilant. J'appris plus tard que c'était une Jaguar XK 140. Il collectionnait depuis toujours les voitures anciennes et leur consacrait presque autant d'affection qu'à moi-même. Il m'emmena ce soir-là dans un restaurant français de Notting Hill, démodé mais bon, et me fit manger de la friture et un steak. Je refusai catégoriquement de prendre un dessert bien qu'il voulût m'en commander un. Je n'avais plus mangé de dessert ni de tranche de gâteau depuis l'âge de quinze ans.

Pendant l'entrée, je lui confiai ce qu'il me semblait honnête de lui avouer dès le début. Si du moins il devait y avoir une suite et si ce commencement n'était pas la fin. Car j'avais connu quelques soirées sans lendemain ces derniers temps.

— J'ai bien peur d'être folle. Je parle sérieusement. Cinglée. Totalement dérangée.

Il réfléchit brièvement à cette déclaration stupide tout en mastiquant.

— Je pense que j'en serai juge, répliqua-t-il.

Je chipotai mon steak et mes légumes sans cesser de me demander à quelle vitesse nous finirions au lit. Lorsqu'il eut fini par admettre que je n'ingurgiterais ni tarte Tatin ni soufflé au chocolat, Peter me guida vers la Jaguar et m'amena dans son appartement de Bayswater.

Nous échangeâmes notre premier baiser sous la lampe du vestibule. C'est dans le salon, devant la bibliothèque recouvrant tout le mur, que je parvins à défaire la fermeture Éclair de ma robe. Lentement, je la laissai glisser sur la moquette. Dessous, j'étais nue à l'exception d'une petite culotte. Il posa les mains sur mes seins.

J'envoyai valdinguer l'une de mes chaussures à talon haut, puis l'autre. Pieds nus, j'étais presque à sa taille. Il me prit la main et me conduisit à sa chambre dont il ferma la porte derrière nous.

Il se déshabilla à son tour puis s'agenouilla au-dessus de moi et me regarda.

— Oh mon Dieu, mon Dieu, soupira-t-il.

Après un mouvement de recul, je compris qu'il exprimait le plaisir et l'admiration, pas l'effroi. J'enlaçai son cou et l'attirai contre moi.

Et nous fîmes l'amour. Peter Stafford me donnait le sentiment d'exister en trois dimensions.

J'oubliai mes hanches saillantes, la protubérance de mon interminable colonne vertébrale et le terne râpement des os. Dans ses bras, je devenais langoureuse, onctueuse, *grasse.*

Plus tard, il me tint contre lui, bien au chaud de sa chair rassurante.

— Cary, Cary. Calme-toi, m'ordonna-t-il et je compris qu'il ne voulait pas seulement parler de l'instant présent, sous les couvertures nettes de son lit, mais aussi de ma vie.

Plus de tourbillons étourdissants ni de pilules. Plus de bavardages, d'alcoolisme ni de folie.

— J'ai demandé à Cecil de nous présenter, m'apprit-il. (Cecil était l'agent du photographe.) Je ne pensais pas que tu accepterais ne fût-ce que de m'adresser la parole, mais je n'en ai pas moins insisté.

— C'est moi qui serais venue vers toi, si tu ne l'avais fait.

Et c'est peut-être ce qui serait arrivé.

Cela se passait un jeudi soir. J'avais du travail le lendemain, mais je passai un coup de fil pour dire que j'étais indisposée. C'était la première fois que je faisais une chose pareille et mon agent fut stupéfait. Peter appela son bureau lui aussi. Nous restâmes au lit tout le vendredi et tout le week-end qui suivit, sauf pour nous acheter à boire et à manger. Je déambulais dans l'une de ses chemises car je n'avais que ma robe de soirée et nous nous nourrissions l'un l'autre de cuisses de poulet froid et de toasts beurrés.

— Bon, disait-il d'un ton approbateur.

Une autre fois, alors que nous étions tranquillement étendus l'un à côté de l'autre à regarder glisser les gouttes de pluie sur la vitre, il me demanda :

— Pourquoi as-tu dit que tu étais folle ? Mis à part ton boulot et les gens que tu côtoies, je te trouve exceptionnellement saine d'esprit.

J'esquivai.

— Pas de raison véritable. La boisson, ma nervosité, mon bavardage. Ou je suppose que si quelqu'un te regardait, puis me considérait ensuite, il pourrait te ranger dans la catégorie des gens sains d'esprit et moi dans l'autre. C'est une simple question de relativité.

— À cause de nos allures relatives ?

Sans ses lunettes, les yeux de Peter étaient doux, avec des pattes-d'oie. J'aimais déjà son front et les légères rides qui enserraient sa bouche et son nez, comme la courbe de ses lèvres. Je les caressai avec le gras du pouce.

— Non. Ça n'a rien à voir. C'est à cause de l'histoire.

— Quelle histoire ?

— Raconte-moi la tienne d'abord.

Il me serra contre lui, mon menton enfoui dans le creux de son épaule. Je fermai les yeux et l'écoutai décrire son enfance. Il était le deuxième de trois garçons, fils d'un avoué de la City et d'une mère au foyer. Ils habitaient dans une belle maison du Hampshire. Les frères jouaient au cricket dans le jardin, naviguaient dans des dinghies, avaient fréquenté un bon collège privé puis les universités appropriées.

— Pas très intéressant, comme tu vois.

— Mais si, ça l'est à mes yeux. Que font tes frères, à présent ?

Il me dit qu'ils étaient tous les deux avocats et tous les deux mariés et déclara plaisamment que sa famille était si conservatrice que ses minuscules déviations de la norme y étaient considérées comme des actes de rébellion.

— Pas d'épouse, tu veux dire ?

— Pas d'études de droit, pas d'épouse. Mais j'ai eu quelques petites amies. Je suis tout à fait hétéro, tu sais.

Je le savais déjà, mais je voulais en apprendre plus sur son milieu : il était si rassurant, si rationnel, l'équivalent vivant de l'odeur d'une buanderie bien propre. Tout, chez lui, le passé et le présent, m'attirait comme un aimant.

Sans doute après cela nous avons recommencé à faire l'amour et c'est ainsi que j'oubliai sa première question. J'évitai de parler de mon histoire à l'époque, même si je savais qu'il me faudrait évidemment la lui confier.

Quoi qu'il en soit, Peter et moi étions mariés dans les trois mois qui suivirent.

Il me demanda une fois ou deux si j'avais revu notre nouvelle voisine et je lui dis que non. Puis je rencontrai Lisa alors qu'elle garait sa voiture comme je rentrais d'une promenade à Hyde Park. Nous bavardâmes quelques instants ; mue par une impulsion, je lui proposai de venir dîner chez nous la semaine suivante. À ma vive surprise, elle accepta. Elle était plus solitaire que je ne l'avais prévu et n'avait pas encore remplacé Baz.

Lisa carillonna assez tard, bien après les autres invités. C'est Peter qui lui ouvrit ; je l'entendis se présenter et sa réponse rieuse avant qu'il l'introduise au salon. Elle portait une robe courte, rouge et insaisissable sous un petit cardigan rose et des souliers de veau retourné rouges. Tous nos invités se levèrent, nos vieux amis Clive et Sally Marr, Mark et Gerard, nos voisins du haut, et l'associée américaine de Peter, ainsi que le jeune portraitiste et son amie que j'avais invités dans l'intention de combler le fossé générationnel entre Lisa et le reste d'entre nous. Son arrivée fut comme un rayon de soleil dans une assemblée nocturne.

Je remarquai qu'elle regardait autour d'elle la décoration de notre pièce, identique à la sienne et en même temps si différente.

— Votre appartement est très élégant, dit-elle après les premières salutations.

— Vraiment ?

— Mais absolument.

Je la présentai aux autres et me rendis compte qu'elle n'irradiait pas tant la lumière que la chaleur. Outre la jeunesse et la beauté, il émanait d'elle une vraie chaleur qui fit fondre le formalisme de la soirée. Clive Marr décroisa ses longs bras et jambes de leur étreinte autoprotectrice pour lui serrer la main, Jessy, l'Américaine, lui fit signe en souriant de s'installer à côté d'elle sur le sofa. Je remontai d'une saccade mes manches de laine noire autour de mes poignets. J'étais heureuse que Lisa Kirk soit tout à fait naturelle, à l'aise et qu'elle n'ait pas besoin de la protection de la maîtresse de maison. J'avais les mains froides et me rapprochai du feu pour les réchauffer.

La soirée démarra. Clive raconta une histoire drôle que je n'avais jamais entendue sur son internat sous les ordres d'un chef de clinique autocrate qui voyait dans son bégaiement incorrigible une affectation. « D-d-d-iverculite, Dr Marr ? » mima-t-il en enchâssant son handicap dans la voix de ce terrible médecin avec une précision toute chirurgicale.

Tout le monde éclata de rire, y compris Lisa, et Clive parut tout rajeuni de plaisir.

Dan Cruickshank, le portraitiste, rapporta des potins sur la princesse royale dont il faisait alors le portrait ; Mark et Gerard, penchés en avant, n'en perdaient pas une miette. Depuis l'autre extrémité de la pièce, Peter me souriait, les yeux plissés derrière ses lunettes. Je lui retournai son sourire, obligeant ma bouche à se détendre contre une peur diffuse que je n'identifiais pas encore.

Nous sommes passés à côté pour nous mettre à table. Les bougies envoyaient des reflets scintillants, effilés et ovales sur les cristaux et le bois verni. Lisa étudiait les tableaux de Peter, une paire de Hodgkins baveux et un petit Bacon. Elle avait ôté son court cardigan rose et découvert ses épaules nues enserrées dans de très fines bretelles. Elle avait la peau pâle et la lumière des bougies semblait y rebondir, s'y briser, s'y intensifier en touches de vert, de pêche, de jaune si bien que je dus froncer les sourcils pour retrouver d'elle une image nette – avais-je déjà trop bu ?

— Lisa, voudriez-vous vous asseoir ici ?

Peter lui approcha une chaise à côté de lui. Je m'installai à l'autre bout, entre Gerard et Dan. La conversation et les rires enflèrent tandis que je tranchais, servais, répartissais les assiettes et regardais engloutir les mets. Après de longues années de mise en condition, je ne me souciais plus de manger. Mais j'avais tout le temps disponible pour préparer des repas de ce genre : faire la cuisine était encore un de mes plaisirs.

De mon côté, Dan, Sally et Jessy parlaient portraits. Peter avait voulu que je pose pour Dan – c'est à cause de cela que nous avions fait connaissance. Je m'étais rebiffée, avais hésité car je ne voulais pas poser ni être scrutée de trop près ; finalement, l'idée n'avait pas abouti. Mais Dan et nous avions continué de nous voir et donc nous de voir ses petites amies successives.

— J'aimerais qu'elle pose pour moi, mais je ne crois pas arriver à la persuader, disait Dan.

— Tu devrais continuer à la relancer, lui conseilla Gerard.

Lisa était plongée dans une conversation intense avec Peter. L'attention qu'elle lui portait lui donnait l'air d'un arc bandé, prêt à décocher sa flèche. Soudain, elle tourna la tête. Nos regards se croisèrent et se figèrent.

— Ce serait un merveilleux tableau. La première fois que j'ai vu Cary, j'ai eu presque peur de lui parler.

— Pourquoi cela ? demandai-je malgré moi.

— À cause de votre allure.

La pression de l'air parut varier brusquement, comme dans les secondes précédant l'arrivée d'une rame de métro, avant qu'on ne l'entende. *Votre allure.* Beaucoup plus jeune, j'avais une sorte de beauté étrange. Je faisais un mètre quatre-vingts, avec un visage malléable auquel les maquilleurs pouvaient donner cent aspects différents. Je me servais de ces atouts pour gagner ma vie comme mannequin. Mais j'avais à présent plus de quarante ans et ce qui restait de ma beauté extrême était depuis longtemps plus une gêne qu'une bénédiction car elle contredisait mes sentiments intérieurs. C'était comme porter un masque en permanence, mais un masque que le temps n'aurait pas cessé de déformer.

— Je me rappelle que vous m'avez dit bien des choses, lançai-je en songeant aux confidences sur Baz, sa nouvelle petite amie et sa gestation.

De nouveau, il y eut cette altération de l'atmosphère qui oblige à inspirer profondément pour se regonfler les poumons. Dans le silence soudain que n'interrompait que le cliquetis des couverts, je compris la nature de ce nouveau composant atmosphérique : l'hostilité. Il avait remplacé l'oxygène.

Lisa et moi continuions de nous dévisager et notre regard était tendu comme un arc. Les yeux de Peter, au bout de la table, restaient doux derrière les lunettes, peut-être était-il inconscient de la flèche qui le menaçait. Mais je crois qu'il avait bien perçu la tension de l'arc. Elle le concernait. Lisa Kirk estimait avoir trouvé un successeur à Baz.

— Oh oui, une fois que je vous ai connue, lâcha doucement Lisa.

Mon corps se raidit. Comment cette gamine pouvait-elle penser qu'elle me connaissait après m'avoir croisée deux fois, alors que j'avais consacré tant d'années et d'efforts à tout cacher ! J'eus l'impression que tout le monde dans la pièce se mettait à parler bruyamment de la première chose qui lui venait à l'esprit.

Mark ajusta les plis déjà impeccables de ses manchettes de chemise retournées. Il avait de fines attaches, légèrement hâlées par un récent voyage au Kerala. Puis il tendit la main pour toucher le sac à main de Lisa, posé près de son assiette.

— J'ai lu quelque part que les sacs à main des femmes expriment une partie intime de leur anatomie. Pensez-vous qu'il y ait du vrai là-dedans, Lisa ?

Cher Mark, gentil et vicieux dans le même mouvement ! Ledit sac à main avait ce soir-là la forme d'un cœur de satin rose, couvert de pièces d'argent et de perles : il était assurément très « anatomique » si on voulait le voir ainsi.

— Si c'est vrai, je ne me suis pas trompée de job, pas vrai ?

Elle sourit puis reprit :

— Même si c'est seulement sur le plan symbolique. Faire commerce d'un article si répandu et pourtant si recherché.

Lisa avait une parfaite maîtrise d'elle-même. J'eus soudain la certitude que rien ne la ferait dévier de son cours, que rien ne la déconcerterait. Elle portait sa jeunesse, son assurance, son sex-appeal comme un blindage.

L'associée américaine de Peter gloussait devant le tour risqué pris par la conversation ; Lisa s'empara du sac et lui offrit de l'étudier.

— Qu'en pensez-vous, Jessy ?

— Il est indubitablement très mignon.

— Merci.

Je me levai et commençai à ramasser les assiettes, l'air détaché, un sourire vissé sur le visage.

La soirée se termina. Lisa posa des doigts doux et rapides sur mon avant-bras tout en m'embrassant pour me dire au revoir avant de réserver exactement le même traitement à Peter.

Une fois seuls, nous avons empilé les assiettes à la cuisine, soufflé les bougies puis gagné notre chambre comme nous l'avions fait tant de fois auparavant. J'étais quasi immobile dans le lit. Peter m'enlaça, ce qui me rendit consciente de mon sentiment d'extrême fragilité.

Je vieillissais mal, me dis-je. Alors que je ne la possédais plus, je voulais que mon étrange beauté me fût rendue. Je n'étais plus mannequin, je n'avais pas réussi à devenir actrice – ce qui avait été mon projet suivant. Autre choix bizarre de la part d'une femme qui n'aime pas être observée. Beaucoup de temps avait passé, sans événement particulier, et je ne savais plus ce que j'étais. Mis à part la femme de Peter Stafford et une résidente de Dunollie Mansions, pour l'instant.

— Catherine, qu'est-ce qui ne va pas ?

Il est rare que Peter m'appelle par mon prénom complet.

— Rien. La soirée t'a déplu ?

Il se déplaça un peu sur la hanche, réfléchissant, et je sentis la chaleur de son souffle sur mon visage.

— Mais non. Je pense que ça s'est très bien passé. Clive était en forme.

Ma tendresse pour lui me comprimait la poitrine comme une brûlure d'estomac. Peter réfléchissait toujours avant de juger et s'efforçait d'être impartial et objectif. Comment avions-nous vécu ensemble pendant si longtemps en étant si différents, à nos manières de carpe et de lapin ?

Étendue dans la pénombre, je resongeai à la première nuit où nous étions tombés amoureux sous l'armature d'un escalier en colimaçon pendant qu'une procession de mannequins allait et venait au-dessus de nos têtes. Lisa Kirk m'avait raconté comment elle avait vu son Baz vivre la même chose ; moi, j'étais certaine d'avoir vu un éclair identique zébrer le ciel ce soir, entre elle et mon mari, même si, à ma connaissance, ils n'avaient pas échangé un seul mot en tête à tête ni même un regard intime. Ces trois épisodes composaient un charmant petit triptyque dans mon œil intérieur.

Je me rapprochai de Peter et déposai un baiser sur sa bouche close. En même temps, je soulevai et repliai mon genou. L'un de ces signes que les vieux couples savent si bien lire. Il posa la main sur mes côtes, appuya les doigts sur les os, comme s'il enfonçait des touches de piano.

— Je t'aime, lui dis-je, ce qui était la vérité.

— Et moi aussi, répondit-il poliment. Et tu m'inquiètes.

— Qu'as-tu pensé de Lisa Kirk ?

— Je l'ai bien aimée.

— J'en étais sûre.

Je soupirai et ses doigts se déplacèrent encore.

Nous avons fait l'amour, avec quelque maladresse, comme s'il y avait un drap entre nous.

Après quoi ce ne fut plus qu'une question de temps.

2.

Chacun des jours de chaque saison avait sa propre perfection sur l'île de Halemni, mais l'automne était la préférée d'Olivia Georgiadis.

La chaleur de l'été restait circonscrite à l'éclatant midi tandis que les matins et les soirs glacés donnaient un avant-goût de l'hiver. L'odeur des feux de bois et du bitume fondu accompagnait le halage des bateaux de pêche, les maisons et les tavernes du port perdaient leur visage d'été aux yeux écarquillés quand on reclouait les persiennes. Les bateaux et les hydroglisseurs emportaient les derniers vacanciers vers Rhodes, la distante Athènes puis vers leurs avions à destination de Munich, Stockholm ou Gatwick. Le soulagement était général à la fin de la saison, lorsque la petite communauté se préparait à revivre en vase clos.

Tout en redescendant la colline vers leur maison, Olivia pensait à l'automne et à d'autres choses. Ses deux garçons gambadaient devant elle, leurs jambes brunes scintillant au soleil au rythme de leurs sauts sur les rochers. Elle marchait plus lentement, un panier vide dans chaque main. Elle avait apporté du gâteau et des thermos de café à ses hôtes qui travaillaient devant leurs chevalets à l'ombre d'une ligne d'arbres racornis près du sommet de la colline.

— Voilà Papa !

Georgi, l'aîné, était juché sur un rocher pointu et tendait le doigt. Son frère Theo le rejoignit aussitôt et le bouscula. Georgi dégringola, supplanté par Theo à la cime du rocher.

— Je suis le chef, se rengorgea-t-il.

— Maman, M'an, tu as vu ce qu'il a fait ?

Tous deux parlaient un mélange de grec et d'anglais qui enchantait Olivia et Xan. La mère de Xan, qui était grecque, appréciait moins. « Ils ne parlent absolument pas comme des petits Grecs. Leur langage ne ressemble à rien », déplorait Meroula Georgiadis.

— Chacun son tour, leur dit Olivia automatiquement.

Elle écarta la pensée de sa belle-mère et regarda son mari qui remontait le long du remblai du port. Il fixait l'eau turquoise, au-delà des caïques amarrés et du tonneau de bitume fumant, mais elle voyait comment le vent dressait ses cheveux en épis, exactement comme ceux de Georgi. Son pouls s'altéra fugitivement, comme toujours lorsqu'elle retrouvait Xan, même si la séparation n'avait duré qu'une heure.

— Allez viens, Theo, cria Georgi en choisissant d'ignorer la dispute du rocher.

Il dévala la colline suivi par son frère qui avait plus de peine. Theo n'avait que cinq ans, soit deux ans et demi de moins, mais il était impulsif et imaginatif quand Georgi était calme et prudent. Olivia se mit à courir derrière eux, les paniers de raphia vides lui battant les jambes. Les monticules bas de sauge sauvage et de pimprenelle épineuse alternaient avec des étendues plus sûres de calcaire nu ; elle sautait de l'une à l'autre, imitant inconsciemment ses fils.

Les vieilles maisons de Megalo Chorio, le plus grand hameau de l'île, étaient des cubes blanchis à la chaux, aux portes et aux encadrements de fenêtre peints en bleu ou vert vif. Elles ponctuaient l'enceinte du port et la rue unique qui s'éloignait de la mer. À la périphérie s'élevait une rangée de nouvelles boîtes en béton, dont la moitié était inachevée et couronnée de buissons d'armatures de fer jaillissant des toits en terrasse. C'étaient les appartements et les studios loués par les estivants, ceux qui ne logeaient pas chez les Georgiadis ou chez l'habitant, ou encore dans l'une des deux tavernes avec chambres de la rue principale. Ces nouvelles bâtisses étaient hideuses mais Olivia avait pris l'habitude de ne pas les voir. Les touristes apportaient de l'argent frais sur Halemni, il fallait bien qu'ils dorment quelque part, donc ces endroits étaient inévitables.

La maison des Georgiadis se trouvait à l'arrière du village et formait le petit côté d'une sorte de rectangle pavé dominé par un énorme figuier. De l'autre côté de la place, la Taverna Irini faisait face à une minuscule église au clocher bleu et bulbeux. Le quatrième côté était largement ouvert sur la baie et l'eau argentée par un soleil joueur. La maison appartenait jadis au potier de l'île, qui, vaincu par la compétition des assiettes et des plats bon marché importés, s'était retiré sur le rivage Ouest. Xan et Olivia lui avaient acheté sa maison et ses dépendances dix ans plus tôt lorsqu'ils avaient décidé de s'installer sur l'île natale de Xan. Avant cela, Olivia avait voyagé si loin et pendant si longtemps que s'installer pour de bon quelque part, avec Xan, lui avait paru aussi proche que possible du paradis ici-bas.

Et à bien des égards cette conviction s'était vérifiée. Elle aurait soutenu devant n'importe qui qu'une idylle doit avoir un défaut pour qu'on s'aperçoive justement que c'en est une. Xan abordait la rue au moment précis où Olivia et les garçons atteignaient la porte d'entrée. C'était un homme solide, aux cheveux et aux yeux noirs. Il posa les mains sur le linteau de chêne et fit une arche de son corps. Les garçons s'élancèrent en dessous, avec force cris de rivalité.

La maison était bleu pâle, comme un reflet du premier ciel matinal. Elle avait deux étages de chambres, aux fenêtres fermées de persiennes, et des petits balcons de fer à l'étage supérieur. Les pièces étaient petites, guère pratiques, mais les dépendances idéales. Xan les avait transformées en une rangée de studios modestes qui accueillaient les pensionnaires d'Olivia l'été. Ils étaient anglais, comme Olivia, et pour la plupart d'âge mûr ou à la retraite ; ils venaient sur Halemni pour peindre.

Olivia et Xan gagnaient leur vie grâce à ces peintres-vacanciers, mais à peine, ce qui les mettait dans la même position financière que tout le monde sur l'île. Et ils avaient l'hiver pour eux seuls lorsque le vent harcelait les volets et que les embruns laissaient leur manteau d'humidité sur les pierres du port.

Elle se baissa et tenta de passer comme les enfants, mais il l'attrapa par les hanches.

— Salut, *yia sou.*

Ils échangèrent un baiser rapide, tout en souriant.

— Tout va bien ? dit-il en désignant les pensionnaires de la colline qui plissaient les yeux derrière leur chevalet tourné vers le village et le liséré brumeux de la côte turque à l'horizon.

La fournée de cette dernière quinzaine était inhabituellement exigeante. On se plaignait du froid nocturne et de la chaleur de midi.

— Au moins pour les cinq dernières minutes. Chris est monté là-haut.

Les conseils artistiques étaient prodigués par Christopher Cruickshank, excellent professeur et aquarelliste talentueux. Olivia faisait la cuisine et organisait des soirées ; elle servait aussi de guide pour les balades autour de l'île.

La contribution de Xan tenait surtout à sa cordialité. C'était l'une des raisons pour lesquelles les couples anglais revenaient année après année et recommandaient les Georgiadis à leurs amis. Xan les emmenait se promener en bateau, faisait griller du poisson sur un feu de bois sec, les taquinait au sujet du climat anglais et de leur réserve naturelle ou de n'importe quoi d'autre sauf leur talent de peintre. Le reste du temps, il réparait les robinets défectueux et les générateurs, entre autres dépannages urgents.

Xan sourit. Il n'y avait rien d'autre à dire. C'était le dernier jour des derniers pensionnaires. Le lendemain, l'aéroglisseur les emmènerait tous au loin.

— Papa, regarde ! C'est une guerre, cria Georgi.

Xan posa le bras sur les épaules de sa femme et ils se glissèrent ensemble à l'intérieur. Les garçons s'étaient installés à la grande table de bois frotté de la cuisine, les genoux et les pieds ramenés n'importe comment sur les chaises et ils dessinaient sur de grandes feuilles de papier à gros grain. Le dessin de Georgi représentait des avions faisant des figures acrobatiques et se désintégrant en plein ciel. De minuscules bonshommes s'en déversaient avec des parachutes triangulaires jaillissant derrière eux. Son père inclina la tête pour étudier le dessin. Il s'émerveillait de la robustesse, de la vivacité, et de l'activité de ses fils. Tout cela, ils le devaient à Olivia.

Lors de leur première rencontre, elle avait le regard et l'attention fixés sur la prochaine étape. Mais à son vif étonnement, elle accepta vite, une fois qu'ils se furent épris l'un de l'autre, de venir s'installer avec lui à Halemni. Elle s'y était intégrée aussi facilement que si elle était née dans une maison dominant la baie. Ils se marièrent, les garçons naquirent et ce fut comme si elle s'était retournée, gant de cuir dévoilant sa doublure de soie, vagabond qui jette l'ancre.

Olivia devint la meilleure mère qu'il se pouvait et la petite maisonnée gravitait autour de ce soleil constant.

— Pourquoi as-tu renoncé à ton existence fastueuse pour vivre avec un infortuné comme moi sur cette île rocheuse ? avait-il l'habitude de lui demander lorsqu'il s'en étonnait encore. Même si tu avais ton soûl de voyages, tu aurais pu rentrer en Angleterre, auprès de ta famille et de tes amis.

C'était vrai, convenait-elle. Ses parents se trouvaient là-bas, comme tous ses amis de l'école et de l'université et quelques ex qui ne lui avaient guère manqué pendant son absence. C'était le réseau habituel d'une vie normale dont elle s'était échappée d'abord parce qu'elle ne voulait pas être définie par lui. Plus précisément, elle ne voulait pas mener la vie de son père ou de sa mère.

— Je suis venue ici avec toi parce que je t'aimais plus que n'importe quoi ou n'importe qui en ce monde. C'est toujours le cas. Et je reste ici parce que j'y suis si heureuse, lui disait-elle.

C'était la vérité. Lorsqu'elle enlaçait Xan, elle ressentait toute sa force, son enracinement dans le sol comme un grand arbre. En comparaison, l'Angleterre semblait un lieu fade, l'existence de ses parents et de ses amis définie par trop de compromis liés à plus d'argent et moins d'amour.

— Les balles, ça ressemble à ça ? demanda Xan à son fils.

Des points et des tirets comme un message en morse jaillissaient des ailes et des fuselages.

— Ce sont les *faisceaux des projecteurs*, fit Georgi d'un ton méprisant.

— Je vois, bien sûr. Les chasseurs de lumière. Et le tien, Theo ?

De grandes rayures et de gros pâtés au crayon.

— C'est le ciel, pour Christopher.

Theo tirait la langue tout en travaillant. Il avait employé le nom complet du peintre, à la grecque.

— Ce vieux Christo a bien de la chance.

— Ils ont passé toute la matinée à dessiner, dit Olivia.

Elle s'était écartée de Xan à contrecœur et vidait ses paniers, aplatissant les feuilles d'aluminium pour les ranger dans le tiroir.

On ne gaspillait rien ici. L'île ne recelait que de petites poches de terre fertile. Tout ce que les habitants ne pouvaient faire pousser ou fabriquer arrivait par bateau des îles

BIBLIOTHÈQUE PUBLIQUE
DU CANTON

voisines ou du continent. Chaque feuille de papier, chaque tube de couleur et papier d'emballage de sandwich utilisé par les Georgiadis était compté, pas seulement à cause de sa rareté mais parce qu'on n'avait pas assez d'argent pour gaspiller. Comme la plupart des habitants, ils respectaient si scrupuleusement cette règle de frugalité qu'ils en prenaient rarement conscience. Les enfants dessinaient au dos des esquisses jetées par les hôtes et lorsque ce papier venait à manquer ils utilisaient l'intérieur des cartons. Ils s'estimaient riches par ailleurs.

Xan s'assit à table. Olivia passa dans le garde-manger de pierre voisin de la cuisine et en sortit un bol de tomates, un morceau de fromage de chèvre, une assiette de yoghourt qu'elle déposa sur la table. Xan, allongeant un bras paresseux, tira une miche de pain du panier voisin du grand et vieil évier. Olivia cuisait leur pain et faisait pousser les tomates dans son potager derrière la maison. Le fromage venait d'une ferme à l'intérieur des terres et l'huile de leur voisin Yannis dont l'oliveraie était la plus belle et la plus grande de Halemni.

— Rangez vos dessins, à présent, dit Xan à ses fils, et remettez vos chaises correctement.

Il rompit le pain et mordit voracement dans son morceau tout en leur passant le reste. Comme son propre père, Xan avait tendance à donner des ordres qu'il n'observait pas lui-même au lieu de mettre en application ses propres recommandations. Les enfants obéirent, alignèrent leurs chaises en face de celles des parents et se tournèrent vers leur assiette. Ils avaient le nez droit et les sourcils épais de leur père.

Olivia trancha le pain et distribua les bols. Pendant un instant, le silence régna : ils mangeaient. Avant son mariage, elle ne l'aurait pas envisagé une seconde mais aujourd'hui il lui semblait naturel de s'occuper d'abord de leurs besoins. Elle sourit, en se disant qu'elle avait dû subir une certaine influence de Meroula. Xan aperçut ce sourire. Elle intercepta son regard au-dessus des têtes des enfants et l'éclair qu'ils échangèrent la fit s'agiter sur sa chaise, écarter les cheveux de ses joues humides.

Les enfants reçurent un bol de yoghourt avec une cuillerée de miel. Theo donna au sien l'aspect d'un tourbillon sépia ; Georgi trempa avec soin la cuiller dans la mare scintillante, et dégusta lentement et bruyamment avant de lécher la fade périphérie.

Déjeuner ne prenait guère de temps et ne suscitait aucun commentaire gastronomique. Ils mangeaient presque toujours la même chose à midi. Dès qu'ils eurent fini, les garçons gigotèrent sur leurs chaises jusqu'à ce que leur père leur donne la permission de sortir jouer. Olivia se leva aussitôt, pour débarrasser et recueillir les restes. Xan se dirigea vers le poêle pour faire chauffer le café. C'était son rôle.

— Qui y avait-il là-bas ? demanda-t-elle.

— Yannis.

Le pouce de Xan esquissa un petit geste : Yannis se mettait à boire du raki de bonne heure et avait récemment pris l'habitude de continuer jusqu'à la fin de la journée.

Olivia haussa les épaules en signe d'exaspération, surtout parce qu'elle pensait à la femme de Yannis.

« Là-bas » renvoyait au *kafeneion*, sur le port, d'où Xan revenait. C'est un endroit un peu miteux, sans nappes sur les tables, sans musique enregistrée ni bougies fichées dans des bouteilles, et cela délibérément car ces détails attirent les touristes. C'était le rendez-vous des hommes de l'île, pour parler et jouer au trictrac, en fin de matinée, après la pêche et avant la pleine chaleur de l'après-midi, durant les demi-saisons dorées du printemps et de l'automne. À la haute saison, le village et les plages appartenaient aux envahisseurs, mais en hiver chacun restait davantage chez soi.

— Personne d'autre ?

Megalo Chorio était une petite communauté où les Georgiadis connaissaient tout le monde. Les petits détails – qui a vu qui, qui a dit quoi – s'échangeaient comme des remèdes populaires. Xan mentionna deux ou trois noms et sa femme hocha la tête tout en s'activant. Ils n'avaient pas besoin de développer quand ils étaient entre eux. Elle inséra un moule à tourte dans le grand four et referma la porte bruyamment puis se redressa, le visage légèrement rougi par la bouffée de chaleur.

— Le café, dit-il.

Ils appuyèrent les fesses sur la table de bois brossé – leurs têtes étaient à la même hauteur, leurs cuisses s'effleuraient – et burent avec plaisir. Il n'y avait guère qu'au lit qu'ils étaient ensemble plus de quelques minutes.

Un mince rai de lumière zébra le sol et Olivia le regarda s'élargir. La fenêtre ouvrait sur l'ouest ; ce signal du soleil signifiait que l'après-midi avait commencé et que les pensionnaires seraient bientôt de retour pour leur déjeuner tardif. Après une matinée de peinture, ils étaient prêts à manger et à faire la sieste. Elle déposa sa tasse en soupirant tandis que Xan calait le menton sur son épaule.

— Encore une journée, fit-il.

— Oh écoute, je ne vois pas les choses comme ça !

— Mais si !

— Enfin, c'est peut-être le cas à la toute fin de la saison. Mais je les attendrai avec impatience dès mai prochain.

C'était vrai. Tel était leur rythme de vie dont elle se contentait, à cause de sa régularité et de sa simplicité. À l'époque de ses voyages, elle ignorait tout de ces rythmes.

Le téléphone sonna. Xan émit un grognement et esquissa un geste vers l'appareil, mais Olivia le devança. Elle s'efforçait de répondre aux appels professionnels des agences de voyages anglaises ou des locataires car son mari pouvait se montrer abrupt et oublier de faire les messages. En tout cas, elle savait qui était au bout du fil. Sa mère appelait en général le vendredi après-midi quand son mari s'était retiré à l'étage avec son journal, après le déjeuner.

— Maman ? Bonjour. Bien sûr que je suis là. Oui, tout va très bien. Affairée, tu sais, mais c'est le dernier jour de la saison. Et toi ? Comment va-t-il ?

« Il », c'était le père d'Olivia. Pendant toute son enfance, ç'avait été un personnage dangereusement imprévu, que sa mère et elle devaient apaiser. Aujourd'hui qu'elle était adulte et qu'ils étaient vieux, tous les deux, les rôles étaient presque inversés. Denis était devenu l'implorant et Maddie l'impatiente. Olivia coinça le combiné contre son épaule pour écouter les nouvelles de la semaine maternelle.

Elle avait l'habitude de ces échanges condensés. Durant douze ans, entre sa vingt et unième et sa trente-troisième année, Olivia avait bougé constamment, à prendre des photos qu'elle vendait aux magazines de voyages et aux photothèques dès qu'elle le pouvait ou effectuant des boulots occasionnels quand c'était impossible. Elle gardait le contact avec ses amis au moyen de cartes postales et de rares coups de téléphone : cet éloignement ne lui pesait pas, au contraire.

Jusqu'au jour où elle avait rencontré Xan Georgiadis et où tout avait changé.

— En tout cas, Maman, je suis bien contente que vous ayez enfin du soleil, même si le jardin est brûlé. Et as-tu des nouvelles de Max ?

Max était le frère d'Olivia, son cadet de deux ans. Enfants, ils étaient alliés dans la zone surveillée de la vie de famille et il restait son seul vrai confident en ce monde, mis à part son mari et ses enfants. Mais il vivait désormais à Sydney avec sa femme et ses filles et l'appeler régulièrement coûtait trop cher à Olivia. Elle dépendait de sa mère pour en avoir des nouvelles hebdomadaires et attendait toujours les coups de fil moins fréquents de son frère. Tu devrais avoir une adresse e-mail, lui avait-il dit, mais elle aurait aussi bien pu se procurer un avion.

On entendait parler dans la petite cour séparant les studios de la maison principale. Les pensionnaires étaient de retour.

— M'man, je dois y aller. Il faut leur faire à manger. Oui, je n'y manquerai pas. Toi aussi. À la semaine prochaine.

— Comment va-t-elle ? l'interrogea Xan distraitement.

Il fallait dresser la grande table à l'extérieur et y servir les plats. Si Meroula s'inscrivait dans la trame de leur vie quotidienne, Maddie était éloignée, tenait plus du concept que d'une présence réelle. Olivia se sentait coupable, mais elle n'y pouvait rien.

— Elle va bien.

Christopher Cruickshank glissa la tête dans l'embrasure de la porte.

— Nous sommes de retour.

Il avait le visage mince, à moitié mangé par une longue mèche de cheveux. Lorsqu'il peignait, il la repoussait sous un chapeau de paille en état de décomposition avancée.

Olivia ressortait déjà la grande plaque de tourte aux épinards du four.

— Bienvenue, dit Xan avec un large sourire.

— Tout est-il prêt pour ce soir ? s'inquiéta Christopher.

On prévoyait de cuire un agneau à la broche qui constituerait le clou de la fête d'au revoir.

— Je le pense, dit Olivia en repassant mentalement tout ce qu'il fallait préparer. Tu allumeras le feu suffisamment tôt ?

Elle posait cette question à Xan toutes les deux semaines tout au long de la saison d'été.

— Bien sûr.

C'était une nuit sans lune et le ciel ne conservait qu'une légère clarté qui lui donnait l'apparence d'une boule bleu-noir piquetée d'étoiles. La mer était noire et calme pour cette date tardive. Des vaguelettes d'encre léchaient le remblai du port et chuchotaient sur les galets de la plage. Xan avait suspendu des lanternes aux branches d'un tamaris, des bougies éclairaient la longue table sous l'*avli*, la pergola et son ombrage de vignes. L'agneau avait été rôti, découpé et mangé, le feu de bois flotté n'était plus qu'un cœur de poudre écarlate et les voix anglaises résonnaient sans complexes.

Olivia observa la tablée. La double ligne de visages était rougie par le soleil et par le vin. Elle appréciait toujours ce moment où les inhibitions disparaissent. Quel dommage qu'il faille en général attendre la dernière soirée pour cela ! Ces gens avaient choisi de passer leurs précieuses vacances ici et apporté leurs peintures et leurs esquisses pour qu'on les admire et qu'on les commente. Ils avaient offert un aperçu oblique sur leur existence. Ils suscitaient en elle une bouffée d'affection : elle savait qu'ils lui manqueraient tout l'hiver et qu'elle attendrait la première fournée de chapeaux de plage sous le soleil aigu du début de l'été.

Il en était toujours allé ainsi. Il aurait pu s'agir de n'importe laquelle des années depuis leurs débuts ici. Au commencement et à la fin de chaque saison elle éprouvait ce même sentiment, mélange d'expectative et d'affection, agréablement mélancolique.

Telle était la trame du bonheur, songeait-elle. Les épisodes se répétaient, les concrétions de la mémoire et du plaisir s'accumulaient, on pouvait plonger à travers leurs strates et les examiner, comme des cernes de croissance ou des dépôts calcaires. La conscience de cette permanence alourdissait ses membres, l'emplissait du vertige et de la volupté du contentement. Elle aimait leur vie ici et ceux avec lesquels ils la partageaient. Regardant à nouveau la tablée, elle se sentit même de la sympathie pour Christine Darby avec son visage en lame de couteau et son pompeux mari qui s'était plaint des lits et de la nourriture, comme des méthodes d'enseignement excentriques de Christopher.

Xan apparut dans le cercle de la lumière à côté d'elle pour ôter les bouteilles de vin vides et les remplacer par une bouteille pleine de Metaxas.

— Mais ce n'est pas pour toi, la taquina-t-il en lui frôlant les cheveux de la bouche car il voyait qu'elle avait assez bu.

— Oh, allez. Juste un verre. On ne sait jamais sur quoi ça pourrait déboucher, si tu as de la chance, chuchota-t-elle en retour.

Un peu plus tard, Christopher prit sa guitare et on dansa. En couple d'abord, sous les arbres, puis les Anglais s'élancèrent sur une invitation hésitante de Xan – bras sur les épaules, sur la pointe des pieds – qui, à l'autre bout, menait une danse locale. Il dansait avec souplesse et majesté et, en face de lui, les pensionnaires ressemblaient à une rangée de poupées aux mouvements saccadés.

Au milieu d'eux, Olivia ressemblait à un mât planté droit avec ses deux rubans flottant au vent.

— Je ne peux pas, protesta-t-elle. Mes jambes refusent de marcher à cette heure tardive.

— Des jambes comme les vôtres n'en ont nul besoin, murmura Brian Darby, conscient que sa femme ne pouvait l'entendre.

Au même instant, à l'autre extrémité de la file, Mme Darby repéra le bonhomme aux manières d'ours qui traînait les pieds à la lisière du cercle de lumière. Gaiement, elle arrondit le coude pour l'inviter à les rejoindre.

Aussitôt, il fit une embardée vers elle et referma les deux bras autour de son cou pour ne pas s'étaler de tout son long. Prenant son haleine en plein visage, l'Anglaise reconsidéra son invitation. Elle voulut l'écarter, mais la rangée de danseurs les entraînait comme l'hameçon le poisson. Tous les autres pensionnaires, croyant que c'était un jeu, se mirent à hurler des encouragements avant d'éclater de rire lorsque leurs jambes s'emmêlèrent. Le bonhomme approcha encore son visage hirsute, à la recherche d'un baiser et la femme cria. Un choc électrique parcourut l'atmosphère.

Xan s'était déjà dégagé des corps enchevêtrés. Il s'élança pour écarter le bonhomme.

— Oh, zut, marmonna Christopher qui jeta sa cigarette éteinte au-delà du tamaris avant de s'approcher à son tour.

— Yannis, Yannis ! hurlait Xan.

Christine Darby était sur le dos, clouée au sol par un corps inerte. Ses bras et ses jambes s'agitaient en vain. Xan attrapa le bonhomme par sa chemise, révélant un torse massif couleur acajou couvert de poils noirs. Le bonhomme bougonna quand Christopher vint prêter main-forte à Xan : à eux deux, ils réussirent à le remettre sur ses pieds tandis que Mme Darby était secouée de petits sanglots aigus.

Olivia s'agenouilla près d'elle.

— Tout va bien. Il ne vous fera pas de mal, il est ivre.

Brian Darby était sorti de la masse des spectateurs, avec une ou deux secondes de retard, les poings tremblant comme un jouet remonté. Il décocha un crochet trop assuré à Yannis mais il manqua sa tête à l'instant où Yannis contrait d'un crochet étonnamment rapide qui, lui, ne manqua pas sa cible. On entendit un bruit étouffé quand sa grosse main heurta le nez de son adversaire. Darby s'affaissa comme un sac dans les bras de deux autres pensionnaires et Xan et Christopher bloquèrent les bras de Yannis derrière son dos. Xan siffla en mettant deux doigts dans sa bouche.

Olivia abandonna Mme Darby pour se précipiter vers son mari que ses camarades avaient assis sur une chaise. Il saignait du nez. Un filet carmin dévalait son menton et dégoulinait sur sa chemise Lacoste couleur de menthe. Il ouvrait et refermait la bouche en haletant comme une morue échouée.

— Restez là pendant que je vais chercher de la glace, dit-elle par-dessus son épaule à Christine qui s'était entre-temps relevée.

Un petit groupe d'hommes, alerté par le sifflement de Xan, sortait de l'ombre, à l'autre bout de la place. Ils ceinturèrent le costaud qui ne protestait plus et l'emmenèrent avec eux.

Xan s'essuya les mains sur le côté de son jean et se détendit.

— Bon, c'est fini. Voyons comment ça se présente, Brian.

Olivia revenait avec des glaçons sortis du bac à glace.

— Il m'a agressé, ce salaud, haletait M. Darby.

Son nez, palpé par Olivia, ne semblait pas brisé.

— Je veux porter plainte, reprit-il.

— Bien sûr, je vous comprends, observa Xan. Je suis désolé que cela soit arrivé. Mais il avait bu, vous savez. Yannis et sa femme sont mes amis depuis des années et ils ont eu quelques ennuis…

Xan se montrait apaisant. Ses grandes mains chaudes manipulaient le menton du blessé pour vérifier qu'il n'y avait pas d'autres dégâts. Olivia passa le bras autour des épaules de Christine. Les autres avaient formé un cercle et commentaient l'incident, pas mécontents de l'imprévu. Darby n'était pas un personnage très apprécié.

Après avoir suivi les villageois et leur chargement, Christopher était de retour : il fit un petit signe de tête à Xan. À l'évidence, Yannis était en sécurité pour la nuit.

— Je veux appeler la police, geignit Darby.

Xan appuya le sac de glace sur l'arête de son nez.

Mme Darby semblait en pleine forme. Elle pressa la main d'Olivia et la relâcha puis considéra le visage tout barbouillé de son mari avec une expression écœurée.

— C'est toi qui l'as agressé, en réalité.

— Il t'avait sauté dessus. Que pouvais-je faire, le remercier ?

— Je ne crois pas qu'il ait eu envie de…

— Je suis certain du contraire, intervint Xan. C'est le plus doux des hommes, en temps normal.

Brian écarta le sac de glace et se leva. Le sang ne coulait plus, mais son menton portait une marque rouge et une croûte s'étendait du nez aux lèvres.

— Je sais qui est dans son droit, beugla-t-il. De quel côté êtes-vous ?

Xan et Olivia se tenaient l'un contre l'autre, et Christopher sous le tamaris, à un mètre de là. Au même instant, deux des hommes qui avaient emmené Yannis reparurent aux confins du cercle de lumière. Darby regarda autour de lui.

— Je vois. Vous vous tenez les coudes, vous autres insulaires, hein ? Bien obligés, sur un endroit aussi petit. On épouse la sœur du voisin. Ou la sienne propre.

— Brian…

— Je vais me laver le visage et au lit, dit-il en interrompant sa femme.

Après son départ, Christine déclara :

— Je suis désolée.

Elle avait l'air embarrassée et malheureuse.

— C'est la faute de Yannis ; mais il ne vous voulait aucun mal, je vous l'assure.

Elle partit rejoindre son mari et disparut à l'angle du mur bleu de la maison.

Xan s'empara de la bouteille de cognac.

— Je suis vraiment désolé de tout ça. Quelqu'un voudrait-il un autre verre ?

Mais il était clair que la fête était finie. Olivia jeta un coup d'œil sur les persiennes de la chambre des garçons. Si l'un ou l'autre avait été réveillé par les éclats de voix, il avait peut-être pris peur.

— Je monte voir…, chuchota-t-elle à l'adresse de son mari.

La pièce était zébrée des rais de lumière qui passaient par les fentes des persiennes. Elle sentait l'odeur de la peau, de têtes humides et en sueur. Georgi dormait sur le dos, un bras levé au-dessus de la tête mais le lit de Theo était vide.

Les draps étaient froissés, encore tièdes. Olivia s'agenouilla sur les lames du plancher, pleines d'échardes, et regarda sous le lit mais n'y trouva que quelques moutons de poussière et un soldat en plastique. L'unique placard ne contenait que des habits et des jouets. Elle pivota silencieusement pour ne pas réveiller Georgi. La fenêtre était ouverte mais les persiennes solidement fermées. Le couloir au-dehors était sombre et seule la lumière venue du rez-de-chaussée projetait un vague halo atteignant le sommet de l'escalier. La porte de sa chambre à elle était entrebâillée ; le dessus-de-lit blanc était tendu, le rideau fermant l'alcôve qui tenait lieu de penderie ne révéla rien lorsqu'elle le tira. Theo n'était pas là non plus.

Elle s'élança vers la dernière porte au dernier étage.

Celle-ci était ouverte. C'était une pièce exiguë, dont la minuscule fenêtre regardait la mer. Ç'avait été sa chambre noire, du moins était-ce leur projet lorsqu'ils avaient acheté la maison. Mais elle ne prenait que rarement des photos, désormais : elle avait trop à faire. La pièce lui servait surtout de réserve pour ses fournitures de dessin. Elle avança dans l'ombre épaisse et sut aussitôt qu'il était là.

Elle s'agenouilla doucement et tendit la main. Ses doigts touchèrent la courbe chaude d'un corps en pyjama. Elle émit un bref soupir de soulagement et le tapota doucement. Il dormait à poings fermés, recroquevillé sur le sol entre la porte et le mur. Une fois de plus, il avait eu un accès de somnambulisme, avait trouvé leur lit vide puis erré à la recherche de sa mère et de son père.

Elle s'accroupit, le recueillit entre ses bras, le serra contre elle en soutenant sa tête d'une main. Puis elle regagna la chambre des enfants et le réinstalla sur son lit. Elle resta quelques minutes assise sur le sol à écouter son sommeil tranquille, à respirer son odeur. À un mètre de là, Georgi grogna légèrement et se retourna. Tous deux dormaient profondément. Se relevant, elle s'attarda encore une minute. Theo avait toujours eu le sommeil léger, hanté par les cauchemars qui étaient l'envers de sa vive imagination. Il ne disposait pas encore des mots lui permettant d'exprimer ses idées et sa frustration se traduisait par des crises de rage ou des disputes avec son frère, ou par son somnambulisme. Elle ignorait pourquoi cela l'effrayait tant.

Max et elle avaient été pareils, songeait-elle, avec cette différence que c'était elle l'intrépide et que son frère la suivait avec obéissance. Il escaladait les murs de jardin derrière elle, creusait des terriers où se cacher, volait des bonbons à un sou à la boutique du coin, sous sa conduite. Ils créaient leur propre univers de hiérarchies et d'échappatoires, les revêtant de déguisements et vivant en dehors de ce qu'ils n'appelaient pas encore les compromis de leurs parents.

Ses enfants avaient fait un meilleur choix. L'aîné, plus prudent, refrénait le plus jeune juste assez pour qu'ils ne prennent pas de risques, mais il était stimulé par son anarchie. Olivia se pencha et les embrassa tous les deux, alourdie et réchauffée par le poids absolu de son amour maternel. Le sentiment d'un excès de chance, de ne pouvoir espérer que cette perfection continuerait, rôdait à la périphérie de son esprit. Elle le repoussa, hors de la chambre, dans l'obscurité où la mer frottait les galets. Elle referma la porte et redescendit.

À l'extérieur, sous le tamaris, on avait soufflé les bougies et le feu s'était mué en un tapis de cendres grises. Les tréteaux étaient débarrassés des derniers verres et tasses et la nappe blanche ramassée en ballot. Xan et Christopher avaient fait vite. Nul signe des pensionnaires, nulle part. Elle s'empara de la nappe et rentra.

Les deux hommes étaient à la cuisine. Xan récurait puis rangeait les assiettes, Christopher, appuyé contre la pierre du vieux four à pain, réchauffait un verre de cognac contre sa poitrine chétive.

— Theo a eu un nouvel accès de somnambulisme. Je l'ai trouvé endormi sur le sol dans la chambre noire.

Xan vint au-devant d'elle, lui prit la nappe qu'il jeta dans un coin et lui posa les bras sur les épaules.

— Il va bien ?

— Je l'ai remis au lit. Il a l'air d'aller, il ne se réveille jamais, mais je m'inquiète. Pourquoi continue-t-il à faire ça ?

C'était peut-être la sixième fois en trois mois.

— Les enfants font ça, la rassura son mari. Tu t'inquiètes trop.

Christopher siffla les deux doigts de cognac qui lui restaient et déposa son verre au milieu des couverts sales sur l'égouttoir de bois.

— Je me sauve. Je serai là demain matin pour les mettre dans le bateau, évidemment.

— Bonne nuit, Chris. Merci de ton aide.

— Je n'ai pas fait grand-chose. Dommage que Yannis ne l'ait pas un peu plus mouché.

Lorsqu'ils furent seuls, il l'enlaça de nouveau.

— Laissons cela. Viens au lit.

Elle appuya son front contre le sien. Ils avaient la même taille.

— Oui.

Il n'y avait aucun rideau dans la maison et dans leur propre chambre ils laissaient ouvertes les persiennes la nuit. Ils devaient se lever tôt et il était plus facile de se réveiller avec la lumière du jour. Olivia reposait dans les bras de son mari, le menton lové au creux de son épaule. C'était la meilleure heure de la journée, lorsqu'ils échangeaient leurs dernières pensées, que les mots devenaient incohérents à mesure qu'ils s'endormaient.

— Ça doit être pire qu'être mort, souffla-t-il.

— Quoi donc ?

— De vivre un mariage pareil. Comme ces gens, les Darby. Ils se regardent comme s'ils préféraient l'être.

— Qui sait ? On ne peut pas savoir ce que vivent les gens dans leur mariage. On ne connaît que le sien.

— Mais si, on sait, répliqua-t-il, aussi obstiné que sa mère.

— Quelle importance ? Pourquoi parlons-nous de ces foutus Darby ? La seule chose qui importe, c'est que je m'inquiète pour Theo.

— Ne t'inquiète pas. Il marche en dormant, mais les enfants font ça. Pourquoi t'inquiètes-tu tellement ?

Olivia s'inclina dans ses bras, pour regarder la noirceur de la pièce et l'ombre légèrement plus pâle de la fenêtre.

— Peut-être parce que je suis heureuse. Parce que je redoute de perdre ce bonheur.

Quel que fût son effort pour tenter de la bannir, c'était comme si une menace planait dans la pièce, une menace chuchotée qui n'avait rien à voir avec le problème de Meroula ou ses soucis d'argent, de pensionnaires ou d'affaires.

Xan se mit à rire, d'un rire qui venait du plus profond de sa poitrine et dont elle sentait la vibration quand il l'attirait vers lui. Il ne partageait pas ses craintes.

— Toi qui étais si brave, autrefois ! Ma voyageuse solitaire qui n'avait peur de rien au monde.

Il la taquinait souvent à ce sujet – être venue à Halemni pour être une épouse et une mère après avoir vu tout ce qu'il y avait à voir, fait tout ce qu'il y avait à faire.

— Ce n'est pas exactement de la peur. Je ne veux pas que les choses changent et pourtant les enfants changent sans cesse. Je suppose que c'est ce qui crée mon anxiété.

— On ne peut pas empêcher le changement, murmura-t-il.

Il s'endormait mais continuait à faire courir sa main sur la courbe de ses côtes, dans le creux de sa taille et sur le renflement de ses hanches. Olivia poussa un soupir et se laissa aller. Il était tard et ils devaient se lever de très bonne heure, mais nul ne s'en souciait lorsqu'il la désirait comme à présent. Cela n'avait pas changé depuis la première fois qu'il l'avait vue et l'avait désirée, à Bangkok, près du fleuve gonflé par la mousson. C'était une géante pâle, mince, aux cheveux courts, toute dégingandée parmi les minuscules Thaïs à la peau si douce.

— Ne t'inquiète pas, je t'aime, murmura-t-il tandis que sa main glissait entre ses cuisses.

Christopher Cruickshank était descendu vers la plage. Il s'assit sur les galets, en fumant une dernière cigarette, le dos tourné vers l'eau qui léchait le rivage. On avait déjà entreposé tous les matelas de plage pour l'hiver.

Seules une ou deux lumières brillaient parmi la rangée de maisons. Laissée à elle-même, Megalo Chorio se couchait tôt. Il leva les yeux au-dessus du bout rougeoyant de sa cigarette. Immédiatement au-dessus de la maison des Georgiadis se trouvait la bosse sombre de la petite colline où il avait emmené les vacanciers pour leur dernière matinée de peinture. Au-delà, en arrière-plan, on distinguait un scintillement plus pâle sur le ciel noir. C'était la falaise calcaire que couronnait le château en ruine des chevaliers de Saint-Jean, lequel dominait la baie de Halemni, la plage et le port. Et, juchées sur le flanc de colline qui s'élevait vers le promontoire, on devinait des formes trop géométriques pour être naturelles. Ce paysage était quasi invisible en pleine nuit, mais Christopher le connaissait si bien qu'il rétablissait l'image aussi clairement que si elle eût baigné en plein soleil. Il s'agissait des maisons en ruine d'Arhea Chorio, le vieux village. Elles avaient été abandonnées une génération plus tôt, quand les familles s'étaient installées sur le rivage, quittant les fermes des collines pour les tavernes et les bars de la plage. À présent les maisons sans toit se désintégraient lentement, revenant aux tas de pierres d'où elles étaient sorties.

Christopher aimait le vieux village. Lorsqu'il avait un après-midi libre, il y grimpait et passait une heure à lire ou dessiner parmi les pierres, avec les lézards et parfois un serpent somnolent pour toute compagnie. Très rares étaient les touristes qui se souciaient d'entreprendre la pénible ascension jusque-là et durant des semaines on n'y voyait que lui. Ce soir, il ressentait un malaise derrière lui, né de l'eau telle une brume d'hiver ; et trouvait plus agréable de scruter dans l'obscurité les vieilles maisons sur les collines.

Lorsqu'il eut fini sa cigarette, il la jeta dans la mer par-dessus son épaule. Il faillit en allumer une autre mais nappé de l'invisible brume il commençait à avoir froid. Il se releva péniblement et quitta la plage, les galets crissant sous ses pas. Il louait une pièce dans la rue principale et son lit l'attendait.

Ç'avait été une longue journée, la fin d'une longue saison. Il passerait peut-être encore une semaine ou deux à Halemni puis regagnerait le Nord pour l'hiver.

3.

Je suis en Turquie, assise sur le rivage et je regarde vers l'ouest.

J'ai presque oublié pourquoi je suis là et si j'ai jamais eu une raison précise d'y venir. Cela n'a pas d'importance, de toute façon. Un lieu en vaut un autre, pour le moment.

C'est un squelette d'hôtel, revêtu d'une peau de béton blanc qui l'adoucit mais en dessous fragile. On y voit de grandes fenêtres aveugles et il reste de petits balcons comme des poches sous les yeux d'un ivrogne.

Je dors autant que je le peux, dans ma chambre d'hôtel, derrière les rideaux tirés. Et quand je ne peux plus dormir, je m'assieds sur le balcon à l'ombre d'un parasol. Bien que la saison soit avancée, je n'aime pas le contact du soleil sur ma peau ; quant à mes yeux pâles, la violente luminosité les fait larmoyer. Je garde mes lunettes de soleil sur le nez et m'efforce de lire. Le temps passe lentement.

Je ne peux situer précisément le moment où Dunollie Mansions a cessé d'être un refuge et s'est muée en un endroit que je voulais fuir. Pas très longtemps, sans doute, après la première rencontre de Peter et de Lisa Kirk.

Il avait été très occupé dans les semaines suivantes, accaparé par un travail exigeant plus de temps et de concentration que d'habitude. Il restait tard au bureau, semblait fatigué et distrait lorsqu'il rentrait. J'aurais dû interpréter tout de suite ces signes, lui en parler, mais la possibilité de ce genre de conversation semblait déjà perdue. À la place, je fis de mon mieux pour ne pas le déranger, comme si cela pouvait susciter une nouvelle approbation de sa part. Je décidai de redécorer l'appartement, discutai couleurs et finitions avec les peintres. Je sortais à la recherche de tissus et passais mon temps à composer des alliances de couleurs que je lui soumettais.

— Très joli, disait-il en pressant du doigt ses lunettes sur l'arête de son nez, signe de tension que j'avais identifié depuis longtemps.

— Tu aimes ce vert, donc ?

— Mais oui, si tu l'aimes.

Je n'aimais pas ce vert et je savais que lui non plus.

Une fois ou deux, je pris le thé à l'étage chez Lisa.

Je n'avais aucune raison de refuser ses invitations, rien d'identifiable sinon un petit grincement d'hostilité entre nous et j'étais presque encline à penser que c'était le fruit de mon imagination, le murmure de ma propre folie. Cette fois, apparemment, Peter ne l'entendait pas. Sinon il aurait, comme d'habitude, cherché à me rassurer. Mais il était trop occupé ou peut-être las de prêter l'oreille.

Lisa préféra ne pas revenir chez moi, chez Peter et moi, pourtant je l'invitais toujours. Nous montions plutôt chez elle.

Chaque fois que je la voyais, elle semblait plus jeune, plus chaleureuse, plus éclatante de santé. On voyait à certains signes qu'elle s'acclimatait à Dunollie Mansions, signes assez limités – un fauteuil d'acier et de cuir trônait dans le salon, mais il n'était qu'à moitié débarrassé de son emballage de carton ; dans le vestibule sombre un bout de mur arborait des échantillons de papier peint.

— Qu'en pensez-vous ? demanda Lisa en agitant la main comme nous nous rendions à la cuisine.

— Du rose ?

— Vous avez raison. Trop sucré. Beaucoup trop.

Elle soupira et reprit :

— Je n'aurai jamais le temps de décorer cet appartement.

Nous bûmes notre thé, assises à côté du gros réfrigérateur rouge.

— Quelles nouvelles de Baz et de sa copine ?

— Ils vivent une idylle, je suppose, répondit-elle sur un haussement d'épaules. Je m'en fous. Qu'ils aillent se faire mettre.

Qu'elle se fasse mettre par mon mari.

Était-ce déjà le cas, ou cela n'arriva-t-il que plus tard ?

Quelqu'un frappe à la porte. Le service en chambre, avec un repas que j'ai commandé mais que je ne mangerai pas.

Le serveur est toujours le même, de jour comme de nuit. Apparemment, il ne prend jamais de congé. Lorsqu'il emporte les plateaux, il jette un coup d'œil sous les cloches et constate que j'ai à peine entamé les plats : il émet des soupirs réprobateurs. Il est très jeune, pas plus de quinze ou seize ans.

Il dépose la dernière commande sur la table basse et dresse artistiquement les plats, déploie ma serviette avec style.

— C'est bon, dit-il avec affabilité. Très joli.

Je lui souris.

— Ça a l'air délicieux.

— Je ferme les stores ?

La lumière pâlit sur la mer. Le ciel est rose-beige, l'eau a la couleur de l'intérieur nacré d'une huître.

— Non, laissez-les ouverts. J'aime regarder la nuit.

— Vous avez besoin d'autre chose ?

Il s'attarde comme s'il voulait me protéger. Son inquiétude me touche.

— Non, merci.
Nous nous souhaitons bonne nuit.

Notre projet, si du moins j'en ai jamais formé un, était que Selina et moi passerions ces vacances ensemble, deux semaines en fin de saison sur la côte turque dans une jolie station appelée Branc. Selina est experte, quand il s'agit des hôtels. Elle m'a assuré que celui-ci était bon – dirigé par des Suisses qui en sont aussi propriétaires, mais doté au surplus d'un charme typique.

— La piscine sera propre, la nourriture authentique mais pas au point de t'empoisonner.

— Pourquoi la Turquie, Selina ?

Elle haussa les épaules.

— Pourquoi pas ? Elle est à la mode et j'ai vu tout le reste.

Selina est toujours entre deux maris. Elle en a eu trois, peut-être quatre. Je la connais depuis l'époque du mannequinat et nous ne nous sommes jamais perdues de vue. C'est elle qui a eu ce projet de voyage.

— Deux femmes seules, ma chérie ? Libres et indépendantes ? Nous nous amuserons bien. Sitôt que tu auras quitté Londres tu te sentiras mieux, crois-moi.

J'acceptai de partir. L'automne était revenu à Londres, cela faisait un an que Lisa Kirk s'était installée et cinq mois que Peter et elle vivaient ensemble. J'avais commencé à me demander combien de temps passerait encore avant qu'elle ne soit enceinte. L'enfant que Peter avait toujours voulu.

Je n'attendais pas ces vacances avec un vif enthousiasme. Quand j'y pensais, je me disais qu'elles seraient comme celles que je prenais avec ma mère, après que mon père nous avait quittées pour rejoindre les beaux et les demis. Deux femmes qui se consolaient l'une l'autre, s'enduisaient de crème solaire et se souciaient de leur bien-être respectif, mais toujours enfermées en elles-mêmes et assaillies par des clameurs distinctes. Ma mère en parlerait peut-être différemment si elle était encore là, mais je vois encore le triangle blanc de son visage et la tristesse de ses yeux. Rien de ce que je pouvais faire ne la dissipait très longtemps. Bien sûr que non.

Je suis sans doute très injuste avec Selina. Nous aurions fort bien pu passer un moment fantastique ensemble, assises sur des tabourets de bar, à siroter des cocktails écarlates avant de débarquer dans des boîtes où les séducteurs locaux, en l'absence de proies plus jeunes, nous auraient dispensé leurs attentions étonnées, telles des hyènes jappant autour d'un couple de girafes éloigné du troupeau. L'image n'aurait-elle pas suscité les éclats de rire de Selina avant qu'elle n'approche son briquet d'une autre cigarette ?

Quoi qu'il en soit, elle eut une crise d'appendicite quatre jours avant le départ prévu. J'aurais pu annuler, mais je m'étais plus ou moins habituée à l'idée de découvrir la Turquie. Le faire seule, n'avoir pas à simuler la gaieté et l'énergie me soulageaient plutôt.

Et me voici.

Je pense à Peter, bien sûr. Je préfère me rappeler les premiers temps, au début de notre mariage, quand nous allions passer les week-ends à la campagne. Nous séjournions dans de petits hôtels du Suffolk ou du Devon, restions tard au lit puis faisions de petites promenades avant de revenir pour le thé, un verre, le dîner. Il s'efforçait toujours de me faire manger et mes esquives devinrent une sorte de jeu entre nous.

— Des scones, chérie ? Avec de la confiture faite maison et de la bonne crème double ?

— Juste le concombre, mais retiré de son sandwich, si tu veux bien.

Peter était membre du National Trust, vous vous imaginez. Ma mère elle-même n'en faisait pas partie. Je trouvais cela drôle et charmant et quand nous ne partions pas nous promener nous allions visiter en Jaguar tel manoir local ou tel château en ruine cité dans le guide. Je me rappelle l'odeur du cuir chaud et du liquide de frein.

Tout cela me paraissait très adulte et rassurant après la vie que j'avais menée – toujours entre deux avions, entre deux défilés, deux ateliers ou deux chambres d'hôtel, avec des hommes (qu'ils m'entourent ou me pénètrent) que je n'aimais ni n'estimais. Alors que j'aimais Peter, lui faisais une confiance absolue et qu'il savait me donner l'impression que j'étais payée de retour. Son amour équilibrait ma culpabilité : il ne la supprimait pas, rien n'y serait arrivé, il la contrebalançait et me permettait de tenir bon tout en portant ce vieux fardeau au-dedans de moi.

Son allure était conventionnelle et il la cultivait, mais elle cachait un être original, intelligent, très différent de tous ceux que j'avais rencontrés. J'adorais son intelligence, la manière dont il évaluait rapidement les gens et les problèmes, pour agir conformément à ses observations et ses déductions. Il savait décider là où j'étais hésitante, se montrait généreux quand j'étais méfiante.

C'était aussi l'homme le plus sensuel que j'aie connu. Il aimait la bonne chère, les bons vins, les vieilles et belles voitures, les tableaux, les costumes faits sur mesure et le sexe. Il était le meilleur des amants. Au lit, comme je l'avais remarqué la toute première fois, lorsqu'il ôtait le bouclier de ses lunettes, apparaissait le visage doux et différent d'un autre Peter, exotique, qui n'appartenait qu'à moi. J'aimais aplanir des pouces les rides entourant sa bouche. Les frotter étirait la peau mince de ses lèvres en un sourire secret.

La nourriture du plateau est froide. Je la remue un peu puis recouvre les plats avant de les déposer dans le couloir.

Le ciel est sombre. Debout à la fenêtre, je regarde la ligne de lampes qui scandent le jardin de l'hôtel, leur reflet brisé dans la mer. À force de la contempler depuis trois jours, je me suis familiarisée avec la vue. La plage, avec sa rangée de chaises longues, de matelas jaunes sous leurs parasols criards repliés pour la nuit, se trouve juste derrière le mur du jardin. Voici l'eau et un liséré d'argent terni là où elle rencontre le sable. De l'autre côté de la mer se trouvent les bosses gris-brun de quelques îles sans nom du Dodécanèse. Sans nom pour moi – je les ai demandés à mon serveur, par signes ; il a débité quelque chose d'incompréhensible avec un haussement d'épaules. On ne saurait dire que leurs relations avec les Grecs regorgent d'affection.

Je suis surprise par la proximité de ces îles avec le continent turc. Selina ne l'aurait sans doute pas été. Elle aurait eu des cartes et des guides, au contraire de moi, bien entendu. C'était le rôle de Peter.

J'en reviens toujours à lui et à mon infirmité sans lui. C'est justement à cause d'elle qu'il est parti. Un jour – cela a dû arriver un jour, peut-être même à une heure précise ou pendant une conversation précise – le bel équilibre s'est brisé, en ma défaveur cette fois. J'avais davantage besoin de lui qu'il ne trouvait de plaisir avec moi. Je lui demandais trop d'attention. Ou peut-être que nous nous connaissions trop bien et que le ressort était cassé. Est-ce toujours ce qui arrive dans les longues relations ?

Tirez vos conclusions. Je ne sais pas.

Une chose au moins est sûre, après ces quelques jours passés seule dans cet hôtel blanc : je ne peux pas continuer à me sentir amputée par l'absence de Peter ou par ce qui est arrivé bien avant notre rencontre.

Il faudrait pouvoir gommer l'histoire. Recommencer sur une page vierge, y tracer une écriture fraîche et pleine d'optimisme. C'est ce que je fais ici – j'analyse ce qui est passé et j'ai besoin de définir la nouvelle forme de mon existence. L'absence de Selina signifie que je dois affronter seule les analyses et les décisions, correctement.

J'ai donc quitté ma chambre. C'est le quatrième jour et je me suis aventurée sur la plage. Avec tout l'appareil de draps de bain, de sorties de bain jaunes, de tubes de crème, de magazines et de livres de poche, cela va de soi. J'ai disposé tout cela et moi-même sous un parasol et feuillette *Vogue* quand une ombre s'immobilise sur le sable à côté de moi. Je lève les yeux et découvre mon serveur, un plateau en équilibre sur l'épaule. Si près des vagues paresseuses ses souliers noirs miteux semblent incongrus.

— Madame, vous venez au soleil ! Ça me fait plaisir. Je vous apporte de l'eau et un café italien.

Il me tend en effet une bouteille d'eau minérale et un cappuccino avec son chocolat en poudre.

— Merci.

Nous échangeons un sourire et il dispose soigneusement les boissons sur la petite table sous le parasol.

— Comment vous appelez-vous ? lui dis-je, ce qui le fait légèrement rougir.

Sa peau est duveteuse, à peine assombrie par le poil de la barbe, sauf sur la lèvre supérieure. Il est peut-être encore plus jeune que je ne le croyais.

— Jim, répond-il avec un *j* guttural qui me paraît fort peu turc.

— Comme *Jules et Jim* ? fais-je non sans fatuité.

— Je ne sais pas. Mais c'est un joli nom.

— Très joli.

Jim hésite à se retirer, le plateau à la verticale entre ses doigts.

— Il y a un homme anglais ici. À Branc. Peut-être vous voulez faire une promenade en bateau ?

Il faut que j'aie l'air bien désespérée, ou dans un abîme de tristesse, ou les deux. Mais la dernière personne que je veuille voir, c'est un Anglais.

Je réponds avec beaucoup de fermeté :

— Merci d'y avoir pensé, mais je ne veux rencontrer personne ici. Personne, Jim.

Et je déploie le magazine devant mon visage pour écarter la menace.

— Très bien. Bonne journée.

Il remonte vers le muret en faisant crisser le sable et les galets. Je sais que je me suis montrée impolie et que je l'ai froissé.

Au début de mon mariage, j'avais caressé l'idée de devenir actrice. Grâce à mon aspect et à quelques relations, on me confia de petits – minuscules – rôles dans deux ou trois films, mais j'y fus très mauvaise. Et si j'avais fini par détester les objectifs scrutateurs des photographes, je détestais encore plus les caméras. Au bout d'une année ou deux, j'arrêtai mes tentatives et ce fut un soulagement. Je n'avais pas à gagner ma vie : Peter gagnait assez pour nous deux. Je n'avais rien d'autre à faire qu'être l'épouse de Peter et fonder une famille.

J'ai toujours eu un rapport ambivalent avec mon corps. Sa taille et sa minceur décharnée me donnaient un métier mais je détestais la manière dont on me dévisageait. Je savais que les gens se contentaient d'en regarder la surface, sans sonder ni juger ce qui se cachait derrière, mais le savoir n'atténuait pas mon malaise.

Peter déclarait qu'ils me regardaient parce que j'étais belle et que j'aurais dû m'en féliciter.

— Tant de femmes échangeraient leur place contre la tienne, disait-il.

Jusqu'alors, en tout cas, mes jambes, mes bras, ma poitrine et mon dos avaient fait ce que je voulais. Ils bougeaient selon les desiderata des photographes en révélant les vêtements qu'on me payait pour mettre en valeur.

Mais je ne pouvais tomber enceinte.

Pas enceinte comme il fallait, pour que le bébé pousse. Je fis très vite deux fausses couches, pourtant les médecins restaient rassurants et optimistes.

— Ne vous inquiétez pas. Vous aurez vite votre famille.

Peter me ramenait à la maison, me donnait à manger et me tenait dans ses bras la nuit.

Puis je fis une grossesse extra-utérine qui rompit l'une des trompes de Fallope. Cette fois c'était sérieux. Mes chances de concevoir étaient réduites de moitié. J'étais trop maigre, me dit-on, j'étais anxieuse, tendue, probablement déprimée. Tous ces éléments contrariaient nos efforts d'avoir un bébé. Je devais me détendre.

Peter m'emmena en vacances en Italie.

Bientôt, je fus enceinte de nouveau et cette fois il semblait que ce serait la bonne. J'atteignis le quatrième mois, nous informâmes nos amis et osâmes fêter l'événement. Mais je fis une nouvelle fausse couche, à l'hôpital, un garçon de seize semaines. Ce fut la dernière fois. La dernière fois que je pus concevoir.

Je détestai vraiment mon corps, après cela, avec une colère froide qui me donnait envie de me mutiler. J'avais besoin d'un bouc émissaire et ce fut mon utérus. Cette réaction était compréhensible, voire logique, à mes yeux et à ceux des autres et je m'en servis comme d'un code acceptable.

Je ne crois plus aujourd'hui, cependant, que mon corps maudit était le vrai coupable.

C'était moi, où que cette réalité, « moi », pût se situer et quelque forme qu'elle pût prendre. Je pense que je n'ai jamais vraiment voulu de bébé parce que je redoutais ce qui pourrait arriver. Je redoutais l'histoire et la tragédie.

C'est notre bébé, nous l'aimons, il meurt, c'est ma faute.

Tel était mon raisonnement et chaque fois que mon corps concevait, mon esprit l'empoisonnait. De la grande tragédie potentielle surgissait un flot de sang, rien qu'une autre petite tragédie. Pas même nommée.

Si vous pensez que c'est de la folie – croyez-moi, je le pense aussi.

« J'en serai juge », avait dit doucement Peter le soir de notre rencontre lorsque je lui avais annoncé être folle. Et il avait rendu un verdict de bonne santé mentale.

Étrange erreur, de la part d'un homme intelligent et perspicace, d'ordinaire si exact dans ses jugements.

Lorsqu'il devint clair que nous n'aurions pas d'enfants, je me recroquevillai à Dunollie Mansions comme un bernard-l'ermite dans sa coquille. J'aimais l'écran de feuilles l'été et le filigrane de rameaux l'hiver devant les fenêtres. J'aimais l'épaisseur des murs et des planchers, le sentiment presque onirique d'isolement, la manière dont Derek régentait la bâtisse d'un pas silencieux. J'aimais les autres couples, tranquilles et discrets, la sécurité des portes solides. Nul choc ni violence, nul tumulte ici, et je n'aurais pu imaginer que quoi que ce soit de ce genre vienne déranger nos calmes routines. Je devins une ermite.

Nous donnions toujours des dîners, bien sûr, étions invités en retour, à l'opéra et pour des week-ends à la campagne et en vacances, mais j'étais enfermée dans une insondable solitude. Peter et moi continuions à prendre soin l'un de l'autre, nous nous aimions sans doute, pourtant celle qu'il avait enlevée à la soirée du photographe n'existait plus.

Effacée par l'histoire.

C'est alors qu'arriva Lisa Kirk, avec son Tardis rouge, son mobilier à la mode, toute la chaleur de la jeunesse, ulcérée d'avoir été rejetée par Baz, aspirant au bébé dont elle pensait qu'il aurait dû lui revenir. Elle voyait en Peter Stafford exactement ce que j'y avais vu moi-même, durant toutes les années précédentes.

Comme je l'ai dit, ce n'était donc qu'une question de temps.

Jusqu'à Noël, avais-je tranché, à une ou deux semaines près. Je n'ai jamais vraiment élucidé la manière dont cela avait commencé. Quand j'interrogeai Peter, il répondit d'un air honteux : « Nous nous sommes rencontrés pour prendre un verre, c'est tout. Elle voulait un conseil financier. »

— Où l'as-tu rencontrée pour ce verre ? Comment est-ce arrivé ? T'a-t-elle appelé au bureau pour suggérer ce rendez-vous ?

— Cary, est-ce important ? Pourquoi veux-tu le savoir ?

— Parce que, répliquai-je sèchement.

Mais il refusa de me le dire et en réalité je n'avais pas besoin de le savoir. C'est la manière dont les choses se délitent, c'est tout. Il n'y a rien là d'inhabituel. J'avais vu ma mère traverser la même passe quand mon père était parti avec Lesley.

C'était le tout début de la nouvelle année, cette année qui a atteint le mois d'octobre, et Peter et moi allions déjeuner ce dimanche-là à Fulham chez nos amis Clive et Sally. C'était l'un de ces jours d'hiver londoniens sans couleur, lorsque le ciel, le fleuve et même les immeubles sont flous, indéfinis, que tout semble vague, à l'orée du mal de mer. Mon sac à main était à mes pieds, sur le plancher moquetté de la vieille voiture du moment, une Alvis, gris métallisé. Peter l'a remplacée par une nouvelle BMW série 5, sans doute à l'instigation de Lisa.

Je baissai les yeux vers mon sac, dans l'intention de me moucher ou d'avaler un comprimé contre le mal de tête lorsque je repérai quelque chose sous le siège. Les voitures de Peter sont toujours si impeccables que je fus surprise d'apercevoir ce qui ressemblait à une enveloppe de bonbon. Je le ramassai et l'identifiai dans la paume de ma main. Peter était tout à la circulation sur South Kensington.

J'avais trouvé une petite étiquette dorée, « Bag Shot par Lisa Kirk ».

Comme une carte de visite professionnelle, mais plus éloquente. Je la glissai dans ma poche, sans mot dire.

Les signes étaient présents depuis un certain temps, mais j'étais désormais à même de les lire.

Je me lançai dans un abominable espionnage. Chaque fois que Peter s'attardait au bureau, lorsqu'il téléphonait pour dire qu'il avait un rendez-vous inattendu ou un nouveau client à voir, je gravissais l'escalier bien propre jusqu'à la porte de Lisa. Je sonnais et tapotais l'épais verre dépoli mais – assez curieusement – elle n'était jamais chez elle.

Les soirs où il rentrait à la maison, j'écoutais. Je n'avais jamais pu entendre Mme Bobinski se déplacer chez elle, mais il est vrai que je n'avais jamais cherché à le faire. À présent, j'entendais soudain les discrets grincements des lames du plancher, les basses de la musique, le clic d'une porte se fermant. Lisa était chez elle.

— Qu'est-ce qui ne va pas ? me demanda Peter.

Je le sais, mais ne suis pas prête à te laisser savoir que je le sais.

Voilà ce qui ne va pas.

Me voici à nouveau sur la plage, un autre jour. La mer est étale, couleur d'aluminium sous un ciel altier, voilé. Il n'y a pas un souffle de vent. Un voilier traverse l'embouchure de la baie, ses mâts sont nus, ses moteurs ronronnent. Une ombre tombe sur mon livre.

C'est un homme de haute taille, en chemise blanche, pantalon flottant, babouches marocaines de cuir biseautées. J'aperçois un étroit croissant de peau bronzée entre le cuir et l'extrémité du pantalon.

— Bonjour. J'ai un exemplaire du *Times* que j'ai lu. Le voulez-vous ?

C'est « l'homme anglais ».

Il brandit le journal plié et j'en suis si surprise que je le prends.

— Merci.

— On aime savoir ce qui se passe sur la planète, dit-il.

Puis il s'éloigne, en diagonale sur le sable vers la lisière d'eau argentée où le sable mouillé dessine un ruban kaki. Je le suis des yeux qui longe l'eau. Le journal me laisse de l'encre noire sur la paume et le bout des doigts.

Finalement, ce ne fut pas Peter que j'affrontai. Un soir où il lisait un rapport dans son fauteuil, je sortis et allai frapper chez Lisa.

Elle eut l'élégance de feindre la surprise et la crainte pointa dans ses grands yeux.

— Puis-je entrer ?

Elle ouvrit plus largement la porte et j'avançai d'un air décidé. Dans la cuisine, où se trouvait un pot de yaourt avec une cuiller fichée dedans – j'eus l'impression d'interrompre le thé d'une enfant –, je l'attaquai.

— Que faites-vous avec mon mari ?

Il y a douze réponses possibles à semblable question. L'innocence, la colère, l'esquive, la dénégation.

Il faut lui rendre cette justice, elle se contenta de hocher tranquillement la tête. Après un moment de réflexion, elle répondit :

— Ce que vous imaginez, je suppose.

— Qu'est-ce que ça veut dire ?

Elle retroussa les lèvres, élargit encore davantage les yeux, ce qui lui donnait une expression risible qui était pourtant son air le plus sérieux.

— Que nous sommes amoureux l'un de l'autre.

Je la regardai bouche bée, médusée. Je me rappelai ce qu'elle avait dit à ce dîner des semaines plus tôt – *oh oui ! une fois que je vous ai connue* – et ma fureur devant cette prétention désinvolte. Mais ce n'était rien comparé à la rage que j'éprouvai alors.

Que connaissait cette sotte à l'amour et quel droit avait-elle de revendiquer celui de Peter ?

D'un bras, je balançai le pot de yaourt, sa cuiller et tout ce que je trouvai sur le sol. Je flanquai un coup de pied dans la porte rouge du Tardis et le fis tressauter. Si Peter avait été dans notre cuisine à ce moment, il l'aurait forcément entendu. Quand je fus en mesure de parler, je lui hurlai dessus :

— Ne dites pas des merdes pareilles. Ne dites plus rien.

Le sol était jonché de yaourt renversé et de vaisselle cassée. Mais Lisa ne me quittait pas des yeux, lesquels exprimaient en tout cas une vraie peur et l'inquiétude appropriée.

Je vais te forcer à réagir, espèce de glaçon.

— Vous ne savez rien. Vous ne saurez jamais rien à notre sujet, à Peter et moi. Vous devez le laisser tranquille. *Nous* laisser tranquilles. Vous comprenez ?

Pour lever toute ambiguïté, je donnai un autre coup de pied dans le réfrigérateur. Il y avait désormais un creux minuscule dans le coin inférieur de la porte et j'avais mal aux orteils.

— Cary…

Même dans cette situation absurde et peu digne, je voyais combien elle était jolie avec sa peau fine et lumineuse et la chair tendre de ses bras. Ses doigts minces enserraient le dossier d'une de ses inconfortables chaises. Elle songeait peut-être à s'en saisir pour me la briser sur la tête. Mais elle n'aurait pas été assez grande.

— Laissez-nous tranquilles, répétai-je tandis que ma colère commençait à refluer.

Je me sentais comme un sac en papier chiffonné.

— C'est trop tard.

Elle recouvrait sa confiance, née de sa jeunesse et de son arrogance. Je ne gagnerais pas. L'histoire en avait décidé ainsi.

Que faire à présent ?

— Peu m'importe. Il n'est pas trop tard, mentis-je.

— Écoutez, je l'aime et il m'aime.

Ses paroles sonnaient soudain vrai, réalité déclenchée par ma colère. Lisa Kirk ne lâcherait pas. On ne discutait plus d'un Baz sans relief ; l'affaire lui importait.

Mais nous n'étions pas que deux chats de rue nous disputant une tête de poisson. Une troisième personne était concernée. Peter déciderait bien sûr de ce qui était arrivé. Je ressentis brièvement sa chaleur familière autour de moi, comme une couverture rassurante. Tout irait bien car il avait toujours tout arrangé.

— Nous verrons bien, dis-je.

Je tournai les talons, quittai la cuisine, refermai la porte derrière moi et dévalai l'escalier pour rentrer chez nous.

Peter était encore en train de lire. Il n'avait même pas remarqué que j'étais sortie.

Je ne lui dis rien, pas un mot. Je préparai le dîner que nous mangeâmes puis nous regardâmes le journal de dix heures. Aucun bruit ne se faisait entendre à l'étage. En restant normale, peut-être pourrais-je tout ramener à la normalité, me disais-je. Cela montre à quel point j'étais irrationnelle.

On trouve un petit souk couvert au centre de Branc.

Je m'attarde près d'un étal, à respirer les parfums de cumin et de cannelle. De gros sacs de jute déversent une douzaine d'épices et d'herbes différentes, des monceaux de dattes luisantes et de figues sèches. Le marchand est un gros homme vêtu d'une ample chemise blanche et d'un petit gilet rayé serré aux épaules. Je suis en train de mordre dans la datte qu'il me fait goûter quand une voix me dit : « J'ai un autre *Times*, mais pas sur moi. Je peux vous le déposer à l'hôtel plus tard. Si vous le souhaitez, bien sûr. »

L'homme anglais, encore une fois.

Je me retourne et nous nous regardons. Il porte une chemise légère, un pantalon clair et ses mules de cuir. Il semble ordinaire, sans rien de remarquable, mais familier. Contrairement à moi, il paraît à sa place ici, mais je l'imagine aussi bien sur un terrain de cricket du Hampshire ou dans un restaurant de Londres.

— Bonjour ! dit-il pour meubler mon silence et ma manière impolie de le dévisager.

— Pardon. Merci, c'est gentil.

— Tout va bien ?

Le prétendre n'en vaut pas la peine. Je réponds très doucement, dans un souffle :

— Non.

— Non. Voudriez-vous venir prendre un café avec moi ?

Quelles qu'aient été mes intentions, je me rends compte que je le suis. Nous plongeons brièvement dans la lumière blanche du plein soleil et traversons une place vers des tables sous des parasols de toile.

Nous voici assis l'un en face de l'autre. Une tente d'ombre nous isole de la chaleur et de la lumière trop vive. On nous apporte de petites tasses de café turc, avec des verres d'eau fraîche et une assiette d'amandes. J'en saisis une et en mords la moitié avant d'examiner les marques laissées par mes dents. Puis je sirote le café épais et sucré, tout en fixant de l'autre côté de la place la mosquée et les flèches fines des minarets. Je réalise avec surprise que je suis à l'aise en compagnie de cet homme, que je ne parle pas, ne ris pas, que je n'esquive pas. Je me contente de rester assise, de jouir de l'ombre, de la vue, du goût râpeux du café sur ma langue.

J'ai accepté d'aller naviguer sur son bateau avant même de savoir son nom.

Peter ne mit pas longtemps à apprendre ma visite à Lisa. Il rentra de bonne heure le lendemain, avec une expression que je ne lui avais jamais vue. Un regard prudent, plein de méfiance.

— Est-ce vrai ? lui demandai-je lorsqu'il eut ôté son manteau et déposé sa serviette sur la chaise du vestibule.

— Oui.

— Je ne comprends pas. (Mais je comprenais.) Es-tu amoureux d'elle ?

Il écarta les mains, un geste d'exaspération qui suscita chez moi la première flèche de désamour.

— Non. Oui, je suppose que oui. Je ne demandais rien. Ce sont des choses qui arrivent.

Comme d'être renversé par un autobus, j'imagine. On se tient là, sans penser à autre chose qu'à ses affaires, quand l'adultère arrive et vous écrase. Quoique, en y réfléchissant, devenir la proie de Lisa Kirk ne doit pas être très différent que de se faire labourer par un autobus. Ma haine s'accentuait et me donnait envie de pleurer. L'idée de détester Peter était si extravagante.

S'ensuivirent divers incidents et confrontations, aussi odieux que prévisibles.

Je pleurais, Peter battait en retraite, Lisa écarquillait davantage les yeux. D'endroit tranquille, Dunollie Mansions était devenue un lieu parcouru par des bourrasques de malheur et de méfiance.

À la fin, après des semaines de chagrin et de supplications, Peter déménagea et s'installa dans un appartement de Baron's Court. Lisa dériva dans son sillage et je restai encalminée. Comme si mon mari et sa maîtresse étaient montés dans le Tardis rouge, avaient tiré la porte derrière eux et s'étaient dématérialisés. C'est peu après que Selina avait eu l'idée de ces vacances turques.

Et maintenant je pars faire une excursion en bateau. Il fait toujours une chaleur excessive, bien que le ciel soit légèrement voilé. Le ciel blanc se fond dans la mer gris perle sans solution de continuité. Un petit bateau attend près du ponton au coin de la baie, comme m'en avait prévenue l'homme anglais et tout en marchant péniblement dans sa direction je le vois étendu sur le toit du carré, le chapeau de paille incliné sur les yeux, les chevilles croisées, apparemment endormi. Mais il doit avoir une ouïe exceptionnelle car je suis encore loin sur la plage de galets qu'il se redresse et lève les bras pour m'accueillir.

D'une main il m'aide à monter dans le cockpit. Des coussins le tapissent et un bimini l'ombrage : je m'assieds, soulagée d'échapper un peu à l'envahissante chaleur. Le sabord me révèle l'espace bien rangé du carré, les couchettes étroites séparées par une table pliante.

— Pas de vent, dit-il en voûtant les épaules.

— Non.

— Je n'aime pas me déplacer au moteur, mais je crois que nous y serons obligés. Nous trouverons peut-être de la brise une fois en haute mer.

Je regarde dans l'eau, si claire que j'aperçois les rochers dix pieds sous la surface comme s'ils gisaient sous une baie vitrée, puis lève les yeux vers le ciel incolore.

— Peut-être.

Peu m'importe que nous trouvions une brise ou pas, ou que nous trouvions quoi que ce soit d'autre. Je suis heureuse d'être ici, balancée par l'eau, dans ce petit cockpit de bois si bien rangé.

L'homme met le moteur en route et une fumée bleue s'élève de la poupe. Il saute sur le ponton, défait l'amarre de la proue et, pendant que celle-ci commence à décrire un arc lent, il libère celle de la poupe avant de me rejoindre. Une minute plus tard, nous voguons vers la haute mer. Silencieux, mais amicaux, nous observons l'eau, mon hôtel blanc et ses résidents qui disparaissent derrière nous.

— J'ignore votre nom, dis-je.

Il incline la tête de côté et me regarde. Il n'a aucun trait distinctif, et l'ensemble de son visage ne l'est pas davantage, pourtant il me paraît de nouveau familier. Je sais que je ne le connais pas, mais je me sens à l'aise en sa compagnie.

— Je m'appelle Catherine Stafford. Cary.

— Andreas.

Il ajuste légèrement notre trajectoire pour nous rendre parallèles au rivage.

— Voilà, dit-il avec satisfaction, avant, indiquant la barre, de me la céder : cela vous ennuie-t-il de barrer, juste un instant ?

Je me glisse à sa place tandis qu'il se porte en avant. Il hisse une voile dans laquelle le vent s'engouffre aussitôt. L'eau se met à chanter sous la quille, notre sillage s'approfondit et je serre plus fort la barre. Je lève la tête vers le sommet du mât et le vent, notre vitesse croissante me font sourire. Quand Andreas revient, je fais mine de lui abandonner la barre mais il m'invite à rester.

— Je ne sais pas barrer.

— Mais vous barrez !

Et il a raison, je barre. Le plaisir m'envahit et je me sens aussi tendue que la voile blanche. On dirait que nous volons sur la crête de l'eau. J'observe la côte, les villages qui dévalent les baies comme des morceaux de sucre agglomérés dans les plis d'une nappe. Le paysage est calme plutôt que beau, avec ses ombres bleu marine et sépia. Andreas désigne les lieux et m'en dit les noms.

— Vivez-vous ici ? lui dis-je.

— Parfois.

Au bout d'un certain temps, nous passons un gros promontoire de rochers où les cormorans se détachent contre le ciel. Aussitôt derrière le rocher, visible selon un angle particulier, on distingue une langue de sable entre deux falaises à pic.

— Voici notre destination.

— Ça a l'air superbe.

Il m'aide à manœuvrer. Dans ces hauts-fonds, l'eau est d'un turquoise brillant. On voit les bancs de poissons synchronisés, dont les ombres vont et viennent sur le sable. Andreas affale la voile et amarre le bateau à une petite bouée.

— Bienvenue dans ma baie.

J'ai chaud à présent que nous sommes immobiles et l'eau semble attirante. J'ôte la chemise qui recouvre mon maillot de bain et me lève trop vite, ce qui fait tanguer le bateau. Andreas tend la main pour me redresser et je me cramponne à son avant-bras nu, en riant. Ma main semble crayeuse contre sa peau bronzée.

— Plongez, dit-il.

Je regarde l'eau qui est assez profonde. Nous nous donnons la main et je me hisse sur le siège, j'en sens la toile écrue sous mes pieds. Le bateau continue de tanguer et nous rions tous les deux, maintenant. Il pose les mains sur mes épaules pour me redonner de l'aplomb tandis que je me dresse sur la pointe des pieds et arque les bras devant moi. Son contact est amical, fraternel même, sans le moindre sous-entendu sexuel. Il me protège et me taquine en même temps. J'éprouve la douleur de la perte dont Peter est le centre : c'était mon amant et il me manque si cruellement !

— Plongez, répète Andreas.

Je m'élance du bateau pour m'éloigner du souvenir de Peter. Je gifle l'eau et la fais bouillonner, m'abandonne à l'inertie du plongeon qui m'emporte jusqu'au sable. Puis je me redresse et l'eau fraîche me débarrasse de l'âpreté des derniers mois : je me sens à nouveau propre, douce, entière. Quand je fends la surface dans un éblouissement de lumière, je remarque que le voile blanc du ciel s'est éloigné : le soleil brille. Andreas remonte à la surface à côté de moi et disperse le scintillement des gouttes sur ses cheveux. Nous gagnons tous deux la plage à la nage et nous asseyons sur les rochers découverts, réchauffés par le soleil, pour regarder le petit bateau et la tranche de haute mer qui s'étend au-delà de la baie.

— C'est mon endroit préféré, dit-il légèrement.

— Je comprends pourquoi.

Un peu plus tard, il fixe un couteau à sa cheville, prend un filet et part nager autour des rochers pendant que je me dore au soleil. À son retour, le filet est rempli de globes noirs épineux.

— Le déjeuner !

Nous nous installons sous le bimini.

Nous avons du pain bis et un plat de tomates. Andreas prend les oursins un par un et insère la pointe du couteau par en dessous. Il les empile devant moi et j'ingurgite avidement leur contenu orange et pulpeux. Cela a un goût de mer pure et iodée.

Après ce déjeuner, je m'étends sur le toit du carré, et me laisse bercer par le soleil tandis qu'Andreas dépose une minuscule cafetière sur la flamme bleue d'une bonbonne. Il m'apporte une petite tasse en fer-blanc et trois figues : je ronge le fruit dont le jus me dégouline sur le menton.

— C'est merveilleux.

— Bien.

— Mais je ne sais rien de vous, dis-je en souriant.

Il me prend la dernière figue qu'il découpe soigneusement en quartiers au couteau.

— Que voulez-vous savoir ?

J'essaie de mettre mes questions en forme – quel âge avez-vous ? d'où venez-vous ? que faites-vous et que faites-vous ici ? – mais les points de référence s'estompent. Je n'ai rien besoin de savoir : c'est assez d'être là, tout simplement.

Andreas donne l'aspect d'une fleur à la figue découpée : il m'en tend deux pétales et en garde deux pour lui. Je le dévisage en face et c'est comme si je regardais mon visage. Il est aussi familier.

— Avez-vous assez mangé ?

Je hoche la tête.

— Allons à terre.

La falaise à l'est nous fait de l'ombre. Nous nous étendons sur le sable, la tête appuyée sur le coude et nous regardons.

— Qu'allez-vous faire après ? me demande-t-il tranquillement.

C'est comme s'il savait déjà, pour Peter. C'est un soulagement de ne pas avoir à expliquer ce qui est arrivé, mais plutôt de tenter de dessiner l'avenir.

— Je ne rentrerai pas à Londres. J'aimerais vivre dans un endroit différent, où tous les rochers de l'histoire ne m'écraseront pas.

— C'est tout à fait possible.

— Tout m'est possible.

J'ai lâché cela avec un haussement d'épaules ironique mais, en le regardant, je me mets à y croire.

— Je vais commencer à vivre, au lieu de me cacher. Vous savez, quelque chose m'est arrivé il y a longtemps – non, ça ne m'est pas arrivé, j'ai *fait* quelque chose et cela a altéré tout ce qui a suivi, pour moi et tout mon entourage. J'aimerais être celle que j'aurais pu être si… si cette chose n'était jamais arrivée.

Ses mains se déplient et il les pose sur ma bouche.

— Chut. Vous pouvez l'être si c'est bien ce que vous voulez.

Il dit vrai. Cette certitude m'apaise et je m'étire sur le sable, soudain somnolente.

— Je pourrais m'endormir, dis-je en un murmure.

— Moi aussi, répond-il en bâillant.

Nous sommes étendus côte à côte et je m'endors bercée par le rythme de son cœur et le ressac de la mer.

Voilà comment s'était passée la journée. Rien de compliqué, de caché ou même de tacite ; nous étions à l'aise ensemble comme de vieux amis.

Quand je m'éveille, le ciel s'est couvert, il a retrouvé son fin voile matinal. Il n'y a qu'un creux dans le sable à côté de moi et je me redresse, effrayée, encore vaseuse après cette sieste. Alors j'aperçois Andreas dans le cockpit du bateau qui me fait signe de la main. L'eau semble glacée quand je m'y avance et la fouette à contrecœur. Il m'aide à me hisser à bord et je m'enveloppe dans ma chemise.

— Le temps change, dit-il.

Sous le ciel atone, la terre paraît triste, l'eau brouillée. La chaleur est étouffante, à présent, mais un souffle de peur me fait frissonner.

— Que se passe-t-il ?

Je secoue la tête, pour me débarrasser des derniers miasmes du sommeil.

Andreas s'affaire auprès du cordage qui nous amarrait à la bouée. Il en remonte l'extrémité dégoulinante.

— Je vais vous ramener chez vous.

« Chez moi », cette notion n'a rien à voir avec l'hôtel à peau blanche. Il est ailleurs, un ailleurs que je ne puis encore situer. Le ciel est de plus en plus noir, quelques gouttes de pluie martèlent l'eau, je les remarque à peine. Une fois quittés les confins de la baie, le vent suffit à peine à raidir la voile. Nous restons tranquillement assis et le rivage défile jusqu'à ce que les hôtels de la plage apparaissent.

Nous atteignons le ponton et il accoste, nous amarre solidement à un anneau avec un double bout.

— Merci, dis-je, indécise.

Les questions que j'ai écartées plus tôt me reviennent. *Qui ? Pourquoi ?*

— Nous nous reverrons, mais ce ne sera pas un jour semblable à celui-ci.

Pourquoi ? À nouveau, je ne pose pas la question à voix haute. Je sais déjà qu'il n'y aura pas de réponse, pas maintenant, pas de réponse méritant ce nom. Peut-être est-il sur le point de partir. Peut-être y a-t-il d'autres considérations qui m'échappent encore.

— Ce fut une très belle journée.

Elle est déjà à part dans mon esprit, marquée d'une pierre blanche. En compagnie d'Andreas, j'ai cessé de penser à Peter. Pendant toute une suite d'heures j'ai été totalement heureuse, sans séquelles.

Sur le ponton, avec en arrière-plan les mamelons bruns des îles grecques se découpant sur le ciel d'étain, il m'enlace brièvement et me serre contre lui.

— Pour moi aussi, dit-il.

Puis il dépose un baiser sur mon front et se détourne.

Je reste à regarder le bateau s'éloigner mais Andreas a remis son chapeau de paille : son visage est invisible.

Me voici de retour dans ma chambre d'hôtel. Une poignée d'heures me sépare de celles passées avec Andreas, mais l'effet de notre étrange rencontre perdure. Je me suis réconciliée avec moi-même, sans avoir besoin de m'abrutir de lecture ou d'un sommeil provoqué par les barbituriques. Mes souvenirs de Peter et de notre vie commune sont tendres, sans amertume. Je suis éveillée, j'attends du neuf et rien ne m'alourdit. J'ai arpenté la plage et les ruelles de Branc, à observer les habitants en imaginant les histoires de leurs vies. On a répondu à mes regards, en saluant, en souriant – des saluts tout simples, comme en échangent les gens ordinaires. Et je ne me suis pas formalisée de cet examen, je ne l'ai pas esquivé. Je me sens libre d'être moi-même.

C'est peut-être normal, c'est peut-être le bonheur de la normalité.

C'est un sentiment que je n'avais peut-être plus connu depuis l'âge de huit ans.

Impossible de dormir.

Mon réveil m'informe qu'il est un peu plus d'une heure. Le temps lourd, orageux, dure depuis trois jours maintenant, depuis l'excursion avec Andreas. Un orage purifierait l'atmosphère mais il ne vient pas et les nuits sont longues, sans air. Je me rends compte que l'absence de sommeil ne m'ennuie pas alors que la semaine dernière encore, je me serais assommée avec des somnifères.

Je me glisse hors du lit, enfile un pantalon large, une chemise légère. Je me glisse hors de ma chambre et parcours le couloir de l'hôtel, devant les portes numérotées et sans nom, traverse le hall désert où le portier de nuit ronfle derrière le comptoir de la réception. Dehors, au jardin, il y a un souffle de vent très léger ; je le pourchasse jusque sur la plage. Du sable sort une fraîcheur râpeuse et agréable sous mes pieds nus. La mer est noire, le ciel sans étoiles. Je marche une ou deux minutes, jusqu'au bord de l'eau, un pas plus loin, trempe mes pieds, mes chevilles et l'extrémité de mon pantalon. Puis je me rends au ponton où Andreas avait amarré son bateau. Je vais jusqu'au bout et m'y assieds. Je referme les doigts sur l'anneau de fer et balance les jambes au-dessus de l'eau.

Le calme et le silence seraient complets s'il n'y avait l'agitation de l'eau.

Je regarde derrière moi la ville assombrie. Il ne reste que peu de vacanciers, les bars et les boîtes de nuit sont fermés pour la plupart. On dirait que le monde entier dort.

Assise, j'attends.

4.

— Il fait trop chaud, se plaignit Theo.

Sa grand-mère le tenait sur ses genoux et lui caressait les cheveux en murmurant des petits mots doux en grec. À présent qu'il faisait nuit, la chaleur n'était plus excessive mais la lourdeur de l'air restait oppressante. Olivia allait de l'évier à la table, en contournant la chaise de sa belle-mère. Elle savait que celle-ci l'observait par-dessus la tête de son fils et s'efforçait de ne pas s'en formaliser. Elle se serait bien passée de la présence de Meroula dans sa cuisine. La vieille femme critiquait la manière dont elle tenait son ménage, élevait ses enfants, jugeait toujours ses méthodes déficientes et montrait en permanence une bouche pincée, ce qui avait creusé autour de celle-ci comme des marques obliques de ciseau. Mais Olivia n'avait pas le choix. C'était le droit d'une mère grecque que de s'installer au centre du foyer de son fils et Xan, tacitement, l'acceptait.

— Quand j'étais petite, Mamie nous mettait au lit, Max et moi, tous les soirs à sept heures, dit Olivia sans que personne l'écoute.

Ils partageaient la même chambre, lorsqu'ils étaient tout petits, tout comme Georgi et Theo. Olivia, étendue sous les draps, imaginait des histoires de princesses en fuite, de jungles et de trésors perdus. Ces histoires, elle s'en souvenait, regorgeaient d'ingrédients exotiques aux dépens de la solidité de l'intrigue. Elle excellait à dresser une liste de personnages mais arrivait rarement à les mettre en mouvement. Malgré tout, Max suçait son pouce et l'écoutait, captivé. Elle était emportée par ses descriptions des cheveux dorés et des longues robes roses de la princesse et, quand elle le regardait à nouveau pour mesurer son intérêt, il s'était endormi aussi soudainement que s'il était tombé au fond d'un puits. Le matin venu, il semblait n'avoir pas changé de position, toujours à sucer son pouce. Il est l'heure de se lever, lui disait-elle et il ouvrait aussitôt les yeux, prêt à sauter du lit et à lui obéir dans leurs jeux.

Elle revoyait exactement l'atmosphère de leur foyer lors de ces matinées et de ces soirées. Tout était calme, comme si rien ne devait changer et, pourtant, on pressentait en profondeur qu'une simple chiquenaude pourrait tout altérer, à jamais.

— J'ai trop chaud, répéta Theo.

— Il a de la fièvre, dit Meroula à sa belle-fille.

— Dans ce cas, qu'il file s'étendre dans son lit.

— Tout seul, le pauvre enfant ?

Meroula portait une ample jupe grise plissée qui lui permettait de s'asseoir en écartant largement les jambes. Elle avait des bas de fil d'Écosse couleur d'argile sèche et un cardigan sombre à revers orné de boutons militaires qui zébraient sa poitrine. Si elle ne portait pas toujours les mêmes vêtements on avait quand même l'impression que c'était là son uniforme invariable.

— Je ne veux pas aller au lit, fit Georgi de l'autre bout de la table sans lever les yeux de son dessin. Je veux voir Papa quand il rentrera.

— Mais bien sûr, commenta Meroula sur un ton de triomphe.

Olivia préparait du calmar, tranchait les têtes, vidait les entrailles et la poche à encre, puis mettait les abdomens dans un plat d'huile et de jus de tomate. Le calmar farci au riz et à l'oignon, c'était l'un des plats favoris de Xan pour son dîner. Les garçons avaient déjà mangé leurs saucisses et leurs haricots.

— Mère ? Vous resterez dîner avec nous ?

Meroula habitait toujours la maison où son mari était mort, peu après la naissance de Theo. Mais en hiver, lorsqu'il n'y avait ni pensionnaires ni touristes pour la chasser, elle avait tendance à s'incruster chez son fils et sa famille. Elle inclina la tête avec un air qui semblait indiquer que cela tenait davantage du devoir que du plaisir, mais qu'elle ne s'y soustrairait pas.

— Très bien, fit Olivia.

Par la fenêtre surplombant l'évier, elle distinguait un coin de la place et la Taverna Irini. Les propriétaires s'étaient retirés à Rhodes pour l'hiver ; l'intérieur des fenêtres du bar était tapissé de journaux qui jaunissaient déjà et la porte était cadenassée. Les insulaires préféraient fréquenter la taverne du port.

La seule lumière visible émanait du kiosque de bois bleu voisin de la taverne. Dans son mètre carré d'abri, bourré de cigarettes, de chewing-gums et de billets de loterie, Manolis somnolait, la joue sur ses bras croisés, sur une pile de magazines illustrés. Il avait une tête minuscule fichée sur un corps énorme, toujours engoncé dans le même pantalon graisseux dont la braguette mal fermée laissait dépasser un bout de sous-vêtement de laine. Georgi déclarait que Manolis n'avait pas la tête assez grosse pour contenir un cerveau normal et il était exact qu'il n'était pas très malin. Mais il pouvait vendre des cigarettes, rendre la monnaie sur un billet de mille drachmes et son kiosque était ouvert à toute heure du jour et la moitié de la nuit, hiver comme été, car son seul autre gîte était une alcôve dans la minuscule maison de sa mère juste au-dessus du port. Manolis s'installait parfois au soleil sur un banc voisin de l'échoppe, mais l'approche d'un client le faisait aussitôt « rouler » à l'intérieur. De fait, Olivia le vit redresser la tête.

Le client n'était autre que Xan. Il indiqua du doigt quelque chose, empocha ce que Manolis lui remit, le paya.

Olivia sourit en dénouant ses mains dans l'eau sale de l'évier.

— Voici Papa.

Theo jaillit des bras de Meroula, Georgi rejeta son crayon.

— Papa !

Meroula se redressa et lissa sa jupe grise comme si elle s'apprêtait à retrouver son amant. Sa belle-fille avait remarqué cela de multiples fois et en était à la fois touchée et irritée. Xan était tout pour sa mère ; il n'y avait pas d'angle de sa vie qu'il n'irradie.

Lorsqu'elle essayait de lui en parler, il déclarait : « C'est comme ça, ça n'a rien d'extraordinaire. Mais c'est avec toi que je suis marié. »

Elle prenait son visage dans ses mains et l'embrassait sur la bouche.

— Ne l'oublie jamais.

Il entra, massif et sentant la fumée, le bar. Il tenait les bras raides devant lui, les poings serrés, comme un robot. Les garçons s'élancèrent sur lui et lui martelèrent les jambes.

— La gauche ou la droite ? demanda leur père.

— La gauche, hurla Theo, contredit par son frère :

— La droite.

Theo se reprit aussitôt.

— La droite !

Sans tenir compte des réponses, Xan laissa tomber une bulle en plastique dans chaque paire de mains arrondies. Elle contenait un chewing-gum rose vif et un jouet en plastique à assembler à partir de quatre pièces. Les enfants engloutirent le bonbon et tombèrent à genoux pour assembler les jouets. Celui de Georgi était une voiture jaune, celui de son frère un bonhomme rouge.

La première fois qu'elle l'avait vu, il venait de distribuer des bonbons aux enfants des rues de Bangkok avec les mêmes mouvements de robot. Les enfants tournaient autour de ses genoux, se poussaient et hurlaient pour attirer son attention, ses bras étaient tendus au-dessus d'un buisson de doigts frénétiques. C'était la fin de la mousson et, derrière eux, le fleuve gonflé, kaki, emportait avec lui un tapis d'herbes et de branches. Olivia s'était emparée de son vieux Leica afin d'immortaliser la scène et Xan l'avait fixée droit dans l'objectif, comme pour percer ce qui se cachait derrière son regard. Après avoir déversé le contenu du sac de bonbons dans les mains tendues, il s'était approché d'elle.

— Nous pouvons faire affaire, avait-il dit en tirant un Instamatic de sa poche de chemise.

Il le tint horizontalement et fit semblant de prendre une photo.

— Si j'étais vous, je cadrerais dans l'autre sens, verticalement.

Il lui obéit et pressa l'obturateur. Ils étaient au milieu d'une mer d'enfants, à présent, qui réclamaient d'autres cadeaux en criant.

— Super. Merci. Vous vous y connaissez en photo, n'est-ce pas ?

— C'est mon métier. Je vends mes photos.

— Vraiment ? Je peux vous offrir une bière ?

Tel était son mode de vie, à l'époque. Elle sautait d'un avion à un autre, elle dérivait dans des villes étrangères et voyageait dans des autocars qui traversaient de lointaines montagnes. Elle prenait des photos à Soweto, à La Havane et à Bogota, sur les plages des Caraïbes et dans les canyons du centre de Manhattan. Elle en vendait certaines, aux photothèques, aux agences et aux magazines. Elle transportait presque tous ses biens sur elle et la marée de voyageurs et de routards qui sillonne le monde était le courant dans lequel elle nageait. Elle avait partagé des bières avec des centaines d'inconnus dont certains étaient devenus des amis. Quelques-uns, même, des amants.

— Oui, volontiers.

Lorsqu'ils furent assis sous une bâche à côté du fleuve, elle lui posa la question qui suivait toujours les présentations :

— Quelle est votre destination ?

— La maison, dit Xan.

Le plaisir intense avec lequel il lui répondit, sa façon d'anticiper cette perspective comme s'il mourait de faim et était sur le point de pouvoir se rassasier, l'emplirent d'un accès de mélancolie. Ce n'était pas de la nostalgie – l'Angleterre, la maison actuelle de ses parents à la campagne où elle n'avait jamais vécu ne représentaient plus un chez-soi. Pourtant elle ressentait l'attraction de ce chez-soi à travers Xan Georgiadis, l'idée, le sens et la sécurité d'un lieu plutôt que sa propre réalité à elle, comme un courant remontant du plus profond d'elle-même. Elle aspirait à être de nouveau reliée à un lieu après tant d'années d'errance.

Elle l'observa par-dessus son verre, en se disant qu'il était extrêmement beau. Elle ressentait un choc inhabituel dans la poitrine. Ne t'emballe pas, s'intima-t-elle. Mais il était trop tard pour les mises en garde.

— Et où est cette maison ?

— En Grèce.

Xan avait vécu cinq ans à Melbourne. Il avait travaillé dans l'entreprise de construction d'un cousin, à installer des maisons bon marché pour les communautés d'immigrés dans les faubourgs de la ville ; tous ces efforts physiques avaient musclé son corps et tanné sa peau ; un nasillement australien parasitait son accent grec. Mais à présent, disait-il, ses parents avaient besoin qu'il rentre. Son père se faisait vieux et il manquait à sa mère.

— C'est l'une des îles du Dodécanèse. Vous devriez la voir. C'est le paradis.

Olivia connaissait la plupart des destinations paradisiaques de la planète, mais elle était toute prête à croire que la présence de Xan Georgiadis dans celle-ci la rendrait insurpassable.

— Au lit tout de suite ! Vous pouvez emporter les jouets avec vous, dit Xan.

Les garçons embrassèrent Meroula et Olivia et suivirent leur père à pas de loup. Ils lui obéissaient toujours.

— Ce sont bien les fils de leur père, remarqua leur grand-mère avec un large sourire.

Olivia farcit le dernier calmar et glissa le plat au four avant que Meroula n'ait eu le temps de lui dire que Xan préférait la viande au poisson. On entendait des bruits de choc et de lutte – les enfants jouant avec leur père à l'étage. Meroula hochait la tête, ravie.

Quand il redescendit après avoir mis les enfants au lit, ils s'installèrent à table, Xan au bout et sa femme et sa mère de part et d'autre. Il y avait pour commencer un plat d'olives avec du pain et de l'huile, puis les calmars. Il avait joué aux cartes à la taverne puis regardé un match de football à la télévision suspendue au-dessus du bar : il revenait affamé. Meroula mangeait une portion substantielle, elle aussi, mais avec un air magnanime. Elle jetait un coup d'œil sur l'assiette de son fils toutes les deux minutes pour s'assurer qu'il était assez servi. On n'entendait que le cliquetis des couverts. Seuls, Xan et Olivia auraient bavardé et peut-être même bu un peu de vin. Ces soirées tranquilles d'arrière-saison, quand les enfants dormaient, étaient au nombre de leurs meilleurs moments sur Halemni.

Olivia se contentait de regarder la pièce tout en mangeant.

Des bougies brûlaient sur l'une des étagères de pierre, l'autre soutenait des livres. Un panier contenait des bûches près de l'âtre mais il n'y avait pas de feu – ce luxe était réservé aux soirs les plus froids, ou aux moments où l'alimentation électrique de l'île était défaillante. Deux vieux fauteuils confortables trônaient de part et d'autre du foyer, devant des placards renfermant les jouets et les jeux des enfants. Le four à pain était creusé à côté de l'âtre mais Olivia se servait du nouveau four à gaz qui occupait l'autre extrémité de la pièce avec les placards et tout l'équipement permettant de faire la cuisine pour douze pensionnaires. La grande table de chêne occupait le centre de l'espace ; les fenêtres de la façade ouvraient sur la place et la mer au loin. De l'autre côté, une rangée de portes-fenêtres desservait la terrasse ombragée et la pente de la colline derrière le village. C'est là qu'ils passaient leur temps en été.

Xan avait presque tout construit de ses mains, et posé les dalles de calcaire sur le sol. Les portes de tous les placards étaient décorées de carrés, de diamants et de losanges aux couleurs brillantes, turquoise, safran, mandarine et vermillon – c'était l'œuvre de Christopher – et les murs entièrement tapissés de tableaux de pensionnaires, de dessins des enfants et de Christopher, de photos d'Olivia. Il n'y avait pas de télévision, mais il y avait un lecteur de disques laser et une radio. Il leur avait fallu du temps pour acquérir tout cela compte tenu de leur budget limité, mais c'était une pièce accueillante et confortable, à présent, à la lueur de ses bougies et de ses petites lampes.

— Avez-vous eu assez à manger, Mère ? Et toi, Xan ?

— Donne-lui cette dernière cuillerée.

Xan repoussa son assiette.

— Il y a des fruits. Nous avons quelques figues, offrit-elle.

Meroula secoua la tête.

— Pas de fruits, merci.

— Je vais préparer le café quand j'aurai fini, dit-il la bouche pleine.

— Laisse-moi m'en occuper, intervint sa mère.

Olivia la laissa faire. Elle se rappelait ses premiers temps sur l'île de Halemni, peu après son arrivée. Elle ne connaissait Xan que depuis quelques semaines, le temps de regagner lentement l'Europe et de comprendre qu'ils voulaient vivre ensemble. La dernière étape du voyage, ç'avait été une traversée en ferry depuis le port de Rhodes. Le bar étouffant, enfumé, le salon des passagers semblaient remplis de bonshommes au teint buriné qui saluaient Xan, l'accueillaient par de tumultueuses embrassades et une avalanche de questions. Mais après une brève conversation avec chacun d'eux au cours de laquelle il présentait Olivia comme sa « copine », Xan préféra s'isoler durant les quatre heures de la traversée sur le pont supérieur. Olivia s'appuyant sur le bastingage à côté de lui, regardant la boucle d'écume jaillissant de la proue, les falaises et les plateaux rocheux des autres îles ; elle avait coincé la main sous son bras et songeait qu'elle renonçait à tout ce qu'elle avait connu jusqu'ici pour suivre Xan Georgiadis chez lui.

L'idée suscitait un sentiment d'abandon agréable, d'irrévocable au creux de son estomac. C'en était fini des voyages. Quel que fût ce lieu attendant derrière l'horizon, elle y resterait car c'était le lieu auquel Xan appartenait.

— Nous y voici.

Elle suivit son doigt tendu. Une tache bleu-gris sur l'horizon de novembre de la mer Égée.

Quarante minutes plus tard, le ferry fit une manœuvre compliquée de marche arrière dans la baie de Halemni pour amener la proue contre une jetée de pierre. Elle était à côté de lui, dans les entrailles du bateau quand le grand vantail d'acier s'abaissa pour révéler un rectangle grandissant de paysage. Un bord de ciel bleu glacé. Des collines rocheuses, brun et gris, et les maisons blanchies à la chaux en demi-cercle au-dessus du port. Une étroite plage de galets frangée de tamaris et une étendue de mer gris pâle. Il lui fallut mieux regarder pour remarquer les ruines d'un château sur la plus haute falaise rocheuse ainsi qu'une composition plus géométrique de roches et de pierres s'accrochant à ses flancs. On voyait des fenêtres qui avaient l'air d'orbites vides.

— Le château d'Agrosikia, édifié par les chevaliers de Saint-Jean, et Arhea Chorio, le vieux village.

Le vantail d'acier s'immobilisa à l'horizontale dans un grand bruit et les matelots, les employés du port amarrèrent les énormes cordages. Xan et Olivia emboîtèrent le pas au petit groupe de gens qui attendait avec eux et deux camions sortirent aussi du bateau.

— Voici mes parents.

Elle les vit. Une femme corpulente au corps carré, au visage carré sous une masse de cheveux gris fer, un homme beaucoup plus frêle, mince et pâle, une cigarette à la main. Munie de tous ses biens dans son sac à dos, elle suivit Xan à terre et dans sa vie sur Halemni.

Lorsqu'il la présenta, les yeux de Meroula remontèrent de ses bottes poussiéreuses jusqu'au sommet de son crâne. Elle avait près de trente centimètres de moins qu'Olivia, même en se redressant de toute sa taille comme à cet instant. Son fils unique était enfin de retour au pays mais au lieu d'épouser une Grecque, il ramenait cette créature exotique. La poignée de main amicale de Nikos Georgiadis ne compensa pas vraiment cet accueil glacial.

Durant les premières semaines, ils avaient habité chez Meroula et Nikos, dormant dans la chambre voisine de la leur et partageant tous leurs repas. Olivia avait vite appris le grec. À son étonnement, même cela n'avait pas suffi à lui gagner l'approbation de la mère de Xan, mais elle finit par comprendre que rien de sa part ne la satisferait : Meroula était sa rivale dans la lutte pour remporter l'amour et l'attention de son fils. Quant à Xan, il esquivait le conflit.

Il passait ses journées à la pêche avec ses copains d'enfance ou à travailler, quand le temps le permettait, sur les nouvelles bâtisses pour touristes qui grignotaient le pourtour de Megalo Chorio. Olivia consacrait les siennes à l'exploration de l'île, pour éviter Meroula. Elle finit par en connaître chaque recoin, depuis les baies sablonneuses du côté Sud jusqu'aux rochers sauvages et aux criques éloignées des rivages Nord et Est. L'île faisait seize kilomètres d'ouest en est et, au point le plus étroit, trois kilomètres du nord au sud. Elle marchait, escaladait, s'asseyait sur les rochers, regardait tout simplement : elle tomba amoureuse une deuxième fois.

Le temps tournait en un éclair du ciel d'azur à la tempête suivie d'une pluie torrentielle avant de se remettre au beau.

La mer pouvait prendre toutes les couleurs, du presque noir à la nacre et au turquoise ; les collines nues s'assombrissaient sous la pluie avant de se radoucir au soleil de l'après-midi.

Meroula déclarait : « Il va falloir te marier, Alexandre. Vous ne pouvez pas continuer à vivre sous mon toit comme mari et femme sans la bénédiction de l'Église. »

Xan riait.

— Nous nous marierons quand nous serons prêts, Mère. Si tu ne veux pas qu'Olivia et moi vivions ensemble ici, je débarrasse le plancher et vais m'installer chez Stefanos. Est-ce ce que tu préfères ?

— Tu ne saurais vivre nulle part à Halemni que chez ton père et ta mère.

— Eh bien, tu as ta réponse, répliquait-il en faisant un clin d'œil à Olivia.

Meroula, elle, lui décochait un regard noir.

Noël arriva et s'en fut. Janvier amena les premières fleurs sauvages dans les recoins abrités. Olivia découvrit des touffes de minuscules cyclamens blancs et des anémones bleues, les rosettes duveteuses des mandragores avec leur cœur semblable à des œufs dans un nid. Elle grimpa derrière les buissons de ronces et les massifs de sauges sauvages sur le chemin escarpé des chèvres et s'y accoutuma. Les pierres de gué des rues étroites étaient brisées et inclinées, comme soulevées par les feuilles en forme de lance de l'arum et de la hyacinthe sauvage.

Dans les années soixante, les dernières familles avaient battu en retraite le long de la côte, chassées par le manque d'eau et l'âpreté de la vie, et rejoint la communauté de plus en plus réduite. Cela se passait avant que la grande marée du tourisme et de l'argent qu'il amenait ne déferle sur les îles. Les jeunes gens ne voulaient plus passer leur vie à se rompre le dos pour cultiver les terrasses familiales à flanc de colline, à mains nues ou avec la seule aide des mules, les jeunes femmes refusaient d'entrer dans une telle vie par le mariage. Les petites maisons de pierre, toits écroulés, portes et fenêtres ouvertes à tout vent, accueillaient les chèvres, quelques serpents et lézards.

Olivia errait parmi les ruines avec son appareil photo.

Chaque maison avait sa propre atmosphère. Dans quelques-unes, la terre nue dégageait une odeur âcre et les pierres disjointes crépitaient sous les pieds. Dans d'autres, le four à pain voisin de l'âtre désaffecté semblait encore chaud et Olivia sentait presque l'odeur de la pâte. Le tronc tordu d'un vieux rosier était incliné contre une porte, sur une autre des marques de peinture bleue symbolisaient la propriété d'une famille. Mais les familles de Halemni ne reviendraient jamais à Arhea Chorio. Les seuls habitants étaient des fantômes. Parfois, Olivia les imaginait en train de monter la grand-rue vers l'église en ruine pour répondre à l'appel de la cloche muette.

— Je ne peux plus vivre avec ta mère, dit-elle à Xan quand le printemps fut arrivé et que les collines se muèrent en tableaux de fleurs.

— Ce n'est pas obligatoire.

— Que veux-tu dire ?

— Vangelis va nous vendre sa maison. Petit à petit, à mesure que nous trouverons l'argent. C'est plus cher que l'acheter d'un coup, mais nous ne sommes pas en position de force. Allons la voir.

Ils montèrent à la maison du potier.

Elle était sale, probablement truffée d'infiltrations, remplie des vestiges tordus de pots abandonnés, mais ils surent tout de suite qu'ils pourraient en faire leur demeure. Ils s'installèrent dans une pièce après avoir cloué un voile de plastique à la fenêtre et se servirent de cageots de fruits en guise de mobilier. Les journées étaient chaudes et longues, à présent, et ils étaient heureux de travailler sans relâche.

— Vous ne pouvez pas vivre ensemble dans cette maison. Vous n'êtes pas mariés. Avez-vous pensé à ce que les gens vont dire ?

Xan continuait à rire.

— Peu m'importe ce que pensent cent cinquante personnes sur une petite île. Et si nous faisions quelque chose de pervers que le monde entier désapprouve ? Qu'est-ce qui te ferait le plus honte ?

— Tu n'as pas le droit de faire honte à ta mère, de quoi que ce soit.

Xan posa les lourdes dalles dans la cuisine avec l'aide de ses amis Stefanos et Yannis. Ce fut une rude tâche. Au terme d'une de ces journées, sous un ciel de minuit comme du velours, il était assis sur la terrasse avec Olivia.

— Veux-tu devenir ma femme ?

— Qu'en penses-tu ?

— Je prendrai cela pour un oui.

Ils se marièrent en septembre selon le cérémonial grec orthodoxe dans l'église située sur la place, devant leur maison. Olivia passa la semaine précédente sous le toit de la sœur mariée de Stefanos et, tous les soirs de cette semaine, Xan et ses amis célibataires vinrent lui offrir des cadeaux, en remportant des offrandes de gâteaux et de vin avant de passer la nuit à boire.

— Mais c'est la coutume sur Halemni, avant tous les mariages, protestait-il plaintivement au matin.

— Et que suis-je censée faire pendant ce temps ?

— Travailler à ton trousseau. Préparer les draps du lit. Tu épouses un Grec.

— Dieu me vienne en aide !

— Dieu n'a rien à voir là-dedans.

Il l'attira dans le cellier aveugle adjacent à la cuisine de la sœur de Stefanos et lui fit rapidement l'amour contre un sac de farine.

Les parents, le frère d'Olivia et trois de ses vieux amis de l'université vinrent à son mariage. Polly et Celia s'asseyaient sur la plage en bikini et Jack enduisait leurs omoplates de crème solaire puis feuilletait leurs magazines pendant qu'elles allaient nager.

— Je n'en reviens pas de ta chance de venir t'installer dans ce paradis, soupirait Polly.

— Et avec Xan, ajoutait Jack, plein d'envie.

Celia était la seule qui fût mariée et mère d'enfants en bas âge qu'elle avait laissés à son mari. Elle s'en inquiétait et téléphonait matin et soir depuis la cabine publique sur le port.

— Le pays ne te manquera pas ? lui demanda-t-elle.

— Mais ma chérie, se récria Jack, Olivia n'y est presque pas revenue en dix ans. Pourquoi se mettrait-elle à le regretter maintenant ?

— Enfin, tu vois ce que je veux dire. Cette étape est différente ; il s'agit de s'installer quelque part pour de bon, de fonder une famille. De planter de vraies racines.

— Je n'imagine pas un endroit où je préférerais être, qu'il s'agisse des racines ou des branches, dit Olivia.

— Je bois à cette déclaration, approuva Polly en souriant.

Ils levèrent tous leur verre à sa santé pour un toast affectueux.

Max aima Halemni dès qu'il y débarqua. La veille du mariage, Olivia l'emmena se promener sur la colline derrière la maison du potier. Elle prit plaisir à lui montrer la meilleure vue sur la mer et la vue dégagée de la côte turque depuis la corniche. Ils s'assirent sur un affleurement de roche, les épaules brûlantes sous le soleil et Olivia se nicha confortablement contre les genoux de son frère. Après tout un long été de travail sur la maison de Vangelis, elle était presque aussi tannée que Xan.

— Je suis si heureuse que tu sois venu, dit-elle en passant les doigts dans ses cheveux emmêlés, décolorés par le soleil et pleins de sel séché.

— Tu crois que j'aurais manqué cela ? Regarde-moi ces cheveux. Tu vas désespérer Jack, la taquina-t-il. Moi qui pensais que les futures mariées passaient des jours et des jours à se frisotter et se maquiller.

— Ce n'est pas l'usage sur Halemni. Qui s'en soucierait ?

— Je suis heureux que tu te maries. Cela te conviendra.

— Je n'aurais jamais cru que je me marierais. Ça semblait si improbable, de finir par imiter Maman.

Il eut un rire sarcastique.

— L'imiter ? Je ne crois pas que ce soit le cas ! Et tu n'épouses pas que Xan, n'est-ce pas, et un rythme de vie routinier avec un emprunt immobilier. Tu épouses ce lieu magnifique et un mode de vie aussi différent que possible de celui de Maman.

Olivia hocha la tête. Elle avait l'impression que son cerveau allait exploser sous l'afflux du bonheur.

— Exactement. Je savais que tu comprendrais pour l'île. Ce n'est pas vraiment le cas des autres. Nous nous sommes toujours compris, n'est-ce pas ?

— Oui.

Ils avaient formé une équipe, à eux deux, tout au long de l'enfance et de l'adolescence. Lorsqu'elle quitta l'université et se mit en route avec son sac à dos et son appareil photo, ce fut lui qu'elle se sentit coupable d'abandonner, non leurs parents. Peu d'années passèrent avant qu'il quittât l'Angleterre, lui aussi, dans son sillage. Il était récemment allé s'établir à Sydney.

À présent qu'ils étaient adultes, tous les deux, il leur arrivait d'évoquer le mariage difficile que leurs parents avaient enduré. Il était fait de monotonie, une monotonie lourde de menaces, elle s'en rendit compte une fois qu'elle eut grandi. Chaque set de table, chaque chiffon, chaque couvercle de casserole avait sa place appropriée dans l'ordre domestique de leur mère ; elle suivait un programme rigide de nettoyage et de cuisine fixé bien à l'avance. Aucune variation n'était tolérée, mais Maddie semblait être toujours en attente de quelque chose. Lorsqu'elle était jeune, Olivia ne souhaitait pas trop se pencher sur la substance de ces menaces bien qu'elles tournassent autour des disputes surprises par son frère et elle lorsqu'ils étaient couchés, et autour des absences paternelles.

Il finissait toujours par rentrer, mais la peur muette planait qu'il pourrait ne pas le faire, un jour.

Olivia avait eu l'impression de mordre à l'essence même de la liberté le jour où elle avait quitté la maison pour aller où elle voulait et c'était une liberté à laquelle elle n'avait jamais songé à renoncer, jusqu'à maintenant.

— Sois heureuse, lui ordonna Max.

— Je pense que je peux te le promettre, murmura-t-elle rêveusement en laissant aller sa tête sur les genoux de son frère.

— Où sont Jack et les filles ? s'enquit-il au bout d'un moment.

— En train de se faire une beauté, je suppose.

— Bien sûr.

Ils roulèrent sur l'herbe brune en riant comme ils le faisaient enfants.

Pour le mariage, la mère d'Olivia portait un costume rose et son père une veste de lin et une cravate à pois. Denis et Maddie semblaient grands, pâles, solennels, tout à fait désarçonnés au milieu des pêcheurs, des charpentiers et des bergers.

Lorsqu'elle sortit de l'église dans le sillage du prêtre sous son chapeau noir en tuyau de poêle, désormais épouse de Xan, elle s'arrêta pour embrasser ses parents.

— Voilà ma grande fille à moi, dit Denis et elle comprit qu'il était content pour elle.

Le mascara de Maddie coulait sous des larmes qu'Olivia sécha du bout des doigts. Meroula était là elle aussi et Olivia embrassa sa belle-mère sur les deux joues. Elle aurait voulu dire qu'elle était heureuse d'être une fille plutôt qu'une voleuse de fils mais elle ne put trouver les mots en grec.

C'était aussi bien, se dit-elle ensuite. Meroula n'avait pas de temps à perdre avec les sentiments. Elle était aussi sentimentale qu'un piège à souris.

Les jeunes mariés donnèrent une fête sur leur terrasse, sous la treille nouvellement plantée. Tous ceux qui, sur l'île, pouvaient abandonner leur travail estival s'y rendirent et tavernes et restaurants n'eurent plus qu'un personnel squelettique. Celia, Polly et Jack dansèrent avec les bergers, le père d'Olivia s'enivra et fit un long discours émaillé du grec ancien qui lui revenait de ses études, à la vive perplexité de toute l'assistance.

Xan et Olivia allèrent se coucher cette nuit-là dans une chambre encore meublée de cageots.

— Ta mère est-elle enfin contente ? lui demanda-t-elle.

Elle sentit qu'il souriait contre ses cheveux, que son haleine lui réchauffait le crâne.

— Non, bien sûr que non.

— Pourquoi ?

— Il nous faut des fils.

— Qu'est-ce que tu attends ?

Cela se passait dix ans plus tôt. Entre-temps, ils avaient monté leur affaire ensemble et avaient eu Georgi et Theo.

Meroula déposa sa tasse de café vide.

— Je vais te raccompagner chez toi, Mère, dit Xan comme il faisait toujours.

Elle ne refusa pas le baiser d'Olivia.

— Bonne nuit, Olivia. Merci pour le dîner.

— Et merci pour notre famille.

C'était une formule insulaire traditionnelle après avoir donné et reçu l'hospitalité. Il arrivait qu'Olivia eût du mal à prononcer ces mots.

Pendant l'absence de son mari, elle finit d'essuyer les assiettes et les rangea dans le placard. Elle souffla les bougies et sortit un instant sur la terrasse. Le vent venait de la mauvaise direction. D'ordinaire, à cette heure de la nuit, elle entendait la mer ; là, le son qui lui parvenait venait du côté opposé, une cloche de chèvre du troupeau arpentant la colline. Elle prêta l'oreille une minute. Les chèvres auraient dû être dans leur abri, pas en train de vagabonder. Ce devait être la lourdeur de l'air.

À l'étage, les garçons dormaient dans leur chambre. Les bras et les jambes de Theo dépassaient du lit et il serrait le bonhomme rouge dans l'un de ses poings. Elle les embrassa tous les deux. Une fois dans sa chambre, elle s'assit épuisée sur le lit et ôta ses chaussettes. La journée avait été longue.

Xan rentra et ferma la porte.

Lorsqu'ils se furent couchés, elle lui demanda :

— Quelle heure est-il ?

— Onze heures et demie.

— As-tu entendu le vent ?

— Oui. Tu as sommeil ?

— Je le croyais. Mais plus maintenant.

— C'est parfait.

Ils ne s'endormirent qu'une heure plus tard, à minuit et demi.

5.

Dans le noir, je me cramponne encore à mon lit de rochers.

Je vois le visage de Peter et le sourire de Lisa Kirk, et Andreas, et ma mère et une statue qui s'écroule.

Encore et encore, sans relâche, l'arc de pierre de la statue fend l'après-midi bleu et la terreur qui est venue après se confond avec celle d'aujourd'hui.

La jetée n'existe plus. Le linceul de poussière qui épaissit la pénombre ne me le dissimule pas. Tout a été métamorphosé. La ligne d'hôtels le long du remblai n'est plus qu'un amas de ruines titubantes, avachies. La façade blanche et friable de mon hôtel s'est écroulée ; des piliers verticaux et nus en jaillissent. L'angle de ma chambre s'est volatilisé. Les hauts réverbères longeant la mer se sont cassés comme des allumettes et le sable n'est plus qu'un tourbillon vorace.

Je me relève en titubant comme une ivrogne.

Les fondations du ponton sont de gros rocs édentés que je me mets à traverser. Une seule pensée m'envahit : rentrer à l'hôtel. Mes affaires s'y trouvent, mes habits, mon argent et mon passeport. Sans ces protections et ces morceaux de papier, je ne suis rien, je suis invisible.

Atteindre l'hôtel. Il n'est qu'à quelques mètres, mais c'est une distance interminable. Couverte d'éboulis et d'eau de mer. Je dois atteindre l'hôtel.

Quelque part devant moi une femme se met à gémir, une longue plainte, ululante, de pure désolation.

Atteindre l'hôtel. Les gens auront besoin d'aide.

J'entends un bruit sourd derrière moi. Je tourne la tête un dixième de seconde et vois du coin de l'œil un mur d'eau vertigineux. La crête, avec sa vilaine dentelle d'écume, est beaucoup plus haute que moi et elle m'arrive dessus, trop vite pour y échapper, même si j'avais un endroit où me réfugier.

Je lève les bras pour me protéger la tête. La vague s'écrase sur moi, mes oreilles, mes yeux et mes poumons se remplissent d'eau. Je m'écroule et la force de la vague me balaye comme un objet mort, mes bras et mes jambes devenus inutiles dans ce tourbillon de pierres et de sable.

Quand je reprends conscience, je suis étendue la tête en bas, le torse tordu de telle sorte que je ne peux ni respirer ni tousser pour chasser l'eau de mes poumons.

Bouger. Mais je suis prisonnière des rochers. L'idée se met à flotter dans mon esprit las : reste tranquille. Laisse-toi aller et trouve enfin le repos.

Je puise un ultime sursaut de force au plus profond de moi et me cambre contre les rochers. J'arrive à m'en dégager et le ciel s'affermit au-dessus de moi. Je vois les étoiles, trous d'épingle dans l'étendue bleu sombre. Je gis au milieu des rocs dans ce qui fut le jardin de mon hôtel où m'a vomie l'immense vague qui suivit le tremblement de terre.

Ce n'est plus un hôtel. Les tables et les fauteuils de plage brisés, les mâts cassés des parasols gisent dans un amas puant de sable, de boue, un tas de clôtures, de pédalos et d'arbres déchirés. Au milieu de ces débris, près de mon visage, se trouve le corps d'une femme. Je ne peux pas voir sa tête, mais l'angle de ses hanches et son immobilité m'indiquent qu'elle est morte.

J'ai tout le côté du visage dans la boue, je tremble de peur et de froid, et je commence à comprendre.

Le tremblement de terre a dû être massif et dévastateur. Je ne l'ai pas rêvé, il n'est pas restreint à l'espace qui m'entoure immédiatement. L'alignement d'hôtels est détruit, tout le village de Branc doit être en ruine.

Je suis peut-être la seule rescapée.

Il faut bouger. Faire quelque chose.

Bouge ! Ma voix est croassante. Lui obéissant, je me hisse sur les mains et les genoux et rampe jusqu'au corps de la femme. Elle est bel et bien morte. Et si je ne pouvais voir sa tête tout à l'heure, c'est qu'elle n'en a plus.

Je ne suis pas la seule rescapée. Je vois des silhouettes qui bougent maladroitement devant les vestiges de l'hôtel et j'entends des cris. S'y mêlent des appels au secours aigus et grêles. Je lutte pour avancer en direction des silhouettes et un rayon de lumière vient toucher les décombres devant moi. Un homme me croise en titubant, vêtu comme un pêcheur, il porte une grande torche, je lui emboîte péniblement le pas, attirée comme un phalène par le rayon lumineux. Il se retourne à moitié et crie un chapelet d'ordres en turc, en indiquant la direction de l'hôtel. Je lui hurle en retour :

— Je ne sais pas. Je ne comprends pas.

Il m'ignore totalement et une autre personne me dépasse péniblement pour répondre à ses instructions.

Mes affaires et mon passeport. L'idée me revient et je me tourne, essayant de retrouver mes repères, vers ce qui était la porte de l'escalier qui, une heure plus tôt, menait encore à ma chambre.

Des plaques de marbre de la façade, des morceaux de béton arrachés, des tiges de métal tordues constituent une barrière infranchissable. Il n'est pas question de pénétrer dans la bâtisse : elle n'a plus d'entrée et rien de reconnaissable ne reste de ce coin de l'hôtel. Tout est arraché, tout s'est écroulé dans un amas d'éboulis et la poussière âcre de l'effondrement reste en suspension dans l'air comme un gaz empoisonné. Impossible de récupérer mes affaires : elles sont ensevelies sous des tonnes de gravats. Si j'avais dormi dans mon lit, je serais à cette heure ensevelie avec eux. Mais je suis là, dehors, dans l'obscurité, incapable de comprendre les appels au secours que j'entends surgir autour de moi. Les gens trébuchent et crient, en soulevant les débris.

Je ne peux communiquer avec eux. Je ne sais que faire. Je suis invisible.

Je me laisse glisser, prostrée, contre les poutrelles de ce qui fut le bar de la terrasse. Hier encore j'étais perchée là, sur un tabouret, et trempais ma cuiller dans une glace que je ne voyais aucune raison, après Andreas, de me refuser : crème glacée à la pistache et aux amandes, du vert marin le plus pâle, pastillée d'amandes.

À présent il n'y a plus que du verre pilé, et un drapeau d'auvent à moitié enfoui.

L'échelle des dégâts commence à m'apparaître. Je la mesure dans l'angoisse d'un homme qui arrache la boue par poignées sur une digue de vase drossée contre des murs qui vont s'effondrer. Il hurle un nom, sans arrêt. Cela ressemble à *Oma, Oma.*

Ce spectacle doit se répéter dans tout Branc – et jusqu'où ?

Il y a davantage de monde maintenant, et l'on voit des lueurs s'entrecroiser dans le jardin dévasté. Les rayons dansent autour d'une femme debout, qui crie seule vers le ciel, les poings convulsivement serrés sur la tête. Ils éclairent le visage d'un homme, emplâtré de saleté, barbouillé de sang. Ailleurs, je vois un groupe d'hommes qui ont commencé à sonder la digue de vase avec des pelles de jardin. L'homme habillé en pêcheur donne des ordres et tend le doigt ; c'est le seul qui semble capable d'organiser les secours. Face à semblable dévastation, le moindre sauvetage paraît impossible.

Secourir. Très lentement, car mes réflexes sont anesthésiés par le choc, l'idée me vient que je devrais moi aussi essayer d'aider quelqu'un. Une fois debout, je me déplace péniblement vers la lumière la plus proche. Une femme en chemise de nuit déchirée et ensanglantée est prostrée au-dessus des vestiges du bar. Je vois sa chevelure qui lui pend au-dessus de l'épaule, la boue qui s'est figée sur ses poignets et ses bras car une fillettte d'environ douze ans tient une minuscule lampe dont l'étroite clarté tombe sur elle. La femme marmonne, frénétiquement cramponnée à un poteau peint qui soutenait il y a peu l'auvent du bar.

Je lui crie : « Je vais vous aider. Qui est là-dedans ? » mais elle est trop absorbée pour m'entendre. La fillette reste immobile, secouée de frissons et de sanglots. Quand le poteau se détache, la femme le jette de côté sans même en remarquer le poids. Elle s'agenouille, sonde l'espace, redouble d'efforts pour dégager les éboulis. Ses mains sont en sang, mais elle ne paraît pas s'en apercevoir.

Je distingue une troisième main, recroquevillée dans la boue.

Elle s'en saisit, ses marmonnements deviennent gémissements. L'enfant tremble tant que le faisceau de la lampe tressaute. On entend une mise en garde un peu plus loin, un craquement, d'autres écroulements. Sans même me détourner pour voir ce qui se passe, je m'accroupis près de la femme et me mets à creuser furieusement à la main, à ôter les débris. Un bras et une épaule revêtus d'une veste blanche de serveur apparaissent. La femme tire sur la main flasque comme si cela pouvait lui permettre d'extirper la masse ensevelie.

— Arrêtez ! Aidez-moi à creuser.

Comme elle n'entend ni ne comprend ce que je lui ordonne, je continue, en déplaçant avec peine les poutrelles tombées aussi précautionneusement que possible afin d'épargner le mort. Je vois mieux le serveur, à présent. Il repose sur le côté, nous tourne le dos, je parviens à dégager une partie de ses épaules et de son crâne.

Les larmes inondent le visage de la femme. Elle regarde derrière moi, appelle au secours, sa bouche tordue de désespoir. Deux hommes accourent et joignent leurs forces aux siennes. Au bout de quelques minutes on a suffisamment dégagé le corps pour qu'un des sauveteurs passe les bras sous ses épaules.

Je me pousse sur le côté, les bras ballants.

Je ne peux pas regarder, mais il le faut.

On l'extirpe et on l'étend sur le sol. Sa tête roule sur le côté lorsqu'on le bouge et la femme se précipite pour la caresser. La peau du visage est cireuse, couverte de boue. Elle la frotte avec un pli de sa robe de chambre, en murmurant des paroles de réconfort et d'encouragement ; lorsqu'elle l'a un peu nettoyé, je le reconnais. C'est Jim. Et je comprends aussi qu'il est mort. Pas sa mère et sa sœur qui caressent le corps inerte, frottent leurs joues contre les siennes, comme pour repousser encore un peu la réalité.

L'un des sauveteurs dit un mot à l'autre ; ils rejoignent un nouveau groupe de gens qui creusent frénétiquement en poussant des cris. Quand je détourne les yeux de la mère de Jim, je constate que la même scène se répète tout le long de la plage. Des groupes de sauveteurs ont commencé à s'attaquer aux bâtiments effondrés tandis que des rescapés désorientés se ruent d'un groupe à l'autre, en criant des noms.

La mère de Jim reste à genoux près du corps.

Elle ne peut plus croire qu'il soit vivant. Elle le recueille dans ses bras, le tient contre elle comme un bébé. Elle se met à gémir, avec un accent de désolation si brutal qu'elle interrompt le bruit ambiant, impose le silence.

Je ne peux pas supporter cette plainte, et pourtant je n'entends qu'elle. Cet accent assourdissant, désespéré, est imprimé en moi, me hante à jamais.

La mère de Jim devient ma mère. Les éboulis de Branc, un jardin anglais, l'hôtel écroulé, une statue de pierre. La mère relève un corps d'enfant et le berce, son univers et le reste de l'univers sont réduits en lambeaux.

La fillette, la petite sœur de Jim, se tient un peu à l'écart. La lampe gît à ses pieds, elle l'a laissée tomber. Elle est aussi livide et muette qu'une statue, son regard va de son frère mort à l'horreur vivante de sa mère.

Je me vois en elle.

Mais cette enfant est innocente. Rien de ce qui est arrivé, les destructions, la plainte, le raz de marée abominable, n'est de sa faute.

C'est différent pour moi et ça l'a toujours été.

À présent, je suis une femme d'une quarantaine d'années abandonnée sur le site d'un tremblement de terre. Un nouvel univers de douleur se déploie devant moi.

Une main me touche l'épaule et je me retourne.

Andreas est là. Son visage masque tout le reste. Comme si j'étais une enfant minuscule et qu'il était mon père plein de force, le soulagement m'envahit, dilue le chagrin, apaise la terreur. Je serai en sécurité, maintenant.

— Regardez ça, dis-je en désignant la scène.

La mère de Jim est quasi agenouillée à nos pieds.

Il s'empare de moi. Il est chaud et solide, sec contre mes habits mouillés. Ses bras entourent mes épaules, protecteurs, m'isolant de l'extérieur. Je me sens ramenée en lieu sûr.

— Je sais. Nous ne pouvons rien ici. Venez avec moi.

Il est au courant, non seulement de ce qui reste de Branc, ici et maintenant, mais aussi des étapes qui m'y ont conduite. C'était cette familiarité tacite qui a fait de notre journée en bateau un moment si réussi dont la beauté perdure.

— Nous devrions les aider, dis-je.

L'enfant s'est approchée de sa mère. Toutes les deux, elles étendent le corps de Jim sur le sol et s'assoient de part et d'autre, en lui tenant la main. Elles pleurent calmement toutes les deux.

— Que pensez-vous pouvoir faire pour elles ? me demande-t-il doucement.

Il n'y a rien que je puisse faire de tangible, de physique. Je n'ai rien, ni lumière, ni matériel d'excavation ni équipement sanitaire, même pas de vêtements. Je peux peut-être leur dire : « J'ai traversé ce que vous traversez. Vous ne le savez pas, mais vous le supporterez. » D'une certaine façon, me dis-je en regardant la fillette et en repensant au cadavre de mon frère âgé de six ans, à ma mère qui le tenait, vous pourrez continuer à vivre, d'une certaine façon.

Mais que pourrais-je leur dire, en anglais, pour l'instant ? Cette seule pensée est présomptueuse.

Andreas attend. Je sens la tension dans son bras.

— Je viens.

Mais je m'attarde. Sous la boue et la saleté, Jim a l'air d'être fatigué et simplement endormi. Il devait être au beau milieu de l'un de ces interminables services en continu. Cela me fait comprendre qu'il était sans doute le soutien de famille de ces deux femmes. Je me penche, tout près des minces épaules de la fillette, pour exprimer un adieu muet. Du groupe de sauveteurs le plus proche montent soudain des cris confus, suivis d'ordres secs et de coups de pelle frénétiques. On a découvert une autre victime, mais celle-là est vivante. Il y a beaucoup plus de monde à présent, et ce qui reste de la plage est envahi d'hommes et de femmes munis de pelles, de couvertures et de torches. Une escouade se dirige vers la nouvelle urgence.

Je me redresse lentement. Andreas me prend le bras et m'emmène à l'écart.

Nous nous frayons un chemin sur les rochers, à travers des flaques d'eau sale. Nous sommes en train d'escalader quand je constate que le cadavre de la femme est déjà recouvert d'un rideau déchiré. Notre progression est lente à cause des amoncellements de débris et de l'obscurité. Je n'en suis pas moins Andreas aveuglément, cramponnée à l'ancre de sa main. J'ai totalement renoncé à mes biens. Ils sont enfouis et je n'en ai pas besoin. Personne n'a plus rien, à cette heure.

Je trébuche à côté d'Andreas et comme nous approchons de l'extrémité de la plage, mes yeux s'habituant à la pénombre, je peux apercevoir la vieille ville, au-delà des bâtisses modernes dévastées. Certaines des vieilles maisons blanchies à la chaux tiennent encore debout, parce qu'elles sont basses et construites en pierre. On voit des lumières scintillantes dans certaines. On s'y active pour abriter des rescapés. La mosquée semble quasi intacte mais je ne distingue pas les minarets.

Il n'y a plus aucune trace des fondations du ponton, désormais. La baie est un gouffre noir d'où d'énormes vagues surgissent en direction du rivage en écrasant un tohu-bohu de bois brisé, de gravats, de vestiges de parasols criards sur la plage dévastée. Le ressac émet un bruit vorace de succion sur les galets.

Andreas me précède sur des rochers plus massifs, il avance si vite que je suis hors d'haleine. Je suis pieds nus, les pierres me blessent, mais je reste à son niveau car il incarne mon dernier filin de sécurité. Que ferais-je dans cette désolation s'il disparaissait ?

Nous atteignons la façade sous le vent du promontoire où les vagues s'engouffrent dans des anfractuosités rocheuses avec un bruit de tonnerre, mais le bruit semble plus naturel comme s'il ne s'agissait que de la suite d'une tempête d'hiver. Un bateau ancré dans un des chenaux danse comme une coquille de noix. Il ronge sa chaîne et les lignes sombres de la roue et de la minuscule cabine sautent sur les crêtes des vagues. On dirait l'un de ces bateaux de pêche qui font du cabotage.

Dès que je le vois, je comprends qu'Andreas veut m'y conduire. Il est à peine plus gros que le bateau sur lequel nous avons gagné notre crique secrète.

— Considérez ces gens comme vos amis, me dit-il.

Il lui faut approcher la bouche de mon visage et je sens la chaleur de son haleine. Je me rends compte que je frissonne sans pouvoir me contrôler. Le choc prête à toute chose une dimension onirique et je n'émets aucune question sur le bateau ou les amis, ou ce qui va se passer. Je me laisse piloter, comme un enfant épuisé.

Chose incroyable, un Zodiac chevauche la houle vicieuse entre le bateau et les rochers. Un serpent noir se déroule dans l'air et se transforme en cordage qu'Andreas attrape avec adresse. Il me fait avancer jusqu'à ce que je sois en équilibre sur un rocher où les vagues viennent mordre mes chevilles avant de se retirer ; le Zodiac tangue à un mètre de là. Le bout se raidit et je m'y agrippe.

— Sautez.

J'ai perdu toute notion de peur. Sa voix est claire et je fais ce qu'il me dit. Je me lance en avant, il y a une seconde de flottement puis je tombe sur les mains dans un espace humide, rempli de filets et d'angles durs. Il y a un rameur dans le bateau et il me bouscule pendant qu'Andreas atterrit près de moi. Le bonhomme prend ses rames et souque ferme pour nous éloigner des écueils mais nous sommes presque submergés lorsqu'une autre colline d'eau s'abat sur nous. La vague de reflux nous propulse vers le plus gros bateau dont nous heurtons la poupe plate. D'autres mains se penchent pour saisir le bout et nous amarrer.

À la suite du rameur, je rampe sur une échelle précaire. Dès qu'Andreas atterrit au fond du bateau de pêche à côté de moi, on entend le rugissement et le raclement des machines ; je sens que les hélices fouettent l'eau juste sous mes oreilles. Je reste étendue, exactement où je suis tombée, et la proue pivote pour fendre les vagues. Les ponts paraissent se dresser à la verticale, je glisse vers l'arrière, nous piquons ensuite dans le creux de la vague et je roule en sens contraire. Mais je sais que nous avançons. Tendant la main, je trouve un anneau de coffre et m'y agrippe, restant aussi immobile que possible, dégoulinant d'eau salée. Des images doubles se bousculent dans ma tête. Jim et le jardin. L'Angleterre et Branc. Ma mère et sa mère.

Quelqu'un tombe lourdement à côté de moi et glisse un bras sous mon épaule pour me redresser. C'est Andreas. Je m'assieds, pose la tête sur son épaule, le laisse me soutenir. Il fait froid mais il me réchauffe et au bout d'un moment je peux lever les yeux et essayer de comprendre ce qui se passe.

Trois hommes sont vêtus de cirés et de pull-overs épais ; l'un est à la barre, un autre à côté de lui dans la cabine ouverte fixe attentivement les instruments. Le troisième, à l'avant sur la proue, observe les murs d'eau qui s'élèvent et s'abattent, vertigineux ; il crie des instructions à ses camarades. Il me faut plusieurs minutes pour sortir de ma léthargie et comprendre qu'ils ne parlent pas turc.

— Où sommes-nous ? Où allons-nous ?

— En lieu sûr, répond Andreas.

Le raz de marée avait frappé la plage de Megalo Chorio à une heure vingt-six du matin. Il résultait d'un tremblement de terre sous-marin dont l'épicentre était voisin du rivage turc, mais au lieu de ne secouer que la surface, comme c'était le cas des vagues ordinaires battues par les vents, il avait touché la masse aqueuse tout entière. Dans la mer Égée peu profonde, la vague avait rapidement acquis une hauteur de quarante mètres et filait vers l'ouest à plus de cent soixante kilomètres-heure.

Un essaim d'îlots inhabités au sud-est avait partiellement atténué la force du tsunami sur Halemni mais l'impact n'en fut pas moins terrible. Le mur d'eau s'abattit comme un tonnerre sur le croissant de plage, déracinant la moitié des tamaris. Il déferla sur les maisons du village, dévala toute la rue jusqu'à la place à l'extrémité. Les maisons, construites en pierre, résistèrent, mais la vague fit irruption dans les pièces et en ressortit en emportant une écume de meubles cassés, de papiers, de branches et de divers objets en miettes. À la lisière du village, les coquilles en béton mince à demi construites des appartements de touristes s'écroulèrent comme les hôtels de Branc.

La vague vint finir sa course sur la colline derrière le village avant que le reflux ne déferle de nouveau sur les maisons et la grand-rue. Le kiosque de bois bleu de Manolis fut emporté et le vieux figuier de la place déchiré. La digue du port avait résisté au gros du choc mais la baie s'était transformée en un marais mobile de détritus qui s'abattait sur le port avec chaque nouvelle vague.

Après cinq minutes de bruit assourdissant, un calme surnaturel s'installa à nouveau sur les maisons, rompu par le bruit des gouttes d'eau, les gargouillis, le grincement des structures cassées. Les habitants de Megalo Chorio lâchèrent le point fixe, quel qu'il fût, auquel ils s'étaient cramponnés pour ne pas être emportés, puis ils pataugèrent dans leurs chambres inondées pour ouvrir les volets et regarder à l'extérieur.

Il n'y avait plus d'électricité car le générateur de l'île était inondé. Une par une, des flammes de bougie vacillèrent puis s'affermirent, des rayons de lampe suivirent la rivière verdâtre pleine de détritus qui s'était substituée à la rue pavée. Un chien se mit à hurler quelque part. Un autre lui répondit.

Les cris de Theo couvraient le bruit de l'eau. Ceux de Georgi étaient plus sourds, plus confus.

Abrutis de sommeil, mais soudain fouettés par une poussée d'adrénaline, Xan et Olivia sortirent en titubant de leur lit et se précipitèrent dans le couloir noir comme de la poix qui les séparait de la chambre de leurs fils sans prendre le temps d'allumer une bougie ni de chercher une lampe. Avec le mobilier renversé, ces quelques pas familiers se muaient en course d'obstacles.

Les hurlements se transformèrent en pleurs hystériques quand ils entrèrent dans la chambre.

— Je ne peux pas te voir, hurla Georgi.

— Je suis là. Tout va bien. C'était une grande vague, elle est partie.

— Elle va revenir, sanglota l'enfant.

Olivia serra dans ses bras le petit corps frissonnant.

— Mais non, elle ne reviendra pas. Tu es en sécurité.

Les sanglots de Theo s'apaisèrent quand il s'accrocha à son père. Son matelas était trempé ; à quatre mètres au-dessus de la rue, la vague l'avait léché. Xan le tenait, lui caressant la tête de sa main libre.

— Je veux mon bonhomme, gémissait-il, mon bonhomme rouge.

— Nous avons besoin d'un peu de lumière. Tiens-les tous les deux pendant que je vais chercher les torches.

Olivia et les garçons se pelotonnèrent sur le radeau qu'était devenu le lit. Par-delà la fenêtre, on entendait des cris confus. Elle serra ses enfants contre elle ; leurs respirations mêlées, saccadées, cognaient contre son cœur. Ils étaient vivants, sains et saufs. Rien d'autre ne comptait, quoi qu'il fût arrivé en bas, même si tout ce qu'ils possédaient était détruit. Une immense bouffée de gratitude emplit sa poitrine lorsqu'elle entendit Xan revenir en courant vers eux. Le faisceau de la torche trancha la pièce et leurs visages béants.

— Voilà. Mettez ça sur vous.

Ils enroulèrent dans des couvertures sèches les enfants frissonnants. Xan plaça sur l'appui de fenêtre une poignée de bougies puis les alluma. Dans la lumière dansante et douce, ils inspectèrent la pièce. L'eau s'était ruée dans l'escalier, était passée sous la porte puis avait reflué avec la vague. Elle avait entraîné le tapis, éparpillé les jouets sur le sol, renversé les paniers d'habits et de chaussures posés près de la porte. Leur contenu s'étalait sur le palier, dans l'escalier, le tout noirci par l'eau de mer et la boue, bordé d'écume grise.

Les enfants retenaient leur souffle, les lèvres tremblantes.

— Je veux mon bonhomme rouge, pleurnichait Theo.

— Tais-toi, répliqua son frère en regardant le visage de sa mère.

Le regard d'Olivia croisait celui de son mari par-dessus les têtes des enfants.

— Je vais voir Meroula, dit Xan. Ne bougez pas.

Il passait déjà la porte.

— Comment est-ce, en bas ? demanda Olivia.

— Restez là.

Il avait raison, elle le savait, de les laisser pour courir chez sa mère mais elle n'en ressentait pas moins un pincement de ressentiment coupable. Elle s'obligea à rester tranquille en laissant la chaleur des enfants la pénétrer. Ils reprenaient leurs esprits, à présent, et la curiosité prenait lentement le pas sur l'appréhension de la nuit.

— Regarde le désordre, fit Georgi avec stupeur.

— Nous nettoierons. Nous sommes sains et saufs, c'est tout ce qui compte.

— Je veux mon petit bonhomme.

— Nous allons le chercher.

Olivia se leva et enjamba les débris pour gagner la fenêtre. La pièce empestait déjà le sel, la boue et les égouts. En écartant soigneusement les bougies, elle ouvrit les persiennes et se pencha sur la place. La première chose qu'elle remarqua fut la pâleur déchiquetée de l'intérieur de l'arbre. La deuxième, Yannis et son frère penchés sur un lacis de planches brisées d'un bleu familier à la lueur d'une lanterne. Au-delà de ces détritus on distinguait une grosse masse sombre, on aurait dit une pile de sacs. Mais à bien y regarder, elle vit que cette montagne avait forme humaine. C'était Manolis. Il devait dormir dans son kiosque, la tête affalée sur ses bras croisés et son tas de magazines et de billets de loterie quand le tsunami avait frappé.

Elle se détourna vite de la fenêtre et referma les persiennes au cas où les garçons s'approcheraient.

— Aidez-moi à le trouver.

Elle plongea la tête dans le lacis de draps et de couvertures. Quel soulagement d'avoir un objet minuscule sur lequel se concentrer !

Manolis était mort. Elle avait vu les séquelles d'un assez grand nombre de désastres à l'époque où elle était photographe, et assez de morts pour les reconnaître au premier coup d'œil. La crainte de ce qui pouvait se trouver derrière la porte luttait en elle avec le désir de s'élancer à l'aide de ses voisins et amis. Elle ne prenait pas la pleine mesure de ce qui était arrivé mais son premier instinct était de rester là avec les garçons pour les protéger de ce qu'il y avait dehors. Elle écarta les couvertures en quête du bonhomme rouge.

— Je cherche, dit-elle. Ne vous inquiétez pas. Papa sera bientôt de retour.

La mer semble se calmer un peu. La proue tangue encore avant de plonger sans fin dans les creux, mais les vagues ne déferlent plus sur les flancs du bateau pour nous tremper. On a arrêté les pompes. Les trois hommes sont ensemble dans la cabine. Leurs cirés orange font un halo lumineux et je comprends que le ciel s'éclaircit.

Andreas écarte mes cheveux pour dévoiler mon visage.

— Il n'y en a plus pour longtemps.

C'est un bateau de pêche et il n'y a pas d'abri sauf dans la cabine, et encore moins de couvertures ou de vêtements secs. Il n'y a pas de poissons non plus, je m'en aperçois maintenant. Les pêcheurs devaient s'apprêter à partir en mer quand le tremblement de terre est survenu.

— Pourquoi ont-ils pris le risque de reprendre la mer tout de suite après le tremblement de terre ? demandai-je à Andreas.

Il jette un coup d'œil aux trois cirés puis au ciel. À l'est, derrière nous, il est gris perle avec une légère barre rose. La nuit est presque finie.

— Les marins grecs font des traversées nocturnes vers la côte turque pour différentes raisons. Ils ne voulaient peut-être pas se faire surprendre dans une baie écartée de ce pays ni attirer l'attention sur eux en Grèce.

Je crois comprendre. Ce sont des contrebandiers, qui se dépêchent de rentrer dans le sillage du désastre.

— Pourquoi nous avoir emmenés avec eux ?

— Nous en avions besoin.

Il sourit en ôtant le bras de mon épaule et s'accroupit de façon à voir par-dessus le flanc du bateau.

— Regardez.

Je me hisse à son niveau. La lumière ne cesse de se renforcer et l'air a pris une couleur laiteuse soutenue. Au-delà du platbord écaillé, encroûté de sel, je vois l'étendue d'eau agitée. La surface ridée est griffée de bois flottés et d'épaves, certaines assombries par des tapis d'algues arrachées. Au loin, on voit une île.

Je la fixe. C'est une longue masse, gris ardoise, avec une crête déchiquetée. À l'aube elle semble flotter entre le ciel et la mer, danser entre les vagues erratiques.

— Est-ce l'endroit où nous allons ?

— Oui. Il s'appelle Halemni.

— Pourquoi là, précisément ?

En posant la question, je me rends compte que je n'obtiendrai pas de réponse que je puisse interpréter correctement. Je pense au passé, à travers le froid, le choc du tremblement de terre et les images qui s'y superposent, au-delà de Branc ; je reviens à Londres, à moitié désireuse de mettre le doigt sur le moment où les questions et les réponses se sont déconnectées. Je revois la disposition intérieure de Dunollie Mansions, le dessin des rameaux hivernaux et l'écran de feuilles estivales derrière les fenêtres. Je revois Peter assis dans son fauteuil habituel contre le mur jaune.

— Pourquoi ?

Andreas observe l'île, quel que soit son nom. Nous nous en approchons à un rythme régulier. Son profil se confond avec la masse grise de la terre et je n'ai plus l'impression de le connaître. Il est, je m'en aperçois trop tard, un quasi-inconnu et j'ai traversé la mer avec lui vers un lieu dont je n'ai jamais entendu parler. Je jette un coup d'œil vers les pêcheurs, en m'efforçant d'évaluer leur aptitude à m'aider si besoin est. On entend un crachotement de radio. L'un d'eux hurle dans le combiné, l'autre est à la barre, jambes écartées et dos raidi. Le troisième s'avance devant la cabine et replace sur la proue les glènes déplacées par la houle.

Un rayon de lumière jaune glisse près de moi. C'est mon imagination, mais je pourrais jurer que j'ai ressenti sur le dos une chaleur soudaine qui fait fumer mes vêtements trempés. Le ciel s'éclaircit jusqu'à prendre la teinte d'une coquille d'œuf, l'île s'arrime sur la mer démontée. Elle est sépia, pourpre et lavande à présent, et non plus gris granit. Le soleil s'est levé.

— Pourquoi ? dit Andreas en écho. Parce que vous serez plus en sécurité ici qu'à Branc et que des gens s'occuperont de vous en mon nom. Vouliez-vous rester là-bas ?

Il désigne de la tête le littoral dévasté.

— Non.

La pensée des gens qui s'y trouvent, des centaines de cadavres comme celui de Jim, me perturbe tellement que j'oublie de lui demander pourquoi il lui faudrait me confier à quiconque, s'il est là lui. Le moment de méfiance, qu'il se soit agi d'une aberration ou d'un éclair de lucidité, est aussi passé. Andreas est Andreas, un point c'est tout, et toute ma confiance lui appartient.

Je tourne le dos à la Turquie et au soleil levant car cette lumière horizontale brille trop fort sur mes yeux. J'étudie l'île et le prisme de couleurs que le soleil fait jouer sur les rochers. Je distingue des petites maisons blanches autour d'un port, quelques ruines juchées sur une falaise qui évoquent un château fortifié. De la mer émane un calme surnaturel et le bateau de pêche glisse vers le port, entraînant son sillage derrière lui.

Les choses allèrent mieux à l'arrivée de l'aurore.

Olivia et les garçons s'étaient pelotonnés ensemble sous les couvertures du lit de Georgi et Olivia leur racontait l'histoire de l'arche de Noé. Elle s'y était résolue parce que le bonhomme en plastique de Theo restait introuvable.

— Serons-nous obligés de bâtir une arche ? demanda Theo.

— Mais non, nous avons plein de canots à Megalo Chorio, remarqua gentiment son frère. Nous pourrions prendre celui de Yannis, avec les chèvres et les moutons deux par deux, jusqu'à Rhodes.

Xan revint en courant à la maison, se frayant un chemin au milieu des meubles et des objets détrempés qui jonchaient la rue. Olivia se redressa lorsqu'elle entendit le loquet de la porte d'entrée. Une seconde plus tard, il faisait irruption dans la pièce.

— Meroula est saine et sauve, elle ne passera que lorsqu'elle aura pu remettre autant d'ordre que possible chez elle.

— Dieu soit loué ! Je vais descendre voir l'étendue des dégâts chez nous.

— Reste encore quelques minutes, dit-il, échangeant avec elle un regard d'adulte au-dessus des enfants ; je remonterai te dire quand tu pourras venir.

Xan retourna sur la place. On avait apporté une paire de pieux reliés par du fil de fer et on l'avait déposée près du cadavre recouvert de Manolis. Après quoi Xan, Yannis, son frère Stavros et Christopher Cruickshank ainsi que deux autres hommes soulevèrent la masse énorme sur le brancard de fortune. Ils se redressèrent avec peine et gagnèrent lentement le portail de fer peint en bleu de l'église. Le prêtre les y attendait. Son haut chapeau noir était un peu de travers et les plis de son long manteau noir trempés, aspergés de boue et de sable humide.

Les hommes transportèrent le noyé dans l'église et déposèrent le brancard sur le carrelage de mosaïque devant l'autel. Une petite mare d'eau s'y forma et un doigt sombre s'en échappa, pointant vers la flaque de lumière qui entrait par la porte ouverte. La place eût manqué pour faire entrer le brancard dans la minuscule maison de la mère de Manolis, c'est pourquoi le prêtre les avait invités à abriter le corps dans l'église. Il les salua avec gravité puis s'agenouilla près de l'épaule du mort. Ils attendirent, la tête penchée, les mains jointes pendant sa prière puis ressortirent en file indienne vers le plein jour. Le prêtre les suivit et ferma la porte derrière lui, en laissant tomber la lourde clef dans sa poche.

— Regardez ça, soupira Stavros.

La place du village et la grand-rue offraient un triste spectacle. Des vieilles femmes en robes noires détrempées, des plus jeunes en jean et anorak se frayaient un chemin à travers les détritus, repêchant ici et là un objet. Deux ou trois des plus vieilles gémissaient doucement. La porte de la maison de la mère de Manolis était grande ouverte et l'une de ses voisines repoussait l'eau sale sur le seuil avec un balai rustique.

— Tu es encore vivante, au moins, lui disait l'un des autres hommes.

Manolis endormi, son grand corps coincé dans le kiosque de bois, était la seule victime de l'île. Les autres villageois étaient à l'abri dans leurs maisons de pierre et, si les structures des touristes à la périphérie s'étaient effondrées, elles étaient vides en cette période de l'année. Les dégâts étaient matériels et psychologiques : les villageois ne se sentaient plus en sécurité dans des maisons si proches de l'eau.

— Je rentre chez moi, dit Xan, et Christopher le suivit dans la boue.

Le bateau de pêche glisse dans la baie. La pulsation des machines est amplifiée par le calme surnaturel d'après l'aurore.

Une fois que les pêcheurs ont jeté l'ancre, Andreas et moi mettons pied à terre. La stabilité du sol après la houle me fait tituber. Il m'attrape le bras avant que je ne m'écroule. Quand je peux à nouveau regarder autour de moi, les trois hommes s'éloignent déjà en hâte. Il leur faut se soucier de leurs familles et de leurs maisons.

À première vue, ce village est charmant. Une plage en forme d'étrier, des maisons blanches et cubiques sur un arrière-plan de colline. Là-haut sur la colline, sous la forteresse, il y a encore des maisons. Mais je m'aperçois qu'elles sont en ruine, avec des trous noirs en guise de fenêtres, des murs affalés sur la pente raide, comme un reflet sinistre du nouveau village. Un second regard, plus approfondi, révèle des ruines au niveau inférieur, qui reflètent la désolation supérieure. La plage est un amas emmêlé d'algues et de planches brisées, les troncs fendus font apparaître des pointes déchiquetées d'ocre vif et de jaune crème. La rue est envasée de boue sombre, d'un fatras navrant de branches de tamaris, de persiennes arrachées, de bouts de mobilier. Les gens marchent lourdement au milieu, leurs mouvements sont ralentis par le choc.

Le soleil est vraiment levé, à présent, il annonce une journée chaude et éclatante.

Andreas me prend la main et nous longeons le mur du port, devant une taverne aux persiennes déglinguées et proéminentes. L'odeur d'algue, de poisson mort et d'excrément est envahissante.

Les tableaux et les dessins qui décoraient la cuisine avaient pour la plupart disparu ; ceux qui subsistaient n'étaient plus qu'une bouillie grise. Les portes si gaies des placards étaient emplâtrées de boue, une flaque d'eau grise clapotait aux pieds d'Olivia. Les enfants étaient assis sur les marches, protégés par une feuille de plastique. Leur curiosité excitée s'était dissipée : ils fixaient bouche bée les dégâts.

— Ce n'est que de l'eau, dit Olivia. Nous allons tout sécher et la maison brillera comme un sou neuf.

— Pas mon dessin du ciel, celui que j'avais fait pour Christopher.

Theo indiqua l'endroit où il était épinglé au mur.

— Non, pas ton dessin. Mais peut-être pourras-tu en faire un autre.

Xan brassa l'eau. Il prit entre ses mains le visage de sa femme, caressa du pouce la peau fine et l'embrassa.

— Tout va bien, dit-elle.

Elle s'agrippait à lui.

— Je sais, nous avons de la chance.

Elle esquissa un mouvement de menton en direction de l'église.

Christopher entra avec un balai de ferme. Le niveau de l'eau avait baissé, des marques de saleté grise cernaient les murs.

— C'est la même chose partout. C'est encore pire, plus bas dans le village.

Xan regarda ses enfants. Soudain, il plongea à genoux dans l'eau. Ils eurent un hoquet de surprise. Il s'assit puis s'étendit sur le dos si bien que seuls son nez et son menton pointaient au-dessus de la surface.

— Ce n'est pas souvent, articula-t-il, qu'on peut nager dans sa propre cuisine.

Georgi et Theo éclatèrent de rire.

Une petite femme, solidement bâtie, lutte dans la rue en face de nous. Sur ses bras s'entassent des vêtements et des livres.

Andreas lâche ma main. Je le sens à ma hauteur, mais on dirait qu'il me pousse en avant. Cette femme a les cheveux gris ; ils sont emmêlés, en masse informe ; lorsqu'elle me voit, elle esquisse le geste instinctif d'y porter la main, puis se rappelle son fardeau juste à temps ; la pile chancelle, mais ne tombe pas. Elle se dirige vers moi, avant de s'immobiliser en réalisant qu'elle ne me connaît pas. Mais ses yeux reviennent vers moi qui me dévisagent crûment et je me rends compte que c'est la première fois qu'on me regarde, après Andreas, depuis le tremblement de terre.

Elle dit quelques mots rapides en grec.

Je bredouille une réponse :

— Je ne comprends pas. Je suis anglaise. Je suis désolée, voulez-vous que je vous aide ?

— Anglaise ?

— Oui.

Je m'inspecte rapidement. J'ai les bras bleuis par le froid. Je suis trempée et vêtue des habits légers que je portais quand j'ai quitté ma chambre d'hôtel pour descendre sur la plage. N'était-ce qu'hier soir ?

Elle regarde le long de la grand-rue vers une maison peinte en bleu qui domine la place et son église à dôme. Ce devait être une jolie place avant le raz de marée.

— La femme de mon fils est anglaise.

Son accent est épais mais je la comprends.

— Ah bon ?

— J'ai cru… vous êtes grande. Comme elle.

Ses mains tremblent. Le fardeau est trop lourd et je crains qu'elle ne le laisse tomber dans la boue.

— Laissez-moi vous aider.

Je glisse les mains sous les livres. Je vois qu'il s'agit d'anciens albums de photos. Bien sûr, c'est ce que sauveraient en premier la plupart des gens.

— Faites attention.

— Je ne les ferai pas tomber.

— Vous avez froid.

Je grelotte, bien que de la vapeur sorte des murs détrempés sous l'action du soleil.

— Venez avec moi chez mon fils.

L'invitation me laisse espérer des vêtements secs et peut-être une boisson chaude : je saute sur l'idée. Je cherche Andreas du regard. Il se tient immobile, un peu en retrait, à observer, à attendre. A-t-il entendu notre conversation ? J'emboîte le pas à la femme, en inclinant la tête pour lui indiquer de nous suivre et je saisis son sourire.

— Papa s'est couché dans l'eau, psalmodiait Theo. L'eau sale, l'eau toute sale.

Christopher et Xan repoussaient l'eau sur le seuil et les garçons suivaient des yeux le petit courant rejoignant le plus grand qui serpentait à travers la place jusqu'à la mer.

Olivia, elle, triait les débris des étagères inférieures.

— À garder, à jeter, à garder, à jeter, murmurait-elle tout en travaillant.

— Mella arrive, la prévint Georgi.

Olivia vida l'eau de sa grosse casserole et alla à la rencontre de sa belle-mère qui pataugeait sur la place. Quelqu'un l'accompagnait. Une femme de haute taille, anguleuse, qui tenait une pile d'albums de photos soigneusement à distance de ses vêtements mouillés.

Il y a des gens dans la maison bleue. Deux hommes, l'un solide et brun, l'autre plus petit et d'un blond décoloré, avec des balais et des habits de travail dégoulinants. Et puis des enfants. Deux petits garçons. Mes yeux glissent sur eux.

Une femme apparaît dans l'embrasure de la porte. Elle a les jambes nues, son pantalon remonté bien au-dessus des genoux. De longues jambes de cigogne. Elle est aussi grande que l'homme brun et semble tout aussi forte. Ses cheveux en brosse sont hérissés de boue.

Elle me regarde bien en face, elle aussi, et serre les mains sur les hanches.

Je me retourne vers Andreas, car j'ai besoin qu'il me présente à ces personnes. *Il y a ici des gens qui s'occuperont de vous,* a-t-il dit.

Mais il est parti.

La rue du village est pleine d'inconnus aux bras chargés qui s'aident les uns les autres, se mettent à nettoyer, mais pas le moindre signe d'Andreas. Je sens encore sa main sous mon coude, la pression de ses doigts m'invitant à avancer. Son sourire aussi est fixé dans mon esprit, mais ses traits s'estompent et se mêlent jusqu'à ce qu'il ne me reste plus que ce sourire, comme celui du chat de Chester.

J'ai besoin de sa protection ; pourquoi est-il parti en me laissant toute seule ?

Lentement, je me retourne. La grande femme se tient toujours sur le seuil de la porte.

6.

Olivia donna à la nouvelle venue une tasse de café chaud. Elle la plaça soigneusement dans ses mains et ne la lâcha que lorsqu'elle vit que les doigts bleuis l'enserraient solidement. Elle lui effleura l'épaule puis la laissa boire tranquillement.

Il avait fallu patauger pendant un bon moment dans la cuisine envasée pour trouver des allumettes sèches, réchauffer l'eau en utilisant la bonbonne de gaz de secours, nettoyer la cafetière et vider l'eau de mer des tasses. La nouvelle venue s'assit sur un tabouret au coin de la table, discrètement épiée par Meroula et les garçons. Xan s'activait avec une pelle à ôter la boue du sol.

— Merci, dit l'inconnue quand elle eut fini son café.

Elle tremblait toujours.

— Georgi, veux-tu monter me chercher un gros pull en haut du placard et un jean bien sec ? demanda Olivia en grec.

Le regard de Meroula allait de l'une à l'autre.

Quand Georgi revint avec les habits, Olivia lui posa à nouveau la main sur l'épaule.

— Voudriez-vous enfiler ces vêtements secs ? lui demanda-t-elle aimablement, en anglais.

Les seuls mots qu'eût articulés l'inconnue depuis son arrivée avec Meroula et ses photographies avaient été : « Je suis désolée » et « merci ». Meroula avait marmonné qu'elle l'avait trouvée debout toute seule en pleine rue. La jeune femme avait vu que les albums étaient trop lourds pour elle et s'était aussitôt proposée pour les porter, bien qu'elle fût elle-même en mauvaise posture. « Nous sommes ici-bas pour nous aider, surtout en des moments comme ceux-ci », avait ajouté Meroula en se signant. « Et elle est anglaise », avait-elle précisé sur un ton qui laissait entendre que ce n'était pas un atout.

— Oui, s'il vous plaît, répondit l'inconnue.

Sa voix était douce, neutre.

Olivia fit le tour de la pièce des yeux, consciente qu'il n'y avait pas un endroit propre ni même sec où lui proposer de se changer.

— Venez par ici, suggéra-t-elle et elle ouvrit la porte du vestibule.

Tandis que l'étrangère se cachait derrière, Xan et Olivia se regardèrent en levant les sourcils et les garçons gloussèrent derrière leur main. Olivia porta un doigt à ses lèvres d'un air sévère pour leur intimer le silence.

Une minute plus tard, elle réapparut. Les vêtements d'Olivia lui allaient assez bien, même si elle était plus mince et que le pantalon bâillait un peu autour de la taille et des hanches. Elle tenait ses propres habits entre le pouce et l'index et, voyant le tas d'ordures trempées empilées par Xan sur l'*avli* sous la pergola, elle s'y dirigea rapidement pour les y déposer. Lorsqu'elle revint dans la pièce, elle avait presque le sourire aux lèvres.

— Nous pourrions facilement les sécher, se récria Olivia.

— Non. À moins que cela ne vous ennuie que je porte vos affaires ?

— Bien sûr que non.

Ses yeux se portèrent sur les détritus vaseux que Xan nettoyait.

— On ne peut pas dire que l'heure soit opportune pour débarquer chez les gens, n'est-ce pas !

Olivia regarda elle aussi autour d'elle. Elle se disait qu'elle devait téléphoner à ses parents, faire passer un message à Max, leur faire savoir qu'ils étaient sains et saufs. Dès que l'électricité remarcherait. Sinon il y avait le téléphone mobile de Panagiotis, le propriétaire du bazar du village – peut-être lui permettrait-il de passer un rapide coup de fil.

— Non, sourit-elle. Pas vraiment. Mais ce ne sont que des dégâts matériels, on peut nettoyer. Nous avons de la chance…

— Oui, répliqua la femme sèchement comme si elle refusait de revoir certaines images liées au tremblement de terre. Je pourrais vous aider. J'aimerais vous aider.

— Êtes-vous seule ? D'où venez-vous ?

Il y eut un moment d'hésitation. L'inconnue jeta un coup d'œil sur la terrasse comme si elle pouvait y apercevoir quelqu'un. Puis elle répondit :

— Oui, je suis seule. J'étais sur un bateau.

Cinq paires d'yeux la dévisageaient. Xan lui-même s'était momentanément interrompu, les bras croisés sur sa pelle. Le silence grandit, mais l'inconnue continuait de fixer l'extérieur et n'avait pas l'intention, à l'évidence, d'en dire davantage.

— Prenez un peu plus de café pendant qu'il est chaud.

Olivia se sentait pleine de compassion pour elle et ce qu'elle avait traversé, quoi que ce fût. Si elle ne voulait pas parler maintenant, ni se présenter, c'était son droit. Nous avons eu de la chance, en ce qui nous concerne, et nous avons assez de ressources, songea-t-elle, pour pouvoir aider qui en a besoin.

— Je ne sais pas encore ce qui nous reste, s'excusa-t-elle.

Le cellier était un fouillis dégoulinant et les sacs de farine exsudaient une colle grise.

— Permettez-moi de vous aider, répéta encore l'inconnue.

Theo, jusque-là installé sur les genoux de Meroula, sauta par terre. Il pataugea jusqu'à la nouvelle venue et inclina la tête pour la regarder.

— Comment t'appelles-tu ? demanda-t-il d'un ton insistant.

Les garçons avaient l'habitude de passer de l'anglais au grec sans même y penser.

Une autre hésitation, cette fois précautionneuse.

— Kitty, fit la nouvelle venue.

Xan haussa les épaules, déjà las des nuances de cette conversation.

— Il y a mille choses à faire. Si vous voulez vraiment nous aider, commencez par les placards. Quand vous aurez fini votre café, bien sûr.

Il désigna les étagères. Toutes les casseroles et les assiettes étaient enduites d'une boue noire.

— Très bien. J'en serais heureuse.

Olivia lui donna quelques chiffons et ils se mirent au travail. Chacun était concentré sur sa tâche et au bout d'un moment Kitty ne se sentit plus qu'un rouage de cette vaste entreprise d'épongeage, d'écopage et d'essuyage. Satisfaits de cette paire de mains supplémentaire, ils ne posaient plus de questions pour l'instant. Xan avait une radio portative sur laquelle ils écoutèrent les nouvelles de Turquie, mais Theo se mit à pleurer en entendant l'annonce des enfants ensevelis sous les décombres et Olivia l'éteignit. Kitty redoubla d'ardeur comme si ses efforts pouvaient effacer davantage que des taches de boue.

On était en octobre, mais le soleil de midi tapait toujours. Les habitants de Megalo Chorio enlevèrent la boue et les détritus autour de chez eux puis s'aidèrent pour sortir les matelas et les fauteuils trempés à l'air chaud et bienfaisant. Une vapeur épaisse s'élevait des vêtements en train de sécher, l'odeur saumâtre de boue et d'eau s'attachait à tout. Personne ne parlait beaucoup, pas plus dans la maison bleue qu'ailleurs, sauf pour proposer son aide et diriger les opérations. L'atmosphère était sombre.

Christopher apparut pour aider les Georgiadis. Sa propre chambre, en étage, n'avait que peu souffert.

— Voici Kitty, dit Olivia. Kitty, voici Christopher Cruickshank.

Kitty le regarda et s'immobilisa un instant.

— Bonjour, dit-elle avant de revenir à ses casseroles dont elle essuyait le fond.

Vers trois heures, tous les habits, tous les meubles humides séchaient au soleil. Chaque fenêtre, chaque porte était ouverte pour laisser circuler l'air chaud.

L'eau était coupée de sorte qu'ils ne pouvaient plus laver. Xan déclara que les puits seraient sans doute tous pollués par l'eau de mer, aussi devaient-ils emmagasiner ce qui leur restait dans leur citerne sur le toit jusqu'à ce que les bateaux leur apportent des provisions d'urgence, nourriture et eau fraîche. On avait dégagé à la pelle l'essentiel de la boue, de la saleté, entassé les aliments gâtés, la pulpe de papier et la vaisselle brisée, avant de les mettre dans des sacs-poubelle. Pour le moment, ils ne pouvaient guère faire plus.

Meroula s'assit brusquement, ses jambes arquées révélant le haut de ses bas souillés de boue. Son visage exprimait l'épuisement.

Kitty vit qu'elle n'en pouvait plus et se pencha vers elle.

— Reposez-vous, lui dit-elle.

Meroula lui tapota brièvement le bras. À l'évidence, elle avait un faible pour la nouvelle venue.

— Nous devons manger un peu maintenant, annonça Olivia, ou nous nous effondrerons.

Si les enfants avaient eu des fruits en conserve et des biscuits, les adultes ne s'étaient rien mis sous la dent.

Kitty hésita.

— Cela ne pose pas de problèmes que vous restiez, si vous voulez, proposa Olivia en souriant. Vous nous avez beaucoup aidés. Mais je ne peux pas vous promettre que ce sera de la grande cuisine.

Kitty baissa la tête. Olivia remarqua qu'elle se déplaçait lentement et avec une sorte de grâce consciente, mais elle avait déjà assimilé et oublié leur similitude de taille et de couleur de cheveux. Leurs différences étaient bien plus nombreuses que leurs ressemblances.

— J'aimerais bien, merci. Tant que je n'ai pas décidé de ma prochaine destination.

— Parfait. C'est bien.

Olivia pénétra dans le cellier et prit quelques conserves de haricots et de thon sur les étagères grossièrement nettoyées. Il arrivait qu'en hiver les ferries soient bloqués pendant des jours d'affilée et les insulaires avaient l'habitude de subsister sans aliments frais. L'absence de farine posait problème et la plupart des potagers de l'île étaient détruits, mais on pouvait encore se débrouiller, pour l'instant. Theo, fatigué, réclamait en pleurnichant son jouet en plastique.

Kitty sortit dans le vestibule. Au bout d'un instant, elle revint serrant quelque chose dans la main. Elle ouvrit le poing pour le révéler.

— Est-ce cela que tu cherchais ? demanda-t-elle à Theo.

Il poussa un cri de plaisir et courut vers elle.

— Mon bonhomme rouge !

Kitty se raidit lorsqu'il heurta ses jambes. Puis, comme si elle avait peur de le toucher, elle lui posa la main sur l'épaule et se contenta de lui caresser les cheveux. Theo se saisit du jouet et se mit à tournoyer autour de la cuisine tandis qu'elle restait tout à fait immobile, à l'observer, ses mains définissant l'espace qu'il avait brièvement occupé.

Olivia regardait Kitty qui regardait son fils.

— Où l'avez-vous vu ?

— Je l'ai vu en me changeant. Coincé dans un coin de l'escalier.

— Theo, dis merci.

— *Efharisto,* dit l'enfant.

— Peut-on manger quelque chose ? les coupa Xan, avec impatience.

Olivia se dirigea tout de suite vers la table. Meroula avait lavé sept assiettes, sept fourchettes et couteaux dans une minuscule quantité d'eau propre et on servit la nourriture en portions soigneusement évaluées. Des craquelins sortis d'une boîte de métal les accompagnaient. Chacun prit son assiette et passa dehors où le soleil restait encore assez chaud pour qu'on préfère le spectacle du jardin dévasté à l'humidité puante de la maison. Les enfants s'assirent côte à côte sur un muret, Meroula sur une chaise en bois et Christopher sur une pierre plate non loin d'elle. Xan s'installa sur un rocher et les deux femmes sur un banc de bois qu'il avait récupéré un peu plus haut sur la colline et remis à sa place d'origine.

Kitty posa son assiette sur ses genoux. Olivia remarqua qu'elle regardait la nourriture comme si elle n'avait jamais vu de thon ni de haricots jusqu'ici et se demanda si elle n'était pas dégoûtée. Mais elle plongea sa cuiller dedans et se mit à manger. Elle avait fini sa part bien avant tout le monde.

— Vous aviez faim, commenta Olivia.

À sa vive surprise, Kitty éclata de rire. C'était un rire de gorge séduisant qui suscita automatiquement le sourire des hommes et des enfants. On eût dit qu'ils étaient assis en demi-cercle aux pieds de la nouvelle venue.

— Oui, j'avais vraiment faim. C'était si bon.

— Ce n'étaient que des conserves.

L'air se chargea soudain d'électricité. Meroula, elle aussi revigorée par ce repas, tourna vivement son regard de l'une à l'autre. Rien ne lui échappait jamais.

Aussitôt, le visage de Kitty prit une expression prudente. Ses yeux glissèrent vers la baie, au-delà de la maison. La mer semblait d'huile.

— Je voulais juste dire que ce n'était rien, rien d'extraordinaire, murmura Olivia.

Elle n'avait pas voulu se montrer agressive, mais Kitty était déconcertante.

Christopher se leva.

— Tout le monde a fini ?

Il ramassa les assiettes.

— Où vont-ils ? demanda Kitty en indiquant la colline.

Une file de gens y grimpait. Ils portaient des paniers, des meubles, et leur progression était lente. Les premiers avaient presque atteint les maisons en ruine sous la corniche. Le soleil bas rendait encore plus noirs les trous des fenêtres et plus denses les ombres mauves des crevasses qui formaient naguère les rues.

— Ils retournent là-bas, expliqua Meroula.

Olivia tâta les matelas des enfants. Ils étaient assez secs pour y dormir. Elle décida de remettre leur chambre en état d'ici au soir. Tous deux étaient épuisés, ils dormiraient bien cette nuit.

Demain serait plus facile. Ils avaient de la chance, songea-t-elle encore une fois. À la différence des pauvres gens de Branc. Elle regarda Xan dans ses vêtements dégoûtants et se dit que lorsqu'ils seraient enfin couchés elle pourrait laisser son corps endolori se fondre contre le sien, qu'ils se réchaufferaient et seraient sains et saufs. Ses épaules se décontractèrent à cette idée. Elle se sentit fixée par Kitty.

— Ils retournent ?

Meroula s'expliqua :

— C'est le vieux village. Nous l'avons quitté, avec mon mari, quand notre fils avait quatre ans. En 1961.

Le clocher de l'église au dôme bleu, tour blanche toute simple à cloche unique, se mit soudain à sonner, ce qui les fit sursauter. Une minute plus tard, une autre cloche distante lui répondit, son accent grêle atténué par la distance et l'air humide. Les deux enfants, qui jouaient à faire rouler le bonhomme rouge dans la boue, tendirent l'oreille. Ce son venait de l'église du vieux village.

Georgi posa une question en grec et son père lui répondit.

— Certaines des personnes les plus âgées regagnent leur maison de famille, expliqua Olivia ; ils pensent qu'ils seront plus en sécurité là-haut si une autre vague arrive.

— Il n'y en aura pas d'autre. C'était un tsunami, à cause du tremblement de terre.

L'irritation aggravait l'accent australien de Xan et donnait un tour moqueur à la fin de sa phrase.

Christopher s'arrêta de débarrasser.

— Il est normal d'avoir peur que cela se reproduise.

— Il n'y a rien là-haut, rien que des pierres, dit Olivia à Kitty. Les deux dernières familles sont parties il y a quinze ans.

Meroula sursauta.

— Il y a plein de choses là-haut. Ma maison d'enfance où j'ai grandi. Le four à pain, où ma grand-mère faisait la cuisine pour nous tous, qui est toujours près de la porte. Quatre terrasses où mon père cultivait de quoi nourrir la famille. Ma mère nous apportait de l'eau tous les jours à dos de mulet.

Meroula avait fait l'effort de cette longue tirade en anglais pour l'inconnue. Debout, les jambes écartées et les poings sur les hanches, elle ressemblait à une forteresse inexpugnable.

— Je sais. Je voulais dire qu'il n'y a plus que des ruines aujourd'hui, plus moyen d'abriter les gens, reprit sa belle-fille sur un ton conciliant.

— Il y a beaucoup plus que ça. Tu ne peux pas comprendre. Des familles. Ma mère et mon père, dans leurs tombes là-haut.

Olivia savait combien il était facile de se disputer avec elle. Elle soupira.

— Je suis désolée, Meroula. Nous sommes tous fatigués. Je ne voulais pas vous blesser.

La cloche la plus proche sonnait avec insistance, les carillons de l'autre ralentirent, s'espacèrent puis se turent.

— Je vais soutenir la pauvre Evangelina.

On disait des prières pour Manolis et les femmes du village allaient épauler sa mère. Olivia avait vu le charpentier de Halemni et son fils faire passer en hâte un cercueil par le portail de l'église – c'étaient eux qui les fabriquaient. Elle devina que le corps immense de Manolis avait été préparé par la mère de Yannis et qu'il reposerait dans l'église jusqu'à ce qu'on creuse la tombe. Il lui faudrait raconter ce soir aux enfants ce qui lui était arrivé, lorsqu'ils seraient mieux. Tous deux aimaient beaucoup ce pauvre géant.

— Voulez-vous que je vienne ? proposa Olivia.

— Ce n'est pas nécessaire, répliqua Meroula froidement. Mais, Alexandre, tu devrais venir à l'église avec ta mère.

Xan déposa ses outils avec une mauvaise grâce que sa mère feignit ostensiblement de ne pas voir. Christopher continuait à débarrasser.

— Si vous restez à Halemni – et vous y êtes forcée pour le moment car il n'y a pas de ferry et nous ne savons pas pour combien de jours –, j'ai un lit pour vous sous mon toit, dit Meroula à Kitty.

— Mais j'espère que vous resterez ici avec nous. Nous avons une pièce, ajouta Olivia.

L'hospitalité était la vertu cardinale de l'île. Tarder à l'offrir ou ne pas la proposer correctement était un plus grave péché que la paresse ou l'incompétence. Olivia aurait préféré être seule avec Xan et les enfants ce soir-là, les dorloter en paix et laisser le choc de la journée se dissiper, mais elle savait qu'elle devait bien accueillir Kitty. Celle-ci avait travaillé dur toute la journée pour une famille de parfaits inconnus et rien chez elle ne pouvait susciter la méfiance. Kitty était anglaise, la cadence de sa voix, son allure même, tout lui parlait directement.

Et elle était désespérément seule. L'odeur de la solitude flottait autour d'elle, aussi puissante que la puanteur du sel et de la boue à Megalo Chorio.

Olivia lui adressa un sourire chaleureux.

— C'est ma chambre noire : je peux vous y installer un lit.

Le sourire que lui rendit Kitty éclaira son visage. Celui-ci était émacié, de grands cernes soulignaient ses yeux, mais son sourire incita les deux hommes à mieux la regarder.

— Merci, dit-elle.

Quand Meroula et Xan furent partis à l'église, Olivia monta à l'étage. Les garçons continuèrent leur jeu de rallye boueux et Kitty et Christopher se retrouvèrent seuls sous la pergola pour ramasser les tristes détritus de vaisselle cassée, de peintures détruites et d'effets personnels dans les sacs-poubelle que leur avait donnés Xan.

Kitty lui jeta un coup d'œil, comme sur le point de lui dire quelque chose ; Christopher marqua une pause et attendit poliment – mais elle se ravisa.

— Excusez-moi, fit-elle.

Le soleil couchant colora brièvement la plage et les maisons blanches d'un rose argenté.

Kitty cessa de travailler et se redressa pour admirer la vue.

— Quel bel endroit !

— Oui.

— Que faites-vous ici ?

Tout en s'activant, il lui décrivit l'école de peinture et le travail accompli par Xan et Olivia au cours des années.

— Regardez ces déchets : il s'agissait de peintures des résidents ou des enfants et des photos d'Olivia. Cela leur compliquera beaucoup les choses la saison prochaine, un tremblement de terre dont l'épicentre se trouve dans les détroits suivi par un raz de marée. Ça n'est pas précisément une invite à se ruer ici pour peindre, hein ?

Les petits garçons restaient plongés dans leur univers de boue et de soldats, la tête penchée sur un monde imaginaire. Les adultes se remirent à entasser à coups de pelle les vestiges informes des activités passées dans des sacs-poubelle.

— Non, pas pendant une année environ, dit Kitty d'un ton grave.

La nuit tomba rapidement. Sans électricité, on ne pouvait guère faire plus. Xan et Meroula revinrent de l'église, Olivia emmena les enfants dans la salle de bains et les lava de son mieux avec une seule petite bassine d'eau. Christopher prit congé pour réintégrer sa petite chambre plus bas dans la rue et raccompagna Meroula en chemin. Xan resta à fumer sur la terrasse et Kitty, abandonnant la cuisine vide, vint s'installer non loin sur le muret. Des maisons en ruine de la colline où les réfugiés de Megalo Chorio s'installaient pour la nuit, on apercevait de minuscules scintillements jaunes de bougies et de lampes à pétrole.

— Cela fait longtemps que je n'ai pas vu l'endroit éclairé comme ça, dit Xan rêveusement. Cela me rappelle l'époque où j'étais enfant, quand nous avons déménagé sur le port.

Quelques familles habitaient encore là-haut, dans leurs fermes. Elles transportaient leur eau et ce qu'elles ne pouvaient cultiver seules à dos de mulet. C'était une véritable communauté agricole. Aujourd'hui tout cela est terminé. Un peu de pêche subsiste, mais le tourisme a supplanté tout le reste. Les gens viennent d'une douzaine de pays différents s'étendre sur cette plage, ils s'installent sur la colline pour dessiner, ou se baladent en survêtement là où ma grand-mère montait de l'eau à dos d'âne. Je ne sais ce qui va se passer, à présent.

— Ils reviendront.

— Vous croyez ? Je l'espère.

Il jeta le mégot de sa cigarette et tous deux suivirent des yeux la parabole incandescente.

— Êtes-vous en vacances ?

— Je l'étais. Je le suis toujours, en un sens.

Xan haussa les épaules.

— Restez ici, si vous le voulez.

Ils pouvaient voir Olivia à travers les portes vitrées de la terrasse. La lumière était jaune, là aussi, née d'une combinaison de bougies et de lanternes au gaz ; sa haute silhouette jetait des ombres arachnéennes sur les murs tandis qu'elle mettait rapidement le couvert.

— Elle est très forte, votre femme. Je n'ai jamais vu quelqu'un d'aussi solide, dit tranquillement l'inconnue.

Avant qu'il ait pu répondre, Olivia vint à eux. Elle portait une bouteille de verre épais sans étiquette et trois gobelets de métal.

— Je crois que nous en avons besoin, dit-elle en inclinant la bouteille.

C'était du vin rouge du pays, très alcoolisé et riche de ce goût de raisin sec né d'un temps très chaud.

— J'aurais aimé que Halemni vous réserve un meilleur accueil, dit Xan en levant son verre.

— Je suis désolée de la découvrir en une telle circonstance.

Leur échange avait une solennité typiquement halemniote que Meroula eût approuvée.

Dans la lueur déversée par les portes de la terrasse, Olivia les regarda l'un puis l'autre et elle vida son verre.

— Nous passons à table ?

Les enfants descendirent en pyjama et prirent place à table. La surface en était propre, tout comme les couverts, mais le sol de pierre restait écaillé de boue et tous les placards peints de couleur vive, souillés, commençaient à se fendre sous l'action de l'humidité. Le bois du poêle était trop mouillé pour brûler et la pièce glacée malgré la chaleur des bougies. Ils mangèrent tranquillement un autre repas de conserves sorties du placard de secours. Les enfants étaient pâles et tombaient de sommeil. Le bonhomme en plastique rouge de Theo était posé près de son assiette tandis qu'il maniait sa cuiller.

Lorsqu'ils eurent fini, Xan embrassa les enfants pour leur souhaiter bonne nuit et enfila son manteau. Après l'après-midi inondé de soleil, l'humidité était revenue. Il partait rejoindre les autres hommes au *kafeneion* sur la digue du port afin de mettre sur pied un plan de sauvetage.

— Si tu vois Panagiotis, pourras-tu lui demander si je peux me servir de son téléphone portable ? Rien que deux minutes pour parler à ma mère, le pria Olivia.

Elle se tourna vers Kitty.

— Avez-vous besoin d'appeler quelqu'un ? De faire savoir que vous êtes saine et sauve ?

Kitty secoua la tête.

Olivia monta coucher les enfants. Elle leur expliqua que Manolis était mort : ils la regardaient sous leurs couvertures avec de grands yeux. Kitty resta seule à table. Derrière l'une des fenêtres, les lueurs du vieux village étaient désormais à peine visibles.

Je dors dans des draps et des couvertures propres bien que mes pieds et mes jambes me grattent à cause de la boue sèche qui les souille. Je suis installée sous un toit. Les murs de la pièce sont couverts d'étagères chargées de fournitures de dessin et de photos pour la plupart épargnées par l'inondation. Les vieilles lames du parquet sont humides mais je me suis déjà habituée à l'odeur et ne la remarque plus. Étendue sur le dos, je fixe l'obscurité.

J'ignore où est parti Andreas, et pourquoi il m'a amenée ici. Son visage s'efface déjà en moi. C'est Peter que je vois quand je ferme les yeux. Ses lunettes m'envoient des signaux opaques, je les ôte et porte les pouces aux coins de ses yeux.

Le sentiment de la perte est précis, désormais. Je peux en explorer les moindres contours. Peter est en Angleterre, il vit avec Lisa Kirk et la coquille de Dunollie Mansions a été brisée. Nous ne serons plus jamais ensemble. J'ai vu un tremblement de terre, la mère de Jim agenouillée dans les décombres et me voici sur une île contenue par la mer, étendue dans une maison inconnue, qui entends les bruits de mes hôtes aux marges de ma conscience.

Le mari, Xan, est revenu de l'endroit où il s'est rendu. J'entends le grincement de ses pas dans l'escalier et le murmure des voix.

Les images du jour défilent devant le fond de décor défini par Peter : les petits garçons qui jouent, et moi qui veux les regarder et saisir leur babil anglo-grec. En temps normal, je me détourne des enfants, à cause de Marcus, à cause de mes propres bébés avortés, mais je veux me rapprocher de ces deux-là.

Cette mère baraquée, si forte et résistante, aussi différente que possible de ma mère.

Et Olivia. Je veux observer Olivia et voir ce qui la fait évoluer avec tant de confiance. Elle a l'énergie de définir le rythme de son intérieur, les repas, les dessins accrochés, les rires que nous n'avons pas entendus aujourd'hui car rien n'était drôle, mais je sais qu'ils ont régné et reviendront. Tout jaillit d'elle. Elle est au centre de ce mécanisme, elle est la dynamo qui le fait marcher. Elle tire l'amour de la famille, le purifie et l'irradie à nouveau.

La voir et l'entendre me font comprendre l'ombre que j'ai été, figée au bord des choses, derrière les fenêtres ombragées de Dunollie Mansions.

Et tout cela s'est fondu dans la pénombre, à son tour.

Que reste-t-il ?

Je ferme les yeux et m'oblige à dormir.

Je me réveille de très bonne heure. La fenêtre de cette chambre a des persiennes, je m'en rends compte, mais on ne les a pas fermées et la lumière grise entre sans obstacle. Couchée sur le côté sous mes couvertures, je vois la lumière tourner au rose léger et soudain une barre d'or étroite tranche le mur et un coin du plancher. Le soleil s'est levé.

Je repousse les draps et me redresse. Le pantalon et le pull d'Olivia sont pliés au bout du lit, là où je les ai mis quand je me suis déshabillée. Quelques secondes plus tard, je me glisse sur le palier où les autres portes sont closes. Tout le monde dort encore.

La lourde porte d'entrée grince un peu, mais s'ouvre facilement. Pas un chat dans la cour pavée. Les branches cassées d'un énorme vieil arbre ont été grossièrement entreposées avec un peu de bois peint en bleu qui me rappelle le bar de Jim à Branc. L'intérieur du tronc fendu laisse voir de l'ocre et de l'orange vifs. Cela fait à peine vingt-quatre heures que j'ai suivi Meroula ici en portant ses albums. Olivia se tenait dans l'embrasure de la porte. J'ai l'impression que c'était il y a beaucoup plus longtemps, et d'avoir vécu assez de choses pour remplir plusieurs semaines.

Je descends la rue du village légèrement en pente, j'observe les dégâts causés par le raz de marée et le travail déjà accompli pour les réparer. On a décroché les persiennes arrachées, cloué des planches à la place des carreaux cassés. La ligne de boue et d'humidité de l'inondation monte haut sur les murs blanchis à la chaux.

Il y a ici un dépouillement qui ne frappe qu'après coup. Je me rends compte qu'avant-hier ces marches de pierre devaient être encombrées de boîtes en fer peintes en bleu et en vert et pleines de géraniums criards. Les cordes à linge devaient s'entrecroiser d'une fenêtre à l'autre et les vieilles chaises en bois trôner devant les seuils. Le mur d'eau a balayé tout cela.

Il faudra du temps à Megalo Chorio pour se régénérer, mais cela se fera. Les premières caractéristiques d'un paysage vivant reviennent déjà : les chats. Un vieux matou couleur de poussière de charbon sort d'une venelle pour rôder devant moi ; un autre, couleur abricot, triture délicatement un sac qui recouvre des détritus. Les apercevoir dans la rue déserte me fait sursauter de bonheur. Je me demande si leur sixième sens de chat leur a permis de deviner l'arrivée du raz de marée sur Halemni et de s'échapper à temps sur la colline, bien avant les villageois avec leurs brassées de paniers et d'affaires personnelles.

J'arrive sur la digue. Les bâtisses ouvertes sur la baie ont reçu l'eau de plein fouet et les dégâts y sont plus évidents. Une bâtisse basse et blanche d'allure officielle n'a plus une seule fenêtre qui ne soit cassée ou barrée de planches ; un coup d'œil par une porte grillagée me révèle une cour encombrée d'un mât cassé, d'un amas de tables et de chaises empilées comme des allumettes contre le mur opposé.

Le bruit d'un véhicule me fait tressaillir : je me dissimule sous le porche de la cour.

Une ou deux secondes plus tard, une camionnette passe en direction de la jetée. Celle-ci, construite en pierre, a résisté à la vague, bien qu'un méli-mélo de ce qui ressemble à des cageots à poissons trône sur le mur côté terre. La camionnette entame une brusque marche arrière et recule vers la baie. Deux hommes en descendent en laissant les portes ouvertes. Ils arpentent la jetée, absorbés par leur conversation ; de mon poste d'observation, je m'aperçois que le plus jeune est l'un des pêcheurs du bateau d'hier.

Je ne veux pas qu'il me voie. Je veux rester anonyme, pour une raison que je ne comprends pas encore. Je les observe quelques secondes pour m'assurer qu'ils sont absorbés par leur conversation puis je quitte le porche, longe le mur avant de tourner le coin où je disparais à leur vue. Une étroite venelle se trouve entre la bâtisse blanche et un bar ou un café fermé. Elle court sur quelques mètres le long d'un mur aveugle puis se perd dans une sente qui gravit la colline. Cette venelle est encombrée de détritus provenant de la plage et du port mais je les enjambe sans grand effort. La colline est raide de ce côté et je dépasse vite la ligne du raz de marée. Le sentier mène au promontoire qui clôt à l'est la baie de Halemni.

Je ralentis l'allure. L'idée me vient, en marchant les poings enfoncés dans les poches du jean d'Olivia, qu'un observateur pourrait facilement me prendre pour elle depuis une fenêtre d'étage au village.

L'idée est réconfortante. Mes épaules s'affaissent, ma respiration se calme à mesure que je m'installe volontiers dans cette identité empruntée.

Je marche vers l'est, vers un soleil de feu qui flotte dans le ciel blanc veiné de cerise et de lavande. Ces couleurs extravagantes n'ont rien de terrestre et je suppose que c'est le résultat de la poussière et des débris rejetés par le tremblement de terre. Branc doit se trouver quelque part devant moi sur la droite, si mes repérages sont corrects, mais la côte turque reste voilée sous la brume. La mer a la couleur du lait coupé d'eau.

Le raidillon se rétrécit mais reste visible et certains rochers portent parfois un signe à la peinture bleue. Il doit s'agir d'un sentier touristique qui mène peut-être à une plage retirée de l'autre côté du promontoire. J'imagine très bien des couples et des familles cheminer ici par les beaux matins d'août, chargés de serviettes de bain et de glacières. Un bruit soudain de glissade me fait sursauter et je me retourne pour voir qui me surveille. Ce ne sont que deux chèvres, offusquées, sur la crête d'un ressaut rocheux. Je reste immobile et elles ne tardent pas à bondir vers la cime de la colline et l'horizon.

Ma route m'amène au sommet du promontoire puis redescend. J'avais bien deviné ; il y a une autre baie beaucoup plus petite, ressemblant à un œil avec une paupière de galets avec, en arrière-plan, de petits arbres et une gorge profonde et boisée qui grimpe vers le vieux village. La vague a déferlé à travers les arbres pour s'engouffrer dans la gorge et le reflux a ramené des détritus, des arbustes déracinés et des branches mortes sur tous les galets. On a du mal à imaginer, à cette heure, la plage recouverte d'un lacis tranquille de parasols et d'une frange de nageurs dans l'eau turquoise.

Je me tourne vers la grande baie. Un rocher plat sur le côté m'invite à m'asseoir ; je mets les bras autour des genoux et y appuie le menton. Le silence est encore rehaussé par le murmure de la mer sur les rochers trente mètres plus bas.

J'ai une vue d'ensemble du village, arqué autour de la plage et du port. Il est minuscule, beaucoup plus petit que lorsqu'on est au milieu des cubes blancs. Voici l'église avec son dôme bleu ciel et le clocher blanc à côté, et la place, et la maison bleu pâle de Xan et Olivia. J'aperçois plus de gens sur la digue du port et sur la jetée. Les dégâts sont beaucoup moins apparents vus d'ici, si l'on excepte le bois flotté et les épaves drossées sur la plage. J'imagine l'allure que ça aurait en temps ordinaire et en perçois de nouveau l'extrême beauté.

Le soleil me réchauffe le dos. Dans une heure ou deux, le chandail d'Olivia me paraîtra désagréablement épais. Les odeurs se mettent à jaillir autour de moi, exaltées par la chaleur du jour. Cela sent si bon ici après la puanteur de l'inondation, une odeur piquante de citronnelle sort des fourrés, une odeur riche de la terre pleine de rosée. Distraitement je tends une main et saisis la feuille la plus proche, la fais rouler entre le pouce et l'index puis la renifle. C'est de la sauge. Elle m'évoque aussitôt l'image de la cuisine à Dunollie Mansions.

Je suis en train de préparer le repas, de ficeler un bouquet de feuilles de sauge fraîche autour d'un rôti de porc.

Peter entre et se poste derrière moi. Ses bras m'entourent la taille et je me laisse aller contre lui, en fermant les yeux pendant un long moment. Notre connexion est parfaite, comme les deux termes d'une équation équilibrée.

Ce souvenir si brutal m'inspire un contrecoup tellement douloureux qu'il me faut me redresser, raidir le dos pour libérer ma respiration. Je me rends compte que je pense à Xan et Olivia, que je m'appesantis sur eux pour détourner mon propre sentiment d'abandon.

Et c'est avec ces deux images en équilibre dans mon esprit, ma propre vie et celle de cette autre femme, qu'une chose extraordinaire se produit.

La réalité, le temps présent, l'identité physique – tout cela vacille soudain et s'efface. Je ne suis pas assise sur un rocher d'un promontoire grec. Pas de bleu dans le ciel, de sel dans l'air ni de sang dans mes veines et il ne s'agit là que d'absences mineures. Nulle limite non plus, aucune contrainte de l'histoire ni d'interrogation sur l'avenir. Le passé n'est plus, plus aucun souvenir de Peter ou même de Marcus et de sa mort et de ma stérilité. Olivia et le reste ont disparu et je flotte absolument libre, une poussière de matière. Autre chose encore que cela. De l'essence pure.

C'est plus qu'un enivrement. C'est la première fois que je ressens l'emprise du vide absolu et vertigineux et du bonheur qui l'habite et lui correspond exactement. Le tout égale le néant et au-delà où au sein de ce zéro absolu se trouve l'extase.

Pendant quelques secondes, je sais cela avec certitude.

D'un endroit proche, une voix basse au timbre familier me dit clairement : « Maintenant, tu sais. »

Maintenant, tu sais.

Je sais vraiment et le plaisir de cette connaissance m'inonde.

Pendant encore quelques secondes, je me dis *si j'essaie je pourrai retenir cet instant.* La voix était peut-être celle d'Andreas. Mais dès que les mots *essayer* et *peut-être* se forment dans ma tête, je suis déjà en train de perdre la vision.

Je sens à nouveau le soleil sur mon dos et la texture râpeuse du rocher. L'odeur de la colline humide se ranime, et les couleurs, et le bruit des vagues. Je tourne la tête et vois un bateau qui contourne le cap opposé. C'est un ferry à l'étrave carrée qui traîne un sillage de mouettes et d'écume laiteuse.

Qu'était-ce, de ne se sentir nulle part, désincarnée et en même temps enchantée ?

Comme si je m'éveillais d'un somme, les fragments de la mémoire et de la conscience reviennent à la surface et se rassemblent dans la vieille peinture : Dunollie Mansions, Branc et Halemni.

Maintenant, tu sais.

Tandis que la vision, l'expérience de mon corps astral ou je ne sais quoi pâlissent rapidement, cette phrase est tout ce qui me reste.

Que sais-je ?

Comme le village sur la route du tsunami, l'idée me vient que j'ai moi aussi été emportée. Un néant m'appartient auquel je peux me rattacher, une feuille vierge sortie d'un carnet d'esquisses d'Olivia dans la chambre noire. Le tremblement de terre et ses séquelles ont effacé le monde pour moi.

Mon esprit bat la campagne à présent. Attends, attends. Laisse-moi réfléchir.

Tout ce que j'avais apporté à Branc est enfoui dans la chambre d'hôtel. Les habits, les papiers, l'argent, les effets personnels, le passeport. J'étais assise sur la plage sans rien d'autre que mon pyjama très fin, lequel a désormais atterri dans un sac-poubelle de Megalo Chorio. Andreas m'a amenée au bateau des contrebandiers, s'il s'agissait bien de cela. Je ne crois pas qu'il divulgue jamais quelque chose sur moi à quiconque car tout chez lui est mystère et secret. Je me suis cachée du pêcheur ce matin et pourrai peut-être me cacher de lui et de ses associés jusqu'à mon départ de l'île.

À part cela, il n'y a rien pour relier cette personne perchée sur un rocher dominant la baie avec la résidente de l'hôtel de Branc. Si j'avais pu dormir, je serais morte dans le tremblement de terre. Sous ces éboulis, parmi tant de pertes, qui saurait jamais la différence ? Qui la saura ? Je suis partie et suis donc effectivement morte.

Un léger écho de l'euphorie du néant me revient.

Je peux être quelqu'un d'autre. Plus Cary Stafford, ancien mannequin, femme mariée. Plus la Catherine dont le petit frère est mort quand une statue s'est renversée dans un jardin anglais. Je peux être une nouvelle personne. Je peux recommencer à neuf, sans histoire.

J'ai dit à Olivia que je m'appelais Kitty. C'est le nom que me donnait ma mère, et elle seule. Ce surnom est mort avec elle. Je doute que mon père ou aucun des beaux et demis s'en souvienne.

J'allais dire quelque chose à Christopher Cruickshank la nuit dernière. Avez-vous un frère, un portraitiste ? Je vois un air de famille. Comme si nous nous étions rencontrés dans un cocktail mondain et sans importance, mais je me suis reprise. J'avais déjà l'instinct de l'anonymat. Je peux être une nouvelle personne.

Attends, encore.

Si je suis morte, s'il semble que je sois morte, qui en sera affecté ?

Peter vit avec Lisa Kirk. Il me pleurera, bien sûr, mais ce sera un deuil rétrospectif, pour un amour déjà parti. Mon père et sa nouvelle famille, mais après tant d'années ce sera une perte lointaine pour eux. Quelques bons amis, qui se consoleront les uns les autres.

Je ne quitte pas grand-chose. Il y aura quelque tristesse, je ne suis pas assez misanthrope pour l'ignorer, mais je suis certaine que mon départ pour une autre existence ne blessera ou ne brisera personne.

Je reste assise et serre les genoux sur la poitrine. Mes os paraissent aussi solides que le roc, mes muscles sont endoloris par le souvenir du travail de la veille. J'ai totalement réintégré une enveloppe corporelle. Je tiens encore dans la paume la feuille de sauge froissée. Une bourrasque s'en empare et l'emporte quand je rouvre la main.

Je ne sais pas encore comment définir les détails de ce plan. Sans doute puis-je me ressaisir sur l'île pendant quelques jours. Olivia comme son mari m'ont proposé de rester. Je peux construire une nouvelle identité et m'inventer une nouvelle histoire.

Cette idée me fait rire toute seule, pousser une sorte de jappement fou de bonheur, mais je ne crois plus que je suis folle. J'ai le choix, je l'ai déjà fait. Je peux gommer le passé et mon moi d'autrefois et m'en aller libre.

Le ferry a entamé une marche arrière et s'est approché de l'extrémité de la jetée. La camionnette des pêcheurs recule vers la poupe ouverte du navire qui forme une rampe. Je vois un petit chariot élévateur sortir du bateau en brandissant des malles, un peu comme moi les albums de photos de Meroula. Une foule de gens se presse sur le port, occupée à décharger. Il doit s'agir des secours destinés à l'île, envoyés de Rhodes ou peut-être de Cos. Le navire de secours du Pirée n'a pas encore eu le temps d'arriver. On fait rouler de grandes barriques bleues après les malles et les caisses – sans doute contiennent-elles de l'eau potable.

Je me retrouve debout avant d'en prendre conscience.

Je dois rentrer au village et me rendre utile d'une manière ou d'une autre tout en évitant les trois pêcheurs. Le bruit du moteur de la camionnette me parvient quelques secondes après qu'elle s'est éloignée du bateau avec son chargement de secours. Je la regarde bourdonner le long du mur du port et tourner à l'angle de la grand-rue.

Les mains enfoncées dans les poches du jean d'Olivia, je me mets à marcher, puis à courir, sur la sente de la falaise vers Megalo Chorio : le grand village, j'ai élucidé la signification de ce nom. Là-haut sur la colline, sous le château en ruine des chevaliers, se dresse le vieux village. Derechef habité, par des réfugiés du raz de marée.

7.

Olivia marchait devant et Kitty la suivait. Elles grimpaient la colline en serpentant vers le vieux village. Toutes deux portaient de lourds paniers remplis de victuailles pour les réfugiés du tsunami et la montée était raide.

Olivia allait vite et Kitty haletait à sa suite.

— Je suis en si mauvaise condition physique, gémit-elle en s'arrêtant pour reprendre haleine.

Olivia déposa son panier pour l'attendre.

— On passe son temps à marcher ici, le plus souvent de bas en haut.

Elle sourit et reprit :

— Vous vous y ferez vite.

Tout comme, songea-t-elle, elle se faisait à la compagnie constante de Kitty.

Kitty n'était pas difficile à vivre – en fait on la remarquait surtout par sa volonté de rester à l'arrière-plan. Elle restait dans sa chambre à l'étage, à observer les allées et venues de Halemni par la fenêtre. Olivia apercevait parfois son visage pâle derrière la vitre et ressentait brutalement sa solitude extrême. Elle faisait ce qu'elle pouvait pour l'attirer dans leur cercle. La maison du potier avait quantité de chaleur à donner, à son avis.

— Venez passer un moment avec nous, la priait-elle.

Mais Kitty refusait la plupart du temps. Pourtant, lorsqu'elle les rejoignait elle était d'une compagnie agréable. Elle jouait avec les garçons qui l'avaient tout de suite appréciée. Elle prenait sa part de la cuisine et des tâches ménagères, s'enquérait de l'île, exprimant ainsi son intérêt pour Halemni et ses habitants. Xan et Meroula se montraient affables et lui racontaient fièrement les vieilles histoires qu'Olivia avait entendues vingt fois.

Avec le temps, Olivia se sentait de plus en plus proche de Kitty. Il était précieux d'avoir une autre présence féminine dans la maison, une femme parlant anglais, qui savait ce qu'était Coronation Street, qui reprenait des bribes de chanson quand elles faisaient la vaisselle ensemble. Elles pouvaient devenir amies, songeait Olivia et elle s'étonnait que l'idée la séduisît à ce point. Avoir une vraie amie, une alliée anglaise, ce serait bien. Même ici, sur Halemni où elle croyait tout avoir, ce n'était pas du superflu.

S'il planait une incertitude, elle venait de ce que Kitty se livrait fort peu. Une fois la ligne téléphonique réparée, Olivia s'efforça de la persuader d'appeler quelqu'un – elle devait bien avoir des parents, des amis – mais Kitty affirma poliment qu'il n'y avait personne à qui elle voulût parler. Un autre soir, Olivia essaya doucement de la sonder et elle apprit les grands traits de son histoire. C'était la structure générale, rien de plus. Olivia était certaine que Kitty lui mentait partiellement, y compris sur son nom.

Et pourtant, songeait Olivia, nous avons tous droit à nos propres secrets. Si Kitty décidait de ne pas s'exposer encore, pour quelque raison que ce soit, le temps y remédierait sans doute. Le temps ne manquait pas au long des hivers halemniotes.

Olivia ramassa son panier. Il commençait à faire chaud et elle ne voulait pas grimper jusqu'à Arhea Chorio sous le soleil de midi.

— On repart ?

Kitty fit une sorte de grimace par-dessus son sourire. Elles reprirent leur ascension.

La plupart des gens réfugiés dans le vieux village étaient des personnes âgées elles-mêmes, qui ne pouvaient s'approvisionner en eau et en vivres chaque jour. Leurs concitoyens avaient mis sur pied un service de livraison et Olivia y contribuait tout naturellement. Halemni fonctionnait ainsi. Elle avait proposé à Kitty de l'accompagner pour l'associer à sa vie et celle-ci avait sauté sur l'occasion.

— J'aimerais beaucoup voir Arhea Chorio.

Notre chemin vers le vieux village nous fait longer le nouveau cimetière. À son extrémité j'aperçois un monticule de terre toute fraîche sous une couverture de fleurs qui vont se fanant. Cette enceinte de pierre sur une colline qui domine la mer n'est pas un endroit désagréable où reposer, à mon avis.

Bien sûr, je ne suis pas allée à l'enterrement de Manolis, il y a trois jours. Mais Xan et Olivia y assistaient avec leurs enfants, ainsi que tous les habitants de Megalo Chorio, par un après-midi clair et frais traversé de brise marine. Il ne devait pas y avoir loin de cent personnes derrière le cercueil entre l'église et le cimetière. Les six porteurs marchaient très lentement, courbés sous ce grand poids.

Après l'enterrement, les gens se sont retrouvés sur la place du village où l'on avait dressé des tables sous les vestiges du vieux figuier pour un banquet cuisiné par Olivia et deux autres femmes.

« Venez manger avec nous », m'a proposé Olivia mais je préférais regarder par la fenêtre de la chambre obscure qui est désormais ma chambre. Je ne connaissais personne sur l'île, à part les Georgiadis et Christopher Cruickshank, et le temps passant, je commence à susciter des regards curieux lorsque je quitte la maison bleue.

Les murs de la Taverna Irini et de l'église étaient assez blancs pour refléter le soleil d'après-midi malgré la persistance des marques de boue laissées par l'inondation. Des chats rôdaient sous les tables et des enfants se pourchassaient entre les chaises au son d'une musique lugubre de cordes déformée par l'amplification excessive d'un magnétophone.

Le village avait dû se replier sur lui-même à la suite du raz de marée. Certains villageois restaient debout, d'autres s'étaient assis en groupes compacts, à parler à voix basse. Leur spectacle me captivait davantage qu'aucune de mes contemplations des rues de Kensington depuis les fenêtres de Dunollie Mansions.

Apparemment, ce ne sont pas les liens familiaux qui comptent le plus ici. Quels que soient mes efforts, je n'ai pu deviner qui était marié à qui, ni à qui appartenaient les enfants, excepté Georgi et Theo. L'âge et le sexe sont beaucoup plus significatifs. Les hommes se tenaient tous rassemblés d'un côté, à fumer et parler entre eux. Xan en faisait partie et je l'ai vu cogner les mains l'une contre l'autre pour donner plus de poids à ses arguments. Les femmes distribuaient à manger et à boire avec rapidité et efficacité. Quand tout le monde fut servi, elles prirent place dans leur propre cercle autour duquel les enfants cabriolaient. J'en ai dénombré une douzaine au total, plus deux bébés sur les genoux de leurs grand-mères – c'est du moins ainsi que je les identifiais.

Les femmes les plus âgées portaient des habits et des fichus noirs et avaient rapproché leurs chaises de celle de la mère de Manolis. Meroula était là qui hochait la tête tout en écoutant et en parlant. Sa ressemblance avec Xan était évidente dans leur façon de bouger les mains et d'incliner la tête. Les hommes âgés formaient un dernier groupe à part ; la plupart restaient silencieux, les mains à plat sur les genoux ou refermées sur un bâton, voire somnolents jusqu'à ce que leurs têtes s'affaissant les réveillent soudain. L'ombre portée par le clocher courait sur les pavés, mettant en garde contre la mer.

Tout cela m'intriguait : je voulais comprendre le mode de fonctionnement du village. La tragédie de la mort de Manolis semblait appartenir à chacun sur la place. J'ai penché la tête jusqu'à ce que mon front touche le carreau et que mon haleine le voile légèrement. Je me rappelai mon isolement à Dunollie Mansions, tandis que Peter et Lisa Kirk étaient dans les bras l'un de l'autre.

L'un des hommes a remplacé la bande sonore, je l'ai reconnu : c'était celui qu'Olivia appelait Yannis, l'ami de Xan. Des notes tremblantes ont frémi sur la place, mettant un terme aux conversations. Deux hommes se sont levés et ont fait signe à deux autres de les rejoindre. Ils se sont empoignés par les épaules et se sont mis à danser.

Ils évoluaient lentement et avec une grâce extrême, fléchissant les hanches ou les genoux, lançant les pieds d'un côté puis de l'autre. La musique se faisait plus forte, les danseurs ondulaient sur leur trajectoire solennelle, allant dans un sens puis dans le sens opposé. Ils gardaient la tête droite en fixant le même point invisible et distant.

La mère de Manolis pleurait. De part et d'autre, une vieille femme en fichu noir lui serrait la main. Debout derrière une rangée de chaises, Olivia regardait, les mains posées sur un dossier. Parmi les têtes brunes, elle se détachait, grande et blonde comme un être sorti d'une légende nordique, mais elle donnait en même temps l'impression d'être totalement chez elle.

J'ai ressenti une petite morsure de jalousie, à ce moment, devant cette façon de s'assumer et d'appartenir à ce lieu enchanté, et je la ressens encore. Elle me devance sur le sentier d'une douzaine de pas et ses hanches et ses cuisses bougent avec la force paisible des muscles puissants.

Le soir de l'enterrement de Manolis, les danses se sont poursuivies jusque tard sur la place. À l'arrivée de la nuit, on a emmené les enfants un à un et allumé les lanternes. À la lumière jaune et vacillante, les hommes ont exécuté leurs danses tristes et compliquées. On a apporté des bouteilles de cognac et de raki mais la soirée n'a pas dégénéré. Yannis a posé la tête sur ses bras croisés sur la table et s'est apparemment endormi.

J'ai entendu Olivia rentrer et les enfants monter se coucher sans maugréer. Puis elle a frappé à la porte. J'ai traversé la pièce pour lui ouvrir.

— Entrez.

Je me suis effacée pour la laisser passer tandis qu'elle hésitait ; elle a fini par aller s'asseoir sur le lit de camp, les mains sur les cuisses.

— Êtes-vous à l'aise ici ? m'a-t-elle demandé en regardant les étagères.

— Mais oui.

J'étais plus qu'à l'aise, j'étais chez moi. J'ai soudain trouvé bizarre qu'elle ne l'ait pas compris et que, pour ma part, je n'aie pas envisagé cette possibilité.

— Vous nous regardiez.

Elle inclina la tête en direction de la fenêtre ouverte.

— Oui. Cela vous a-t-il ennuyé ?

Elle était chaleureuse, solide et je sentais tout près de moi ses cheveux et l'odeur vanillée de sa peau. Quelques petites taches de rousseur pastillaient son avant-bras nu, un peu plus sombres que les vestiges de son bronzage estival.

Olivia secoua la tête.

— Non. C'est juste que je n'arrivais pas à oublier que vous étiez là-haut toute seule. Cela me préoccupait. Cela me semblait inhospitalier.

— C'était un enterrement. Je n'y avais pas ma place. Vous vous sentez toujours responsable, n'est-ce pas ?

C'était là l'une des choses qui la rendaient si séduisante, si pleine de vitalité. Elle assumait, ramenait à elle avant de rayonner et les rythmes s'organisaient autour d'elle.

Elle s'est mise à rire, s'est étirée, a étouffé un bâillement.

— Qui le sera, sinon ?

J'ai aimé cela aussi, cette acceptation confiante qu'elle était bien au centre de tout et pouvait gérer tout ce qu'on attendait d'elle. Je me suis dit qu'en me rapprochant d'elle je pourrais peut-être emprunter un peu de cette énergie si physique, devenir plus consistante moi-même.

— Qu'allez-vous faire, Kitty ?

Cette question était de bonne guerre ; je m'y étais attendue. Et voici qu'à mon vif étonnement elle tendait le bras et s'emparait d'une de mes mains. Je l'ai laissée m'attirer vers elle si bien que je me suis retrouvée assise près d'elle sur le lit. Elle n'a pas lâché ma main, en me massant le dos avec des mouvements circulaires du pouce comme pour me soutirer une réponse.

L'idée que j'avais eue sur le promontoire m'habitait encore – c'était plus qu'une idée. J'ai commencé par dire, hésitante :

— J'aimerais rester ici.

Olivia me regarda, sans mot dire. Elle me jaugeait, attendait et je voulais lui faire un exposé cohérent de ma personne. Chose difficile dans la mesure où je ne comprenais pas encore totalement moi-même mes propres motifs. Nous restâmes ainsi l'une à côté de l'autre, les mains jointes, nos cuisses se frôlant presque. Dans le silence, on entendait les grincements de la maison et de curieux petits claquements, comme des ricochets, émis par le vieux bois qui séchait après la grande vague.

Vas-y prudemment, me dis-je.

— Je n'ai aucune raison d'aller ailleurs. Personne, je veux dire.

Le jour de la réparation du téléphone, Olivia a bavardé avec sa mère, une conversation pleine de réconfort. Un peu plus tard, le même jour, le téléphone a sonné de nouveau et la voix de son interlocuteur, quel qu'il soit, l'a fait rire de bonheur ; elle se mit à bredouiller tant elle parlait vite.

Ayant raccroché, elle m'expliqua : « C'était mon frère. Il vit en Australie et je le vois si rarement. »

Je pris soin de ne pas trahir mes sentiments. *Ainsi vous avez un frère. Je vous envie cela aussi.*

Elle s'empara du combiné et me le proposa d'un air interrogatif.

Je sais que mon silence fera souffrir à cette minute en Angleterre. Peter et d'autres me pleureront et je ne devrais pas leur faire de peine volontairement, comme cela. Mais il n'y a pas d'autre façon de se débarrasser du passé. C'est en restant ferme que je serai libre.

— Non merci. Il n'y a personne à appeler.

Je me concentrai sur ce que je devais lui dire.

— J'ai été mariée, comme vous, bien que sans enfants. Et puis mon mari m'a quittée pour quelqu'un d'autre et je... suis partie. Aujourd'hui que je *suis* loin, je me rends compte que je ne veux pas rentrer et que je ne sais pas encore comment avancer. Si je pouvais rester un peu sur Halemni je pourrais peut-être comprendre ce qui a de l'importance et ce qui n'en a pas. Ce n'est pas une histoire très originale, je le crains.

— L'aimiez-vous ?

— Oui, je l'aimais. Je pense que notre mariage s'est rompu à cause de ma tristesse. Elle ne venait pas de lui, mais de quelque chose remontant plus haut dans le passé. Très loin. Peter s'est efforcé de me rendre heureuse malgré cela, mais il n'y est pas arrivé et cet échec a fini par se faire sentir. Il était fatigué et moi aussi. Puis une personne est entrée dans nos vies qui exhalait tant d'énergie, de bonheur, de projets brillants qu'elle était comme une lampe allumée dans une pièce obscure. Je ne lui reproche pas d'avoir voulu partir avec elle. Pas vraiment.

Olivia glissa le coin de son pouce dans sa bouche et le mordit. Le bout de ses doigts était marqué et ses ongles cassés.

Je pouvais entendre ses questions tacites et sentir sa résistance. Qu'était donc cette chose mystérieuse du passé ? Pourquoi accepterait-elle une autre femme sous son toit, un mystère, apportant ses ombres et ses motifs étranges dans une existence ordonnée ? Mais il se révéla que je sous-estimais sa générosité.

— Pourquoi ici ? dit-elle enfin.

— On y respire le bonheur.

À mes yeux, c'était une évidence, même au milieu des dégâts de l'inondation et un jour d'enterrement.

— Oui, reprit-elle en inclinant la tête comme pour laisser entendre que c'était si manifeste qu'il était inutile d'en parler. Je voulais dire, pourquoi êtes-vous venue ici et d'où êtes-vous venue ? reprit-elle.

Je ne voulais pas raconter ce que j'avais vu et entendu à Branc. Les images m'en reviennent sans cesse, en particulier la mère et la sœur de Jim agenouillées près de son corps dans sa veste de serveur.

Cette réalité sinistre m'appartient, il n'est pas question d'en accabler Olivia.

Je ne voulais pas lui parler du bateau de pêche non plus, si je pouvais garder cela pour moi, parce qu'il me liait trop directement au tremblement de terre et à Andreas. Je ne peux expliquer la présence d'Andreas à ce moment ni son absence aujourd'hui, mais il m'habite comme la moelle de mes os – je ne saurais en rendre compte à quiconque.

Je m'aperçois que je sais être calculatrice lorsque le besoin s'en fait sentir, ce qui me rassure en un sens. J'ai plusieurs facettes, comme tout le monde.

— J'étais en bateau avec des amis. Nous avons été surpris en haute mer après le tremblement de terre et ils ont accosté brièvement ici au lever du jour. Je ne voulais pas remonter à bord car j'avais trop peur. Je les ai obligés à me laisser ici. Je remontais la rue du port quand j'ai vu la mère de Xan qui emportait des choses de chez elle.

Je lui expliquai cela rapidement, en bredouillant un peu, parce que j'improvisais.

Elle lâcha ma main et appuya le menton sur ses poings fermés, en réfléchissant à ce que je venais de lui dire.

— Ne vont-ils pas se faire du souci à votre sujet, vos amis ? Ne devriez-vous pas essayer d'entrer en contact avec eux ?

— Je ne crois pas que ce soit nécessaire. Ils ne s'inquiéteront pas de moi.

Olivia tourna la tête pour me regarder bien en face.

— Quel est votre nom de famille ?

Une nouvelle vie, une ardoise effacée, pas d'histoire. Donc un nouveau nom.

— Fisher.

Le premier nom qui me soit venu à l'esprit – pas un choix très heureux.

Ses paupières ne cillèrent pas mais ses yeux rétrécirent.

— Je vois.

Il y eut un silence. Je pouvais me rétracter ou assumer cette sottise malgré tout.

— Je n'ai ni argent ni possession ni... rien du tout. Comme vous le savez.

D'après ce que j'avais pu remarquer, ces détails comptaient beaucoup moins sur Halemni que dans tous les endroits où j'étais passée dans ma vie et je n'imaginais pas qu'on demande à voir mon passeport ou un extrait d'acte de naissance.

— Je suis sûre que je peux trouver un boulot et un endroit où m'installer. Ne pas être une parasite si c'est ce qui vous inquiète. C'est ce qui m'inquiéterait, si j'étais à votre place.

— Donc, que faites-vous, Kitty Fisher ?

L'intonation d'Olivia semblait entourer ce nom de guillemets. Je dus paraître désarçonnée car elle se hâta de compléter sa question.

— Quels talents avez-vous que vous puissiez mettre à profit à Megalo Chorio ?

Ancien mannequin n'aurait guère été utile, je m'en rendais compte, pas plus qu'ancienne épouse.

Le ridicule de ce faux entretien me frappa soudain et je faillis éclater de rire. Olivia le comprit et je suis certaine qu'elle n'était pas loin de m'imiter. Ses rides aux coins de la bouche se creusèrent comme des parenthèses ironiques.

— Hum. Les choses pratiques habituelles. Le ménage, la surveillance des enfants.

(Je peux, je pourrais m'occuper d'enfants.)

— Et je sais faire la cuisine.

— Il va de soi que nous sommes nombreuses ici à mener des existences nécessitant des aides ménagères rémunérées – nounous, cuisinières, femmes de ménage, ce genre de choses. Et l'on n'est plus servi de nos jours. Vous nous serez précieuse.

— Je vous en prie ! murmurai-je.

J'attendis pendant qu'elle réfléchissait. Que pouvais-je faire ou dire d'autre ? J'entendais Xan se déplacer au rez-de-chaussée.

— Kitty, je ne vais pas vous mettre à la porte ou vous dire que nous ne pouvons pas vous aider quand il est évident que vous avez besoin d'aide. Nous n'avons pas grand-chose à donner mais vous avez un lit ici et vous mangez moins que Theo. Et il y a mille choses à faire sur Halemni en ce moment, du genre manuel, pas très ragoûtant. Restez si vous voulez.

Olivia Georgiadis ne pouvait imaginer le cadeau qu'elle venait de me faire. Mon soulagement me fit sourire.

— Merci. Je ferais n'importe quoi pour gagner ma vie. Je suis indépendante et je… n'ai pas peur.

Elle leva une main qu'elle laissa retomber : elle ne voulait pas que je la remercie avec trop d'effusions. Elle se leva et me regarda depuis l'embrasure de la porte, la tête légèrement penchée sous le linteau bas. Je portais encore les vêtements qu'elle m'avait donnés pour remplacer mes effets trempés.

— Je pourrais vous trouver quelque chose d'autre à mettre.

Je baissai les yeux. Olivia m'attirait dans le cercle de famille, même si son instinct pouvait lui souffler de ne pas le faire. Mon admiration pour elle redoubla, attisée par une jalousie qui devenait habituelle.

— Merci.

Elle se détourna pour s'en aller puis se retourna à nouveau.

— Que voulez-vous dire aux gens sur votre identité ?

J'avais réfléchi à la question.

— Hum. Nous devrions peut-être dire seulement que je viens d'Angleterre. Que j'ai traversé des moments difficiles ces derniers temps et que je veux me reposer. J'ai perdu mes biens en mer, sur la route. Cela a-t-il l'air convaincant ?

— Ça va.

Nous étions complices, désormais. Je souris encore car je me sentais moins solitaire que je ne l'avais été des mois durant et je comprenais pourquoi elle me regardait.

— Ça va, dit-elle à nouveau, très calmement.

En ce moment je porte un de ses vieux pantalons épais et une chemise de flanelle car le temps s'est rafraîchi, bien que cette ascension rapide vers le vieux village me fasse transpirer et perdre haleine.

— Tu ressembles à ma maman, a dit Georgi quand il est descendu et m'a vue dans cette tenue.

— Vraiment ? Cela me fait très plaisir.

— Tu ressembles à une dame dans un film, mais elle, elle est plus jolie.

Xan l'a sèchement repris en grec. Il était couché sur le flanc, à réparer la plomberie sous l'évier de la cuisine. Nous avons de nouveau l'eau courante sur Halemni et le regain de pression a révélé des fissures dans les joints. J'étais accroupie à côté de lui, et lui passais les outils et un tube d'une substance épaisse et graisseuse lorsqu'il le réclamait.

Georgi accusa le coup.

— Mais c'est vrai ! insista-t-il en me jetant un coup d'œil après avoir regardé son père.

— Ce n'est pas poli de le dire.

La tête brune et hirsute de Xan émergea du placard. Il déposa bruyamment une clef et me prit le tube de graisse.

— Je ne sais pas ce qu'il faut penser de cette dame du film, dis-je, mais tu as raison, Georgi. Ta maman est plus jolie.

Il se retourna aussitôt vers son père.

— Tu vois !

Nous éclatâmes de rire tous les trois.

Olivia descendait avec Theo. Le *demotikon*, l'école primaire de Megalo Chorio que fréquentent les deux garçons avec les autres enfants de l'île, avait rouvert et elle les préparait.

— Qu'y a-t-il de drôle ?

— J'ai dit que tu étais plus jolie que Kitty, répondit son fils.

— Vraiment ?

Son regard alla de Xan à moi, puis de moi à lui. Elle semblait mécontente, plus de cette brève complicité entre nous que du compliment lui-même.

C'est à ça que je pense tout en grimpant derrière Olivia vers Arhea Chorio. Les paniers que je porte pèsent un âne mort, mais j'ai la tête tellement pleine d'autres choses.

On ne me dévisage plus avec curiosité. On se met même parfois à me saluer dans la rue, par un signe de tête ou le murmure de *kali mera* ou *yia sou.*

Olivia et moi racontons mon histoire à qui veut l'entendre. Je voyageais, me remettant de problèmes personnels là-bas, en Angleterre. Le tremblement de terre m'a surprise dans un petit bateau qui a failli se renverser dans la mer démontée et la tempête a englouti toutes mes affaires. Je n'ai pas le pied marin et je suis terrifiée par les vagues. L'équipage s'est hâté de mouiller à Halemni pour me permettre de débarquer puis il a repris la mer.

Je suis reconnaissante à Olivia de ces explications rapides chaque fois qu'elles sont indispensables. Je sais qu'elle ne comprend pas mon désir d'absence et d'anonymat – comment le pourrait-elle ? – mais elle est assez généreuse pour me donner ce que je veux.

Je suis descendue chez Meroula avant-hier. Il est entendu entre Xan, Olivia et moi que j'aiderai à nettoyer ses murs, ses accessoires et à repeindre ce qui demande à l'être.

Elle se tenait au milieu de son mobilier inondé, les mains sur les hanches, la mâchoire carrée, l'image de la robustesse, et me regardait travailler. Quand elle a vu que je savais me servir d'une serpillière et d'un balai-brosse, elle s'est détendue et s'est mise à parler, à me raconter les temps anciens sur l'île avant l'ère des touristes. Son anglais est bon, son intelligence évidente.

— L'île était-elle plus heureuse, à cette époque ? ai-je demandé.

Elle a retroussé les lèvres.

— La vie était très dure. Les jeunes d'aujourd'hui n'en ont aucune idée. Ils s'imaginent que la vie tourne autour des hamburgers et des scooters.

— Est-ce si mal ? Un hamburger n'est qu'un hamburger.

— Mais les traditions sont oubliées. Il y avait des chansons et des danses, de vieux contes, c'étaient les choses que chaque enfant portait dans sa moelle car sa mère les lui apprenait. Aujourd'hui, ils ne s'intéressent qu'aux films américains, aux habits et aux jeux des enfants de touristes. Les enfants de mon propre fils ne sont pas différents.

— Donc le bon vieux temps était préférable ?

Elle s'est essuyé les mains sur son tablier et a ajusté un napperon vert au crochet sous un bol de verre qui se trouvait sur son dressoir.

— Non, je suis obligée de dire que non.

Je me penchai pour essuyer avec mon chiffon les recoins éloignés d'un profond placard et me mis à rire.

— C'est le progrès !

Pour je ne sais quelle raison, Meroula m'aime bien. Sans doute parce que je ne suis pas Olivia et ne suis donc pas une rivale dans le cœur et l'attention de Xan.

Ce dernier semble indifférent à la présence d'une étrangère sous son toit. Il s'investit dans les réparations, ses responsabilités sur l'île et la compagnie des autres hommes. Les affaires du foyer étant de la responsabilité d'Olivia, il les lui abandonne. Quant aux petits garçons, je me surprends à les regarder et à épier leurs jeux. Je n'ai jamais vécu en compagnie d'enfants auparavant. Ce sont leurs voix qui me réveillent dans l'escalier et ce sont mes enfants dans mon demi-sommeil.

Nous sommes presque arrivées aux premières maisons effondrées. Le raidillon fait un dernier ressaut avant de s'aplanir. Je distingue des marches de pierre qui serpentent vers des allées détruites, déformées par les chardons et les arums qui ont jailli au milieu. Le ciel est gris perle et les branches des arbres s'emmêlent devant lui. Il y a des figuiers, des oliviers et des aubépines, dont les feuilles se racornissent au vent. Une rafale s'engouffre entre les maisons et chasse une nuée de feuilles mortes. Je repère une odeur de feu de bois et de cuisine – sans doute du poisson grillé à la braise.

J'entends aussi des enfants, un chant répétitif qui pourrait être une comptine arithmétique et plus loin des cris et des rires bruyants et le son d'un ballon qui rebondit contre un mur. On dirait qu'il y a beaucoup d'enfants, plus que je n'en ai vu à Megalo Chorio.

Les maisons elles-mêmes sont très tristes. Ce sont des bâtisses de pierre de un ou deux niveaux, aux portes basses et carrées encadrées de deux fenêtres, toutes semblables aux maisons voisines de la mer. Mais celles-ci sont sans toit, les embrasures des portes et des fenêtres sont grandes ouvertes, leurs gonds rouillés et leurs échardes dansent sur leurs yeux vides. Les petits enclos du devant sont encombrés de pierres tombées, de massifs chaotiques d'aubépine et de sauge. Dans un ou deux de ces jardins abandonnés, les rosiers sauvages grimpent jusqu'aux murs et aux fenêtres ouvertes. Je m'arrête devant l'une des ouvertures et me courbe pour jeter un coup d'œil. Sur le sol de terre battue une casserole rouillée gît au milieu des orties et des patiences. La fumée noircit encore les pierres de l'âtre et le manteau de la cheminée ; sur le côté se trouve la voûte du four à pain. J'y glisse la main et crois pouvoir encore en ressentir la chaleur généreuse.

Quand je ressors, je vois qu'Olivia m'attends sur une volée de marches disjointes qui montent sous les branches d'un figuier mort.

— C'est un vrai labyrinthe, dit-elle. Les maisons réoccupées se trouvent surtout plus haut, près de l'ancienne église.

Je monte plus vite, pour suivre son rythme. Sa chemise en jean fait une tache de couleur dans cette monochromie minérale.

Non loin du sommet de la colline, nous émergeons d'un passage de pierre étroit sur une placette. Le seul bâtiment qui nous domine est l'église en ruine dont le dôme ne représente plus qu'un triste vestige de la symétrie d'autrefois, dont l'avant-cour en mosaïque est en partie effacée par des amas de pierres et de feuilles mortes. Mais on voit ici des signes de vie. Des chaises alignées contre un mur exposé au sud, des tapis et des coussins exposés au grand air sur un tas de pierres, une corde à linge où claquent des tricots de corps et des chemises. De la fumée s'élève d'une ou deux cheminées. Une vieille femme sort d'une des maisons en écartant une couverture suspendue en guise de porte.

— *Kali mera, kyria Elena,* crie Olivia.

Elle se tourne vers moi. Aujourd'hui, elle a noué un ruban vert plissé dans ses cheveux, qui met en valeur l'ossature et les traits de son visage. Elle semble forte et soucieuse.

— Il y a une vingtaine de personnes ici. Elles sont toutes âgées et superstitieuses. Elles se sentent plus en sécurité dans les vieilles maisons, même si c'est inconfortable pour elles.

Je traverse la place avec elle. Kyria Elena s'est écartée pour nous laisser entrer chez elle. Il me faut une minute pour m'habituer à la pénombre.

La pièce unique ne fait que quelques mètres carrés. Des sacs sont étalés sur le sol en terre battue, une bâche plastique au plafond l'abrite de la pluie. Un lit bas pliant est installé dans un coin et deux chaises de plage en métal revêtues de coussins de nylon aux rayures criardes encadrent le foyer. Un feu de brindilles rougeoie dont la fumée revient de temps en temps en volutes dans la pièce pour nous faire toutes tousser et nous frotter les yeux. Quelques assiettes et couverts sont installés sur une étagère, ainsi qu'une boîte de nourriture.

Olivia déballe rapidement de ses paniers du pain et du lait frais, du fromage et un peu de jambon en conserve. Les ferries ont apporté des provisions et la nourriture est désormais abondante à Megalo Chorio. Les deux femmes parlent grec, à toute allure. Kyria Elena s'empare d'une des mains d'Olivia et la frotte entre les siennes.

— *Ne, ne parakalo,* dit Olivia.

Ce qui signifie « oui, s'il vous plaît ». Je commence à comprendre un mot par-ci, par-là dans les torrents inintelligibles qui coulent autour de moi. Elena me fait signe d'avancer et m'indique l'une des chaises. Une marmite en métal est suspendue à un crochet au-dessus du feu ; elle entortille un chiffon pour la soulever et verser de l'eau dans un minuscule pichet d'étain. Une minute plus tard, elle me tend une tasse miniature de café grec, épais et sucré. Olivia est assise sur le lit bas, Elena et moi sur les chaises devant l'âtre. Des traits de lumière entrent par les minuscules ouvertures des fenêtres, parallélogrammes que traversent des voiles de fumée bleue.

J'entends à nouveau les voix enfantines et sens du poisson en train de cuire sur un lit d'herbes sauvages. Distraitement j'étire les jambes et approche les pieds du feu. C'est très tranquille ici. Je comprends pourquoi le sentiment de sécurité qui émane du vieux village attire Elena et les autres. Leurs conditions de vie spartiates semblent mineures, quasi accessoires, à côté de ça.

Olivia me fait sursauter en parlant anglais.

— Elena est née dans cette pièce, comme ses trois frères.

La vieille dame hoche la tête, en me souriant. Ses doigts et ses articulations sont tout gonflés mais elle a l'air nerveuse, solide.

— Elle doit se rappeler tellement de choses.

La traduction d'Olivia déclenche une avalanche de paroles.

Nous rendons visite aux autres maisons. Les sacs ou les couvertures cloués sur les ouvertures et les fumerolles bleues sorties des cheminées indiquent celles qui sont habitées. Olivia laisse de la nourriture dans chacune et converse avec chaque occupant. Ce pourrait être une mission lugubre que cette œuvre charitable, mais il se trouve que non. Arhea Chorio réinvestie exhale une impression de sécurité, bien que les murs s'écroulent et que les rues soient bloquées par les mauvaises herbes et les pierres. J'erre dans le sillage d'Olivia, en levant les yeux vers les fentes de ciel entre les maisons, en les baissant vers les bouts de mer et de colline visibles aux coins des rues.

La dernière maison appartient à un très vieil homme. Olivia m'explique que c'est le grand-père de l'ami de Xan,

Yannis, le doyen de l'île. La grand-mère de Yannis, sa première femme, est enterrée dans le cimetière du vieux village derrière l'église sur la colline. Le vieillard, qui s'appelle aussi Yannis, a insisté pour que sa famille le ramène dans sa maison là-haut dès que l'eau eut reflué de Megalo Chorio. Olivia le salue respectueusement.

Il est sourd et irritable et son regard perplexe et perdu va d'Olivia à moi. Je saisis la première occasion pour quitter cette pièce renfermée et regagner l'air libre. L'église est toute proche, je me promène dans la cour, écarte du pied les feuilles mortes et les détritus pour révéler les motifs de mosaïque. Le vent fraîchit, j'en sens la vigueur sur mes joues. De l'autre côté des murs effondrés je distingue les étagements de douzaines de terrasses, les terres arables de jadis qui descendent au plein midi. Tout ce flanc de colline a dû être autrefois une mer vivante de céréales.

Le vieux cimetière est un rectangle incliné enchâssé dans des murs croulants. Je marche entre les tombes, entre les pierres qui ont glissé pour révéler leurs béances. Malgré cela, c'est un lieu apaisant. Il y a des touffes de thym sauvage, bourdonnantes d'abeilles sur les épis de fleurs, de minuscules papillons bleu cobalt et jaune soufre, points de couleur qui vont et viennent. Je m'assieds dans un angle du mur et regarde la mer, mes pensées s'échappent encore.

J'avais une paire de sandales de cuir rouge au bout constellé de trous dans un motif de soleil rayonnant. Je me rappelle la vie ordinaire, l'odeur du savon et des serviettes de bain et l'inattendu – la première sucette glacée que je goûtai avec sa petite boule de crème glacée cachée à l'intérieur.

Notre père, à Marcus et à moi, était le directeur administratif d'un grand hôpital d'une ville des Midlands, non loin de l'endroit où nous vivions. Ce n'était pas lui-même un « homme de l'art », comme il disait, mais mes parents comptaient plusieurs médecins parmi leurs amis. Nous habitions une maison sise au bout d'une allée ombragée de chênes, ce n'était ni vraiment la campagne ni la ville non plus. Je grimpais aux arbres, me balançais aux branches inférieures en dérivant audacieusement au-dessus du fossé, mais Marcus n'en avait pas le droit car il était trop petit. Notre différence de taille était frappante. Je voyais le sommet de son crâne et la pâleur de sa peau sous les cheveux blonds.

— Elle est grande pour son âge, disait ma mère.

J'aimais ma taille et mon statut d'aînée. Si mon père m'encourageait, ma mère me mettait en garde contre le danger d'avoir la grosse tête.

— J'ai une petite tête : regarde mon chapeau assorti à mes sandales rouges.

Je devais être une enfant difficile. Je revois mon sourire narquois, l'assurance incarnée, et la pelouse pommelée par le soleil.

Un tintement sonore me fait sursauter et tourner la tête. La cloche est rouillée, comme décrochée de son axe dans un coin du clocher. C'est sans doute le vent ou quelque force de ce genre qui en a tiré ce tintement unique. À présent, je me rappelle l'avoir déjà entendue sonner, en réponse au glas du village d'en bas.

Je me relève et m'étire pour dissiper la raideur de mes jambes puis je redescends paisiblement le long des murs de l'église. Je suis en train de fouler des tuiles de terre cuite cassées dont je présume qu'elles ont quitté leurs logements sur le toit quand j'entends à nouveau les enfants. Cette fois, je les aperçois. Ils courent de l'autre côté de la placette, se pourchassent dans une allée et sont avalés par de hauts murs. Je cligne des yeux à cause de la lumière qui m'aveugle mais suis certaine qu'il y en avait au moins dix, peut-être plus.

Olivia m'attend devant ce qui reste du jardin de devant de Kyrie Yannis. Un figuier mourant plonge de façon baroque par-dessus le mur.

— Prête à rentrer ?

Elle me sourit et je soulève les paniers vides en réponse. Nous rebroussons chemin par les marches de la grand-rue.

Le sentier raide à flanc de colline vers Megalo Chorio paraît déjà familier. Quand il s'élargit et que la pente s'adoucit, je rattrape Olivia et marche à sa hauteur. Je lui ai emprunté des chaussures, robustes, à lacets, dont le cuir est craquelé au niveau des orteils et j'étudie nos pieds. Ils ont évidemment l'air semblables car les souliers d'Olivia portent l'empreinte de la taille et de la forme de ses pieds. Les miens dérapent un peu dans ces coquilles de cuir.

— Combien d'enfants d'en bas sont-ils revenus dans le vieux village ?

— Aucun, répond-elle en haussant les épaules. Il n'y a que les personnes âgées. Les jeunes familles pensent la même chose que Xan et moi.

— Mais il y a des enfants là-haut. Peut-être une dizaine.

Elle me regarde.

— Il n'y a en ce moment que douze enfants sur Halemni, plus deux bébés. À l'exception des bébés, ils sont tous à l'école ce matin, comme Georgi et Theo. Les plus grands vont sur l'île de Rhodes, vous savez. Ils sont là-bas en internat.

Je me retourne brièvement.

— J'avais cru que… je les entendais jouer.

— Je ne crois pas que ce soit possible, réplique-t-elle.

Xan travaille au jardin quand nous regagnons la maison bleue, à sarcler les plantes abîmées ou mortes du potager d'Olivia. Il s'appuie sur sa houe quand nous apparaissons sous la pergola.

— Je boirais bien un café, lui dit-il.

Elle rebrousse aussitôt chemin vers le réchaud. Je me mets spontanément à rassembler les déchets qu'il a écartés en tas plus compacts – j'ai pris l'habitude de me rendre utile sitôt que je le peux.

— Qu'avez-vous pensé du vieux village ?

— Paisible. Pas aussi triste que je m'y attendais.

Nous continuons notre tâche dans un silence amical jusqu'à ce qu'Olivia ressorte avec des petites tasses de café épais et une miche de pain. Xan s'en saisit voracement sur l'assiette et en rompt une partie.

8.

Un mois après le tremblement de terre, les habitants de Branc retrouvaient leurs marques. Le processus paraissait lent, mais décidé, se disait Peter Stafford, en garant la voiture qu'il avait louée à l'aéroport sur le bas-côté de la seule route carrossable de la ville.

Il était déjà venu une fois en Turquie, trois jours après le tremblement de terre, et contre les mises en garde officielles, pour se frayer un chemin à travers les colonnes de secours et les personnels humanitaires. La plage et le front de mer reposaient alors sous un mètre d'eau et les lacis de maçonnerie, poutrelles de fer et de béton se dressaient comme d'étranges formations géologiques. L'hôtel de Cary, quand il avait fini par l'identifier, était d'un côté une ruche de chambres carrées dont la façade avait été arrachée pour en révéler l'intérieur et de l'autre un tas informe d'éboulis. C'était un effondrement partiel, lui avait dit l'un des humanitaires anglophones épuisés.

La chambre de Cary s'était trouvée au mauvais bout. Il n'y avait aucune chance qu'elle ait pu y survivre. On n'avait dégagé aucun survivant au cours des dernières quarante-huit heures.

Peter avait rebroussé chemin et repris l'avion pour Londres et la chaleur coupable de Lisa.

À présent, les champs accueillaient des camps de tentes de part et d'autre de la route, des villages miniatures de toiles où les lessives séchaient sur des fils, où il y avait des cuisines communes et où les enfants jouaient dans les broussailles. Peter marchait lentement, et deux ou trois femmes serrant des bébés dans leurs bras le regardèrent distraitement passer. Il songea à tout ce qu'elles avaient supporté et cette pensée remit sa propre perte en perspective. On était en train de reconstruire, comme l'indiquaient les lourdes bétonneuses, les grues et les matériaux de construction. Reconstruire était possible, ce n'était qu'une affaire de volonté et de détermination. Revenir ne l'était pas. Cary était partie, elle ne pouvait revenir. Bien qu'il portât des lunettes noires et que le soleil de novembre fût recouvert d'un voile léger, Peter tenta d'abriter ses yeux.

Le niveau de l'eau avait un peu baissé. Les dalles de béton et les poutrelles rouillées des hôtels détruits étaient bien visibles. On avait presque déblayé l'extrémité effondrée de celui où était descendue Cary et l'autre extrémité épargnée paraissait du coup effilochée, comme bizarrement abrégée. Il y jeta un coup d'œil et détourna le regard.

Curieusement, une sorte de restaurant semblait fonctionner au coin d'une rue venant de la mer, sur une plate-forme surélevée qui avait dû jadis constituer le rez-de-chaussée d'une grande bâtisse. Des parois de toile abritaient une rangée de petits étals vendant des légumes et de la viande grillée. On avait dressé dans un enclos au centre des tables sur tréteaux et des chaises disparates ; installés là, les gens parlaient, mangeaient et parfois riaient. Peter s'approcha d'un homme massif qui retournait les morceaux de viande sur un gril improvisé.

Le bonhomme lui adressa un large sourire et indiqua sa cuisine.

— Manger quelque chose ?

Peter secoua la tête.

— Non ? C'est bon.

Le cuistot était incroyablement gai, dans sa cuisine de fortune en toile.

— M. Dulcik ? s'enquit Peter.

L'homme inclina la tête, l'air compréhensif. Il jeta un coup d'œil sur les fleurs, déposa la fourchette dont il se servait pour retourner la viande et contourna sa plaque. Il laissa tomber un bras lourd sur l'épaule de Peter et le guida vers l'ouverture de l'abri.

— Ici, indiqua-t-il.

Au bas de la rue dévastée, peut-être à cent mètres au-delà de canyons et de digues d'éboulis, une demi-bâtisse tenait encore debout. Les murs peints en bleu et jaune évoquaient un bar ou un club d'un autre monde, un monde qui n'était plus. On avait reconstitué le côté arraché par le tremblement de terre au moyen de planches et de feuilles de tôle ondulée.

— Bureau, dit le cuistot, le visage empreint de compassion.

Peter remercia d'un hochement de tête et se dirigea vers la bâtisse bleu et jaune, sentant sous ses semelles les griffes de pierres pointues. Un camion abordait en première la route au loin, suivi d'une voiture poussiéreuse.

La porte était toujours en place dans le mur intact, et des affiches officielles étaient apposées sur la peinture écaillée. Peter frappa et entrebâilla la porte. Des télécopieurs, des téléphones et des ordinateurs ainsi qu'une rangée de chaises meublaient la pièce. Assise au bureau le plus proche, une femme aux cheveux bruns serrés sous un foulard noir, leva les yeux. Peter déplia sa lettre et la lui montra.

— Une minute.

M. Dulcik portait une chemise bleue à manches courtes et un pantalon de treillis. Il se leva à l'entrée de Peter et lui tendit la main. Un sac en plastique gris soigneusement plié se trouvait sur le bureau devant lui.

— Mes condoléances, monsieur Stafford. Asseyez-vous, je vous en prie. Comme vous le savez, nous n'avons pas retrouvé le corps de votre femme, mais nous avons récupéré certains de ses effets à l'hôtel Flore. C'est parfois ce qui arrive, vous savez. Les gens disparaissent dans un tremblement de terre et l'on retrouve leurs petits effets personnels. C'est impossible à prédire ou à expliquer. Il y a certaines personnes qu'on ne retrouve jamais, alors qu'on sait qu'elles sont là.

Son anglais était bon, quoique émaillé de sons gutturaux et de « r » roulés.

— Je comprends.

M. Dulcik se saisit du paquet et le tendit au visiteur.

— Merci.

Le passeport de Cary s'y trouvait. Sale, gonflé par l'humidité, sa couleur avait déteint à l'intérieur pour laisser des rougeurs ternes sur les pages, mais c'était son passeport. Même sur sa photographie d'identité, l'angle d'inclination de sa tête était parfait, ses grands yeux et la forme négligente de sa bouche semblaient laisser supposer qu'elle allait murmurer un important secret. Il la regarda longtemps en se souvenant de sa voix.

Son portefeuille était là aussi. Le revoir, si familier, le choqua, même s'il n'avait pu le décrire cinq minutes plus tôt. À l'intérieur se trouvaient quelques lires turques et cent livres sterling. Plus les vestiges d'un cliché tordu où l'on parvenait à le reconnaître, lui.

— Ce sont bien les affaires de Mme Stafford ?

Le sac contenait aussi quelques-uns de ses vêtements. Soigneusement pliés, par les secouristes probablement.

— Oui.

— Toutes mes condoléances, dit l'homme encore une fois.

Peter se leva et ils se serrèrent à nouveau la main. Peter fourra le sac gris sous son bras, son coude l'épinglant contre sa cage thoracique douloureuse. Il tenait toujours son bouquet de fleurs dans l'autre main.

Il retraversa le premier bureau. La fonctionnaire lui remit une liasse de formulaires administratifs qu'il signa là où elle le lui indiquait, non sans remarquer les petites boursouflures de chair percées autour de ses ongles. Une fois ressorti à l'air libre, la lumière l'aveugla, malgré la protection de ses lunettes noires. Il marcha rapidement vers la mer. Au bord de l'eau, il se jucha en équilibre sur un ressaut de ciment après avoir déposé le paquet près de lui. Tout semblait de la même couleur : celle de la boue. Les fleurs, enveloppées dans leur papier, aux rayures blanches et rose bonbon, détonnaient, criardes, dans cet environnement monochrome.

Il aurait aimé apporter du muguet, la fleur préférée de Cary. Mais il n'y en avait évidemment pas dans le marché aux fleurs auquel on l'avait adressé le matin même. Ce qui s'en approchait le plus – réflexion faite, se dit-il en défaisant le papier, il fallait beaucoup d'imagination –, c'étaient des freesias jaunes et blancs brillants comme s'ils étaient recouverts de plastique. Il les flaira distraitement puis ôta l'élastique fin qui les retenait ensemble. L'eau boueuse clapotait à ses pieds. Il tournait le dos à l'hôtel tronqué, incapable de supporter l'idée qu'elle fût enfouie là-dessous.

Il sépara les tiges raides et brandit la première fleur au-dessus de l'eau. Lorsqu'elle la toucha, une vaguelette fouetta la fleur contre les pierres, salit les pétales puis l'emporta. Il la regarda sombrer puis refaire surface avant de jeter la suivante puis la suivante, puis la suivante. Quand il arriva à la dernière fleur, il la garda quelques secondes dans sa main tendue, puis la balança comme les autres. Les pétales dansaient sur les vagues.

Peter se baissa pour ramasser le paquet de plastique gris contenant les affaires de Cary. Il se détourna de la mer, de son sillage de freesias flottants et rebroussa chemin au milieu des éboulis sans un regard pour les ruines de l'hôtel. Il se rappelait comment Cary n'avait pas pleuré à l'enterrement de sa mère.

— Je déteste les enterrements, lui avait-elle dit sauvagement. Je n'en veux pas.

Il n'y aurait pas d'enterrement pour Cary de toute façon, mais il décida qu'une fois rentré en Angleterre, il réunirait ses amis. Selina, Marianne et tous ceux de sa vie de mannequin, ainsi que Clive et Sally et le reste de leurs amis communs, y compris son père négligent et égoïste. Ils pourraient l'évoquer avec du champagne et la musique qu'elle aimait, au milieu des photos extraordinaires que les meilleurs photographes du monde avaient prises d'elle quand elle était à l'apogée de sa beauté.

Le visage inondé de larmes, Peter regagna sa voiture de location à travers la saleté et la circulation des camions de construction.

Cary n'avait quasiment jamais pleuré sur les choses importantes. Elle pleurait devant un film sentimental, sur un livre mièvre, pas sur les choses réelles. Les larmes étaient trop superficielles, trop éphémères pour exprimer le courant profond de mélancolie qui la traversait – son rire rapide, un peu glapissant, avec un accent désespéré s'en approchait davantage. La première fois qu'il l'avait rencontrée, au-dessus des têtes qui se trémoussaient lors de cette soirée bizarre, elle riait à gorge déployée. Dans cette pièce remplie de belles femmes, sa beauté semblait venue d'ailleurs. Il lui avait fallu des mois pour exhumer la raison de sa tristesse.

Une fois, au début de leur vie commune, il s'était réveillé au milieu de la nuit. Ils étaient au lit dans son appartement à elle, une boîte aux murs blancs contenant plus de valises que de chaises, plus de pilules que de nourriture. Elle reposait parfaitement calme, la respiration régulière, mais il savait qu'elle faisait semblant de dormir. Il avait posé ses doigts écartés sur le creux profond de sa taille. Puis il les avait remontés lentement sur le renflement des côtes, suivant les vagues des os comme un pianiste l'ivoire des touches.

— Pourquoi ne dors-tu pas ? avait-il chuchoté.

Pour toute réponse, elle avait émis cette brève toux rieuse qui lui était déjà familière. Cet enjouement tragique l'excluait déjà.

— Tu ne peux rien me dire ?

Le froissement des draps révéla qu'elle secouait la tête. Il ressentait son isolement ; avec ardeur, il décida de le dissiper. Il l'avait attirée près de lui et lui avait fait l'amour, l'avait baisée, pour essayer de se frayer un chemin dans sa tête. Mais bien que son corps lui fût tout ouvert, il ne semblait pas qu'il y eût d'accès au-delà.

— Je t'aime, avait-il dit ensuite.

C'était la première fois qu'il le disait.

— Moi aussi, je t'aime.

C'était la vérité, de cela au moins il était sûr, mais le noyau de son être restait inaccessible. Réduit au silence, il s'était allongé en posant la main sur la courbe de ses côtes jusqu'à ce qu'un film de sueur colle leur peau. Pour finir, ils s'étaient endormis.

Au matin, elle était comme elle avait toujours été. Ils ne parlèrent pas de la nuit. Malgré tout, Peter était certain que tôt ou tard, peut-être après leur mariage ou quand ils auraient des enfants ou lorsqu'elle se sentirait enfin et vraiment en sécurité avec lui, la tristesse s'en irait. Il se convainquit qu'elle se replierait de moins en moins sur elle-même, de moins en moins souvent et puis, à la longue, plus du tout.

Au lieu de quoi, il y avait eu Dunollie Mansions et Cary qui regardait l'air absent par la fenêtre au long des après-midi de Kensington. Elle avait fait retraite au sein de leur retraite.

Il avait presque atteint sa voiture. La poussière venue des ruines avait recouvert la carrosserie. Son téléphone portable sonna dans sa poche intérieure et il tâtonna à sa recherche.

— Tout va bien ?

La voix de Lisa était inquiète. Il ressentait sa chaleur, prête à l'envelopper.

— Oui, je serai à la maison demain.

Quel que soit le sens de ce mot, songea-t-il. Soudain désorienté, il eut un bref vertige et la nausée. Il déglutit, sur le point de vomir.

— Que s'est-il passé ?

— Je te raconterai quand je serai à la maison. Mais elle est morte.

Tous deux le savaient déjà, mais la confirmation officielle scellait cette certitude.

— Je suis navrée. Je suis très triste, dit-elle enfin.

— Oui.

Après son appel, il ouvrit la portière et s'assit derrière le volant, laissant l'odeur du plastique chaud imprégner ses narines et sa gorge. Les mains cramponnées au volant, il se souvint à quel point Cary détestait conduire et de cette première fois où il l'avait ramenée dans la Jaguar, ses longues jambes coincées sous la boîte à gants et sa tête frôlant la capote basse. Elle n'avait cessé de parler et de rire, et lui n'avait pensé qu'à la manière de l'apaiser et de la faire taire.

À présent, elle était morte et lui paraissait plus vivante qu'elle ne l'avait jamais été.

Les vêtements étaient empaquetés dans deux grands cartons. Ils étaient arrivés d'Athènes avec l'un des chargements de secours et avaient été empilés sur la digue, à côté des cageots de nourriture et d'eau, de papier toilette et de produits de nettoyage. Ils provenaient d'un organisme d'aide internationale. La plupart de l'aide allait à la Turquie, évidemment, mais un coup de crayon bureaucratique éloigné avait dirigé un petit envoi de vêtements chauds sur Halemni.

— Jetons un coup d'œil, ordonna Olivia.

Yannis ouvrit son canif et s'attaqua à la première caisse. Tous ceux qui se trouvaient sur la digue du port et qui étaient venus à la rencontre du dernier ferry se rapprochèrent pour mieux voir. Il y avait les Georgiadis, dont Meroula et une poignée de ses amies, Yannis, Panagiotis le capitaine du port, avec sa femme, et Kitty. Une eau claire léchait les marches du port et reflétait la pâleur grise du ciel tandis qu'un vent frais caressait les crêtes blanches des vagues dans la baie. Une odeur de pluie et de sel, annonciatrice de temps froid, parfumait l'air et les maisons de Megalo Chorio semblaient repliées sur elles-mêmes pour l'hiver.

Panagiotis plongea la main dans un carton et extirpa le premier vêtement. C'était une ample jupe plissée, probablement donnée par une solide campagnarde anglaise altruiste désireuse d'aider les victimes du tremblement de terre de l'autre côté du continent.

Panagiotis était un homme corpulent, rubicond, au cou de taureau. Il soignait sa réputation de boute-en-train de l'île aussi sérieusement qu'il défendait son rôle officiel de capitaine du port. Il jeta un regard à sa femme puis souleva la jupe par sa large ceinture. Il la secoua un peu pour faire onduler les plis puis la plaqua contre son corps en se dandinant, lançant un clin d'œil et esquissant un baiser en une mimique si obscène et comique que tout le monde dans le cercle éclata de rire ; les hommes bruyamment, les femmes la main au coin de la bouche pour dissimuler leur amusement.

Kitty riait aussi et rit plus fort encore quand elle vit qu'Olivia la regardait. C'était plus drôle pour elles car elles pouvaient imaginer d'où venait la jupe, à quoi ressemblait son ancienne propriétaire. La conscience de leurs racines partagées les rapprochait.

— À Kitty la première pioche ! annonça Olivia.

Panagiotis lui tendit la jupe d'un air aguichant et un nouveau rire parcourut l'assemblée. Puis Olivia plongea les bras dans le carton et se mit à sonder les épaisseurs de tissus. Elle retira d'abord un pantalon masculin de flanelle, aux jambes longues et à la taille étroite. Kitty s'en empara et l'évalua contre elle, en reproduisant les gestes suggestifs de Panagiotis. Les rires redoublèrent, ce qui surprit Kitty et l'enchanta. L'idée germa chez Olivia qu'elle n'avait pas l'habitude de s'amuser. Son expression était plus souvent prudente que détendue. La voir tout à coup l'air presque heureuse rendit Olivia heureuse.

— Il vous ira, dit-elle pour l'encourager.

Elle extirpa ensuite un pull marin, dont les épaisses rayures bleu et crème avaient pâli sous les lavages répétés.

— Et ça.

— Tu vas la faire ressembler à un homme, hurla Panagiotis en grec.

Kitty avait compris la phrase à son intonation ; elle haussa les sourcils en signe de dénégation amusée. Aussitôt, avec une vraie chaleur, Meroula et les autres femmes l'entourèrent, lui tapotant les bras et les hanches pour lui montrer qu'il n'y avait aucun risque de ce côté-là.

Quand les cartons furent vides, Kitty était équipée d'une garde-robe hivernale de base, bien qu'un peu excentrique, de pantalons et de pull-overs. Elle avait même un caban, aux manches et au col lustrés, mais dont le tissu de laine épaisse était fort chaud.

— Cela fait trop longtemps que vous n'avez rien, commenta Meroula. Avoir perdu toutes vos affaires en mer comme cela !

— J'ai tout ce qu'il me faut, l'assura Kitty.

Le cortège remonta du port en suivant la camionnette de Panagiotis chargée de provisions et des ballots de vêtements. Les bras de Kitty débordaient de ses nouvelles acquisitions. Olivia l'escortait.

— Nous avons eu de la chance, pas vrai ?

— Et comment ! Je n'aurais plus jamais à faire les courses. Plus de facturettes de carte de crédit, plus de souci de ce qui est à la mode ou pas. Et vous n'avez plus à me prêter vos affaires.

— Ça ne me dérange pas. Vous vous plaisez ici, n'est-ce pas ?

Depuis quelques jours, la vie avait pris un rythme routinier. Xan travaillait aux grosses réparations de la maison du potier, chez Meroula, chez d'autres villageois. Olivia se consacrait aux petites tâches de fignolage comme réinventer les motifs peints sur les placards de la cuisine. Quant à Kitty, elle allait de l'un à l'autre. Elle cuisinait certains des repas simples qu'ils partageaient, faisait la vaisselle et le ménage. Elle surveillait les enfants, dessinait avec eux, leur lisait des histoires, les emmenait se promener sur la colline derrière le village. Chez Meroula, elle avait déjà lessivé tous les murs souillés, le bois et le mobilier : ils n'attendaient que d'être repeints. Elle consacrait les quelques heures de liberté qui lui restaient à marcher sur l'île, à en apprendre les détours.

— J'adore cet endroit, répondit Kitty et son visage attestait sa sincérité.

Olivia réfléchit. Elle aimait bien Kitty et souhaitait que ce soit réciproque. Qu'elle lui ait dit ou non la vérité sur elle, Kitty-l'inconnue parlait sa langue et venait de son pays. Elle satisfaisait en elle une aspiration à une amitié intime qu'Olivia n'avait jusqu'alors jamais soupçonnée. Pourtant une incertitude la taraudait sous son affection. Elle résultait en partie de la discrétion de la nouvelle venue, bien sûr ; d'une part de jalousie, aussi, à cause de l'allure de Kitty et de la manière dont Christopher et même Xan se comportaient avec elle. En outre, elle était libre d'être et de faire tout ce qui lui plaisait, au lieu d'avoir les ailes rognées par des enfants et un mari, dans un espace limité. Mais ce n'étaient que des broutilles, s'empressa-t-elle de se dire. Kitty méritait d'être aimée et comprise, elle n'avait pas besoin d'une mesquine jalousie.

— Le pays ne vous manque-t-il pas ?

Kitty marqua un bref silence avant de répondre.

— Non, ce qui me manque c'est ce que j'y ai trouvé et qui n'y est plus. Je vous l'ai déjà dit. Et vous ?

— Oui.

La rapidité et l'assurance de ce oui surprirent Olivia. La compagnie de Kitty révélait des sentiments que Xan lui-même ne touchait pas.

— Les gens ? ou l'Angleterre elle-même ?

Olivia se rendit compte que Kitty cherchait à dévier la conversation. Elles avaient déjà atteint ce même point dans leurs précédentes discussions et Kitty s'arrangeait toujours pour écarter les questions personnelles. Elle sourit.

— Les deux.

Elle acceptait d'être manipulée, pour cette fois. L'heure de Kitty finirait bien par venir. Elle finirait par parler.

Olivia pensait aux bois, aux matins de juin, aux nuits glacées d'hiver, avec la nostalgie déformante de l'exilée. Durant ses voyages, elle avait gardé vivants ces souvenirs, dans l'idée qu'elle rentrerait un jour pour les redécouvrir.

— Ne pouvez-vous y aller en visite ?

— Non. Manque d'argent. Et Xan ne trouverait pas logique de vouloir des vacances ou d'aller ailleurs quand on vit déjà dans le plus bel endroit du monde.

— Parlez-moi de votre famille. Celle d'Angleterre, je veux dire.

— Que voulez-vous savoir ?

Elles remontaient la grand-rue. Meroula se détourna vers sa propre maison et la camionnette de Panagiotis accéléra. Christopher et Xan, songea alors Olivia, avaient dû rester à la taverne du port avec Yannis. Les deux femmes marchaient côte à côte, leurs têtes rapprochées.

— Les détails habituels, insista Kitty. Qui fait quoi. Vous êtes le noyau d'un monde, son centre, avec tous ces fils qui partent de vous.

— Comme une araignée au centre de sa toile ?

— Non, ce n'est pas ce que je voulais dire. Pardon, mais... (Kitty inclina la tête sur la pile de vêtements qu'elle transportait) c'est peut-être une sorte de toile. Dans un beau sens. Regardez-moi – comment qualifier ce qui est tout à fait autonome ? Un bernard-l'ermite ? Peter est parti. Mon frère et ma mère sont morts tous les deux et mon père remarié depuis longtemps, avec une nouvelle famille. Je suis votre contraire.

C'était une bien longue confession, de la part de Kitty. Olivia lui offrit promptement des informations.

— Ma mère et mon père habitent à la campagne, dans le Dorset. Ils s'y sont installés, venus des Midlands, quand mon père a pris sa retraite. Ils ont une vieille maison en pierre avec un jardin d'un demi-hectare. Ils cultivent leurs roses et ont un chat. C'est une sorte de trêve armée. Je ne crois pas que leur mariage ait jamais été heureux. Ma mère a toujours été soumise à mon père, toujours à lui jeter des coups d'œil pour voir s'il l'approuvait ou la désapprouvait. Je suppose que la deuxième hypothèse était la plus fréquente. Il avait des liaisons, les liaisons la rendaient malheureuse, il réagissait en ayant encore plus de liaisons. Max et moi ne nous sommes jamais plu à la maison, même si, enfants, nous étions bien incapables de le dire. En tout cas, nous voulions tous les deux en partir le plus vite possible, dès que nous serions assez grands. Tous les deux, nous avons nourri l'idée que le monde était notre foyer, celui de la liberté. Un foyer où les murs, les règles, l'ordre et la tyrannie du malheur domestique étaient inutiles.

Kitty hocha la tête comme si elle voyait très bien ce qu'Olivia décrivait.

— Et pour finir, continua cette dernière, nous avons trouvé tous les deux ce que nous voulions. J'ai rencontré Xan. Max a son Hattie, à Sydney. Ils ont deux petites filles, plus jeunes que Georgi et Theo. Max travaille dans l'immobilier, il achète et fait construire. Je crois qu'il gagne bien sa vie.

— Vous êtes proche de lui.

C'était une affirmation, pas une question.

Elles étaient arrivées à la maison du potier. Olivia ouvrit la porte, pour permettre à Kitty d'entrer avec sa pile de vêtements.

— Oui, Max a toujours été mon ami et mon allié, pendant tout le temps de notre enfance. Nous avons moins de deux ans d'écart et nous avions notre monde à nous, avec ses propres codes. J'étais forte, assurée tandis qu'il était plus petit et mon adjoint en tout. Comme un apprenti. Je pense que, de même que je voulais échapper au style de vie de nos parents, j'ai aussi voulu voyager pour lui faire de la place et pour apprendre à être seule avec moi-même.

— C'était une relation très forte, on dirait.

— C'est toujours le cas.

Olivia était passée tout droit à la cuisine. Kitty la suivit lentement, encore invisible dans le vestibule sombre.

— Vous êtes là ? Entrez donc, n'attendez pas que je vous invite à le faire. Vous vivez ici.

Kitty n'apparut pas tout de suite. Elle baissait la tête quand elle laissa tomber le tas de vêtements sur la table. Olivia les tria rapidement.

— Eh bien, regardons-les.

Elle attendit et Kitty sourit.

— Oserai-je ?

Elle ôta ses tennis et fit glisser le jean d'Olivia qu'elle portait depuis son arrivée sur l'île. Le pantalon de flanelle s'avéra lui convenir beaucoup mieux. Elle n'avait même pas besoin de ceinture pour le faire tenir. Elle enfila ensuite le pull rayé, puis noua rapidement ses cheveux sur sa tête et prit la pose.

— Qu'en pensez-vous ?

Olivia resta bouche bée.

— Mon Dieu, dit-elle enfin. Je crois que vous avez l'habitude de ça, n'est-ce pas ?

— J'ai été mannequin. Il y a longtemps. Pas un mannequin ultracélèbre, mais j'avais du travail.

À peine ces mots lâchés, Kitty baissa de nouveau la tête et tripota les boutons de son pantalon comme si elle venait de faire un aveu particulièrement pénible.

Si nous devons être amies, décida Olivia, je dois dire ce que je pense.

— Pourquoi vous rabaissez-vous, Kitty ?

— Comment ?

— Comme ça. Pourquoi dites-vous « Je n'étais pas bonne. Je n'étais rien » ? Vous le faites tout le temps. « Je suis Mlle Personne, je viens de nulle part. » Je ne le crois pas. En vous regardant, je pense que vous étiez sans doute un merveilleux mannequin. Vous êtes un caméléon. Je suis photographe, je sens ces choses-là. Je sais aussi qu'il y a quantité de choses que vous ne me dites pas sur vous. Comme tout le reste. Qui êtes-vous, d'ailleurs ?

Kitty détourna lentement le visage. Le silence envahit la cuisine, un silence qui paraissait suinter par les fenêtres dans la lumière du jour. Les deux femmes, debout, se regardaient dans les yeux.

— Ça n'a pas d'importance.

Olivia déposa le caban qu'elle avait préparé pour que Kitty l'enfile.

— C'est ce que vous dites ou ce que vous êtes qui n'a pas d'importance ?

— Les deux, répondit Kitty avec une intonation tout à la fois amusée et catégorique.

Olivia ne put s'empêcher de rire.

— Savez-vous que vous êtes vexante de refuser de révéler quoi que ce soit sur vous ?

— Oui. En tout cas, je le devine.

Olivia attendit, mais comme rien ne venait, elle haussa les épaules.

— Eh bien, je dois dire que vous êtes très détachée.

— Ce n'est pas ça. Mais je pense que vous me connaissez bien, malgré tout. Pas en détail, certes, mais sur l'essentiel. N'est-ce pas ? Je pense que nous le ressentons toutes les deux.

— Peut-être. Ou peut-être que je n'ai aucune idée de ce dont vous parlez.

Un autre silence inquiétant s'installa, mais qui ne dissimulait plus le vent fouettant les arbres de la colline.

Olivia frissonna.

— L'hiver arrive.

Elle eut un geste rapide, pour briser la tension qui pesait sur la pièce. Elle s'empara d'un pinceau fin fiché dans un pot sur la table et fit signe à Kitty de la rejoindre.

Celle-ci obéit. Olivia fit tourner le pinceau entre ses doigts puis s'approcha. En deux coups, elle peignit une moustache sur le visage de Kitty qui ne tressaillit même pas. Elle avait l'habitude d'être maquillée et remaquillée. Olivia se recula pour juger de l'effet.

— Ah, ah ! Je savais que vous me rappeliez quelqu'un dans ce costume. Tordez encore vos cheveux.

— Comme ça ?

— Exactement. Hum. Un chapeau, voilà ce qu'il nous faut.

La casquette de base-ball de Georgi était suspendue à un crochet de bois derrière la porte. Olivia s'en saisit. Elle la posa de biais sur la tête de Kitty, la visière rebiquant derrière l'oreille. Elles se prenaient au jeu.

— C'est ça. Maintenant, regardez-vous.

Elle amena Kitty vers la glace juchée sur l'étagère au-dessus du poêle, derrière un tas d'objets que l'inondation avait épargnés :

— Que voyez-vous ?

Kitty regarda et rit.

— Un escroc à la petite semaine ?

— Mais non. Regardez mieux. Jeanne Moreau dans *Jules et Jim* ? Vous connaissez le film, vous avez dû le voir.

Le miroir leur renvoyait leurs deux reflets. La lumière qui venait des fenêtres de la terrasse et la réussite de ce déguisement illuminaient celui d'Olivia. Surpris derrière la moustache peinte, celui de Kitty était dans l'ombre.

La porte de la cuisine s'ouvrit largement.

— Que faites-vous ?

Xan portait un sac en plastique bleu. Christopher le suivait, mais il hésita sur le seuil de la pièce. Les deux femmes se séparèrent tandis que les deux hommes les fixaient l'une après l'autre.

— On essayait les nouveaux habits de Kitty. Regarde-moi ça !

Elle s'empara de son Leica à l'abri sur une étagère en hauteur, hors d'atteinte des enfants. Elle mit au point, cadra et pressa l'obturateur. Le déclic suscita chez Kitty une réponse parfaitement automatique. Elle arbora une moue à la Jeanne Moreau qu'elle transforma en un douloureux sourire de cinéma, tandis qu'Olivia dansait autour d'elle en la mitraillant.

— Trop sombre, gémissait-elle. Donnez-moi plus de lumière.

Xan tendit le bras vers l'interrupteur. La lumière électrique crue inonda la pièce et éblouit Kitty lui faisant cligner les yeux. Aussitôt, le charme fut rompu. Elle ôta la casquette de Georgi, fit retomber ses cheveux en les secouant, puis frotta du pouce sa moustache peinte. Olivia abaissa lentement son appareil.

— Je crois que nous avons interrompu quelque chose, remarqua Christopher à l'adresse de son compagnon.

— On essayait juste des vêtements, se récria Kitty, mettant un terme à l'épisode en jetant la casquette de Georgi sur la table.

Le sac en plastique contenait du poisson, un banc argenté d'éperlans et de blanchaille.

— *Psaria*, dit Xan. Du poisson frit pour le souper.

Georgi et Theo revinrent de l'école et aidèrent Christopher à transporter des bûches pour allumer le poêle. Kitty prépara une salade de tomates, sécha le poisson et l'enduisit de farine. Olivia le mit à frire dans l'huile chaude puis trancha des quartiers de citron. Xan éteignit la lumière électrique et alluma des bougies. Il faisait nuit, maintenant, cette nuit soudaine des soirées de novembre qui rendait vacillants les faibles lumignons de Megalo Chorio et plus faibles encore les minuscules points de lumière semblables à des piqûres d'épingle du vieux village. À l'intérieur de la maison du potier, dans la grande salle, l'atmosphère était chaude et accueillante.

Ils mangèrent tous les six leur poisson, leur salade et leur pain de bon appétit. Le dîner fini, les garçons s'installèrent au bout de la table pour dessiner tandis que les adultes buvaient du vin en bavardant. Olivia allongea les jambes et appuya ses pieds réchauffés d'épaisses chaussettes sur les genoux de son mari, tout en caressant de ses doigts, encore poisseux du repas, ses cheveux emmêlés. Christopher les observait à travers le halo des bougies, mais détournait le regard sitôt qu'il craignait d'être remarqué. Kitty avait un peu éloigné sa chaise de la table.

— J'ai une idée, annonça la maîtresse de maison.

— Qu'est-ce qui te passe encore par la tête ? gémit Xan.

— Quelque chose de simple. Si Kitty doit rester un peu ici, nous n'avons qu'à lui prêter un des studios. Le faire chauffer pour l'hiver, tout ça. Elle aurait enfin un endroit bien à elle. Êtes-vous d'accord ?

— Allez-vous rester ? demanda Xan à Kitty.

— Si... je le peux. Pour quelque temps.

— Parfait, dit-il en souriant.

Kitty regarda Olivia, mais les yeux de celle-ci étaient fixés sur son mari.

— C'est entendu, alors, conclut-elle, mais d'un ton songeur comme si une idée imprévue venait de se matérialiser.

9.

J'ai une pièce – presque une maison – bien à moi.

C'est la dernière de la rangée des vieux communs que Xan et Olivia ont transformés en studios de vacances. On l'a nettoyée spécialement pour moi après le raz de marée. J'ai une pièce propre, fraîchement repeinte de blanc, au sol carrelé de studio de vacances glacé à cette époque de l'année. Le lit double, dans son cadre de pin, se trouve dans une alcôve. Olivia m'a donné le meilleur studio, le seul qui ait son propre espace extérieur ; deux fauteuils trônent devant des portes qui ouvrent sur une terrasse miniature. Il y a une sorte de cuisine américaine, avec un évier, deux plaques électriques et un placard renfermant quelques ustensiles de cuisine de base, mais pas de four. De l'autre côté du bar, il y a une table pliante et deux chaises à dossier droit. La minuscule salle de bains carrelée de mosaïques donne sur la pièce principale avec son coin-douche et même son eau chaude quand le soleil tape assez longtemps sur les panneaux solaires installés sur le toit des studios.

J'aime beaucoup la manière dont les murs sont décorés de peintures, certaines encadrées mais la plupart juste grossièrement épinglées sur le plâtre. Olivia et moi les avons choisies dans les cartons à dessin conservés de la chambre noire, mon ancienne chambre. Il s'agit des travaux des vacanciers. Certains sont excellents, il y a une série de dessins au fusain du vieux village où les arbres décharnés trouent un ciel orageux. Je peux m'installer dans l'un de mes deux fauteuils pour regarder les œuvres des peintres amateurs, puis contempler le véritable paysage en changeant mon angle de vue. Au-delà du coin de la place, j'aperçois une étroite bande de grève et la mer. Par les jours sans vent, l'eau ressemble à une feuille de métal ridé.

J'ai un travail, en plus.

C'est vraiment un coup de chance. Halemni est comme ça – ce qu'il vous faut vous parvient d'une façon ou d'une autre, pas sous la forme attendue ou souhaitée, peut-être, mais une réponse vous est quand même donnée.

L'épouse du capitaine du port est beaucoup plus jeune que Panagiotis. Olivia m'a dit que sa première femme était morte d'un cancer et qu'il s'était remarié il y a moins d'un an. Il n'a pas d'enfant de son premier mariage mais sa deuxième femme est enceinte. C'est une créature aux cheveux bruns, aux yeux de biche et au sourire doux et soumis, qui doit avoir dans les vingt-cinq ans.

Panagiotis et son frère possèdent le plus grand et le moins chaotique des deux magasins de Megalo Chorio ; jusqu'à présent, Hélène, sa nouvelle femme, s'en occupait, mais il a récemment décidé que cela la fatiguait trop : il la protège beaucoup.

Il m'a parlé de la boutique et de ses inquiétudes un après-midi où nous nous sommes rencontrés sur le promontoire. J'étais partie m'aérer après avoir respiré des odeurs de peinture – j'étais en train de redécorer les pièces confinées de Meroula et y avais bu le café en écoutant ses histoires de l'ancien temps ; Panagiotis, quant à lui, revenait à l'évidence d'un de ses multiples boulots annexes. Si un endroit aussi minuscule que cette île peut héberger un grand manitou, c'est lui et bien lui.

Après un échange de salutations polies en grec, et mon vocabulaire se limite à peu près à ça même si je commence à comprendre beaucoup plus, il m'a dit en anglais qu'il cherchait une aide.

J'ai hoché la tête d'un air encourageant.

Il ne s'agirait que de quelques heures par jour. Il faudrait transporter des marchandises, remplir des étagères et gérer l'entrepôt. Je pourrais être l'assistante d'Hélène.

La langue ne poserait pas de difficulté car sa femme ou lui me diraient exactement ce qu'il faudrait faire. Je serais payée en espèces, sur une base horaire. Il a conclu par un clin d'œil :

— Ce sera un bon boulot pour vous. J'ai cru comprendre que vous restiez à Halemni quelques semaines, pour vous reposer, m'a dit Olivia.

Je n'ai pas eu de mal à lire dans ses pensées. Il voulait une aide consentante, sans ambitions, indépendante des liens familiaux compliqués ou de la fidélité halemniote. Je ne risquais pas de rester plus que de raison, de formuler des exigences malvenues auprès de mes employeurs et, grand atout, je parlais à peine le grec. Je ne comprendrais rien à ses affaires, ne pourrais rien saisir ou ébruiter de ce qui se passerait en ma présence dans la boutique. Je ne serais que cela, une paire de bras utiles et aucunement menaçants.

Je lui ai souri. Panagiotis était aimable et ce serait un grand soulagement d'avoir un peu d'argent à moi. Je ne pouvais guère participer au système de troc de l'île puisque je n'avais rien à apporter. Si la liberté de ne rien posséder avait été enthousiasmante durant mes premiers jours sur l'île, si Olivia et Xan me protégeaient comme si j'étais leur troisième enfant, je commençais à me sentir embarrassée et redevable.

— Combien me paieriez-vous ?

Il m'a lancé un regard roublard.

— Mille cinq cents l'heure.

Cela faisait bien longtemps que je n'avais rien gagné par moi-même ; depuis que j'avais été la femme de Peter. Mais le contraste entre mes tarifs de mannequin autrefois et la proposition de Panagiotis me fit brièvement sourire.

— Trois.

Il sursauta et grimaça.

— Je suis marié, un enfant en route. Dix-sept cents, mais c'est plus que je ne puis me permettre.

— Deux mille cinq cents.

— Ah, vous n'êtes pas facile. Est-ce qu'on peut s'entendre sur deux mille ?

J'ai fait mine d'hésiter.

— D'accord. Quand est-ce que je commence ?

— Demain. Dix heures.

Panagiotis m'a tendu sa grosse main.

Personne, sauf les pêcheurs, ne se lève de bonne heure le matin en hiver. Il n'y a aucune raison.

— Très bien.

Voici donc mon travail. J'aime beaucoup cette boutique. Les seules fenêtres sont en façade, mais elles sont souillées d'embruns et de poussière. Des étagères de métal courent le long des murs, surchargées de marchandises en tout genre, de sorte qu'on a l'impression d'être dans une caverne bariolée. S'il y a une méthode de rangement, je ne l'ai pas encore percée à jour : des sacs en plastique renfermant des lunettes de soleil bon marché trônent à côté de boîtes de thon, de piles pour lampes de poche, de tubes de crème solaire poussiéreux. Partout, il y a abondance de conserves aux étiquettes jaunies ; des haricots, des sardines, du café et des tomates, du lait condensé et enfin de grandes boîtes carrées vert et doré qui renferment des litres d'huile d'olive. Ce sont les provisions de base sur lesquelles tout le monde compte à Halemni quand le mauvais temps bloque les ferries.

Il y a aussi des olives, du jambon, des feuilles de vigne et du halva sous vide, bien à l'abri dans des cartons et des dizaines de paquets de biscuits, de crackers et de céréales. Des sacs de toile ouverts sont posés sur le sol le long d'un grand mur. Ils contiennent des pâtes, du boulgour, du blé, de l'orge, de la farine blanche ou complète, du riz dans lesquels de petites pelles de métal sont à moitié enfouies. Dans d'autres sacs plus petits, on trouve des feuilles de laurier séchées et des grains de poivre, et sur une étagère proche de la caisse enregistreuse ultramoderne d'Hélène – le seul objet flambant neuf de la boutique – des tonneaux d'olives, d'anchois et de feta conservés dans la saumure. Un vaste congélateur, cimetière de rôtis de viande douteux qui reposent comme des bûches et de paquets de poissons indéterminés, occupe une partie du mur d'en face. Ses parois sont gonflées comme un cœur graisseux de couches de glace cristallisée ; j'ai suggéré à

Hélène de le dégivrer mais elle a pris un air effrayé et suggéré que je consulte son mari.

Le principal centre d'intérêt d'Hélène dans la boutique, c'est le minuscule rayon de lingerie et de mercerie. On y trouve des aiguilles et du fil, des socquettes d'enfant, des peignes, des serviettes hygiéniques, des mouchoirs en papier et des bas. Une fois qu'elle a arrangé et réarrangé sa marchandise et si nous ne sommes pas assaillies de clients (cela n'est encore jamais arrivé, mais je suppose que ça pourrait se produire si tous les habitants de l'île décidaient de passer à la même heure), elle s'assied près de sa caisse et regarde une minuscule télévision en noir et blanc juchée sur un grand tabouret. Elle tricote en même temps, des barboteuses et des bonnets en acrylique blancs ou jaunes. Je l'observe en douce, elle et son gros ventre. Le bébé est annoncé pour dans huit semaines.

Il lui arrive de lever les yeux et de croiser mon regard. Elle me gratifie alors d'un doux sourire. Je prépare du café grec en utilisant la plaque électrique qui se trouve dans les minuscules toilettes derrière sa chaise et lui apporte sa tasse. Elle a toujours l'air un peu décontenancée et me remercie avec effusion, comme si l'attention la mettait mal à l'aise.

Le reste du temps, je m'occupe. Panagiotis ne vend pratiquement pas de produits frais, juste un cageot ou deux de tomates, des bottes de persil à grandes feuilles, des citrons, des pommes d'importation talées que personne n'achète jamais, mais il aime exposer celles-ci sur les étals en bois de part et d'autre de la porte d'entrée. J'ai la mission de les sortir le matin et de les rentrer avant la fermeture. Il y a aussi des filets remplis de ballons de plage décolorés, de tongs, de jouets en plastique et même en ce moment, alors qu'il n'y a pas un seul touriste, il insiste pour que je les sorte chaque matin et les suspende aux barres du store. Peut-être croit-il, mû par un véritable optimisme de commerçant, que chaque ferry s'arrêtant à Halemni est susceptible de débarquer une foule de touristes qui repéreront son étal séduisant depuis le mur du port et se hâteront de faire provision d'objets de plage sans être tentés par la boutique rivale, celle d'un cousin de Yannis qui lui ne s'en préoccupe pas.

À l'intérieur de la boutique, j'époussette les étagères, aligne les piles de marchandises, élève des fortifications décoratives de tomates en conserve ou de boîtes de céréales. J'aime cela, créer un ordre domestique tout simple, et j'y excelle. J'y suis en tout cas meilleure qu'en peinture ou en décoration. Ces minuscules routines quotidiennes me rappellent un peu Dunollie Mansions mais en plus satisfaisant car ici je n'ai pas le sentiment de décevoir. Personne ne sait qui je suis, n'attend rien de moi que je ne puisse donner et c'est pourquoi rien n'a beaucoup d'importance. Je peux donc m'enchanter des plus petites choses : la vignette d'une conserve de tomates, les coquillages sur la plage, gros comme un ongle de bébé, l'église du village qui appelle les vieilles femmes à la prière.

Quand c'est nécessaire, je m'occupe du réassort en me rendant dans l'entrepôt sombre auquel on accède par l'arrière de la boutique et j'évite à Hélène d'avoir à porter ou soulever quoi que ce soit. Je balaie la farine ou les céréales renversées et passe régulièrement la serpillière, en gardant un œil sur l'apparition de souris ou autres parasites comme m'y a discrètement invitée Panagiotis. Je sers aussi les clients – les prix des marchandises sont pour la plupart bien en évidence et, quand j'ai un doute, je peux m'adresser à Hélène qui abandonne ses aiguilles et vérifie tranquillement. Je sais me servir de la caisse et rendre la monnaie. Ceux qui entrent commencent à s'habituer à ma présence et échangent quelques mots avec moi aussi volontiers qu'avec la patronne.

La boutique embaume le vinaigre, les épices et le miel locaux et le maniement constant de la nourriture me donne faim. Je n'ai jamais eu un tel appétit : je mange avec voracité après ma journée de travail, mes promenades sur la crête rocheuse de l'île ou les promontoires du rivage. Le soir, quand je ne dîne pas avec Xan et Olivia, je rapporte des pâtes, du thon en boîte ou des haricots dans mon studio et me confectionne des platées de nourriture que je dévore entièrement.

Je suis heureuse. Cette découverte m'a d'abord choquée puis j'ai appris à la savourer.

Tous les jours, j'enfile le pull-over rayé du colis de secours et le pantalon de flanelle qui commence à me serrer un peu à la taille. Je me souviens que ce costume, le premier jour, avait rappelé à Olivia le film *Jules et Jim*. L'étrange, c'est que j'avais parlé de ce même film au pauvre Jim, le serveur de Branc. Alors je repense à Branc et à la nuit du tremblement de terre.

J'ai beau être à l'abri, dans la chaleur épicée de la boutique ou au coin du poêle de la cuisine d'Olivia, ce souvenir me fait encore frissonner. J'ai vu des photos éloquentes des dégâts dans les journaux locaux et aux nouvelles sur la télévision d'Hélène. L'idée des souffrances endurées là-bas par la mère de Jim et mille autres mères me taraude : mon étrange bonheur trébuche sur cette réalité et s'efface devant la tristesse.

Il me faut une longue promenade ou une journée de travail pour le restaurer mais il revient toujours. Je commence à lui faire confiance.

Il m'arrive de penser à Peter. Mais ce sont des pensées éparses et sa voix s'estompe dans ma tête. Je l'imagine à Londres avec Lisa : son chagrin pour moi se dissipera sous le réconfort du moment. Il a ce qu'il voulait, tout comme moi, à ma vive surprise. Je me libère du passé, juste comme je l'espérais.

Comme pour démontrer cette liberté, mes cheveux se sont affranchis de leur parfait entretien londonien, de leur coupe et de leur couleur, pour devenir hirsutes, pleins d'épis, noirs et épais à la racine. Une seule nuit à Branc a suffi à détruire ma manucure raffinée. Désormais, je coupe mes ongles court et mes mains sont rêches à force de vaisselle et de ménage. J'attaque les poils de mes jambes et de mes aisselles avec un rasoir jetable d'homme et ne me suis plus maquillée depuis que j'ai quitté l'hôtel turc parce que je n'ai plus de trousse de maquillage. Je ne m'épile pas les sourcils, n'utilise pas de lotion pour le corps, pas le moindre cosmétique sauf une crème bon marché, du savon et un déodorant trouvés dans la boutique de Panagiotis. En cela, je ressemble de plus en plus à Olivia.

Nous nous ressemblons à d'autres égards aussi.

L'exploration de ses étagères m'a appris que nous aimons les mêmes livres et la même musique ; et nous nous amusons des particularismes des voisins et des apartés caustiques de Christopher Cruickshank, nous aimons la cuisine, les promenades par tous les temps et passer la soirée au coin du poêle. Mais nos différences sont beaucoup plus profondes.

Olivia jouit du luxe d'aimer et d'être aimée et de la confiance en elle qui lui permet de prendre et de donner. Elle croit en elle. Je m'aperçois que je l'envie avec une ardeur vorace et passionnée. J'aimerais vivre sa vie.

J'aimerais être elle.

Je ferme la boutique pour la nuit. Hélène est déjà rentrée chez elle, remontant lentement la grand-rue son sac à ouvrage bien serré contre elle. D'ordinaire, Panagiotis vient la chercher en camionnette mais ce soir il est parti avec son frère le pêcheur vendre ou livrer une partie des prises du jour aux Halemniotes qui habitent dans les coins éloignés de l'île. Je n'ai pas encore rencontré ce frère parce qu'il vit dans une crique un peu plus bas sur le rivage où il mouille sa barque.

— Vous l'aimerez, me taquine Panagiotis. Lui joli garçon, bon travailleur.

Les femmes épousables sont rarissimes sur Halemni. La plupart des filles préfèrent s'installer à Rhodes ou sur l'une des plus grandes îles sitôt qu'elles sont assez âgées pour quitter la maison. Le mode de vie traditionnel est pénible.

— Je verrai, lui réponds-je en plaisantant.

J'ai décroché les filets de ballons de plage et de tongs, mis les étals extérieurs à l'abri. Verrouiller est une précaution superflue car personne sur l'île ne volerait quoi que ce soit, je me prépare pourtant à le faire quand la porte s'ouvre et déclenche le petit carillon annonçant un client. Je sors de l'arrière-boutique, les clefs à la main, pour découvrir Christopher Cruickshank. Il s'est posté devant l'étagère des vins et alcools – des bouteilles trapues et poussiéreuses de cognac, de minces petits flacons assassins, de raki et d'ouzo, quelques-uns de Demestica et une rangée sans étiquette du vin rouge local, presque noir.

— Je vais prendre deux bouteilles de rouge, me dit-il en s'en emparant.

J'encaisse et il en fourre une dans chaque poche. Mais il s'attarde encore dans la rue obscure une fois que j'ai fini de fermer. La soirée est froide, mouillée par le crachin.

— Vous voulez prendre un verre ? propose-t-il comme nous nous éloignons ensemble.

C'est la première fois que je pénètre chez lui et je suis curieuse de découvrir son intérieur. Il habite à l'étage supérieur d'une des maisons de la grand-rue. L'escalier de bois est tout branlant. Au rez-de-chaussée, me dit-il, se trouvent des pièces louées l'été, trop froides et sombres pour être occupées l'hiver. On ne peut pas dire, cependant, qu'il fasse chaud chez lui, même si j'apprends à moins souffrir du froid. Xan m'a branché une paire de radiateurs électriques, des radiateurs à l'ancienne mode, nervurés, qui me rappellent la salle de classe : ils chauffent raisonnablement mon studio, sauf par temps très froid. Je garde mon caban et mets des gants de laine s'il le faut. Christopher, lui, n'a qu'un radiateur et je vois la vapeur de notre haleine dans l'air. Je serre mon manteau contre moi.

Des douzaines de dessins tapissent les murs ici aussi. La plupart sont des aquarelles, de sa main, à l'évidence. Je me déplace pour les regarder. Le plancher est encombré de livres, de papiers et de fournitures de dessin, le lit jonché de vêtements. Dans une deuxième pièce qui ouvre sur celle-ci, sans doute la cuisine, j'entends le tintement des verres qu'il apporte.

L'idée me vient qu'il en a déjà bu quelques-uns. Il a sans doute passé un moment au *kafeneion* avec Yannis. Il revient en trébuchant.

— Ça vous convient ?

Il me donne un gobelet rempli d'un vin rouge sang. J'essaie de le réchauffer un peu avec mes mains avant de risquer une gorgée. Heureusement, bien que le vin soit quasi *frappé**, sa saveur évoque la chaleur de l'été. Je bois une autre gorgée.

— Asseyez-vous.

Il y a une table, deux chaises à dossier droit. Nous nous asseyons l'un en face de l'autre. Christopher sort sa blague à tabac et se roule une cigarette avec un soin et une concentration exagérés. Il n'est pas tout à fait ivre. Pendant qu'il ajuste les brins de tabac en fronçant les sourcils je ne cesse de l'observer discrètement. Il *doit* être le frère de Dan Cruickshank. La ressemblance m'apparaît soudain frappante.

Je me rappelle ce dîner, le soir où Peter et Lisa se sont rencontrés pour la première fois et comment Dan nous avait raconté être en train de peindre l'un des membres de la famille royale. Pendant une minute, avec le goût du vin sur la langue, je suis replongée dans la salle à manger éclairée à la bougie de Dunollie Mansions. Les mots ont failli m'échapper – *êtes-vous de la même famille que Dan Cruickshank* ? – mais je les retiens.

Les deux univers sont dangereusement proches, ils menacent de se heurter et de se confondre. Je me rappelle ce moment sur le promontoire. La bouffée d'euphorie qui m'a envahie quand je me suis rendu compte que je pouvais être libre, que toutes les entraves de l'histoire se détacheraient.

Maintenant, tu sais.

---

* En français dans le texte.

Ce n'est pas vrai, pas exactement, car je sais bien qu'il faudrait tenir le *maintenant* à l'écart de l'*avant*. Qu'il faut, plutôt qu'il faudrait.

Cette certitude me rassure et le soulagement me fait sourire.

Dunollie Mansions s'estompe.

Christopher porte une allumette à sa cigarette. Il inhale et rejette la fumée, puis me lorgne à travers.

— Mon Dieu ! Vous lui ressembliez tellement, à l'instant. Quand vous avez ce sourire. J'avais jamais remarqué.

— À qui ?

— À Olivia.

Il pose sa cigarette sur le couvercle d'un pichet qui lui sert de cendrier et avale une grande gorgée de vin. J'avais raison, il est un peu ivre. Je fais d'autres suppositions.

En regardant autour de la pièce, au milieu des livres, des disques compacts et des monceaux de vêtements, je ne vois pas trace d'une valise, d'un sac à dos ni aucune indication que des bagages soient préparés. Christopher ne fait pas mine de regagner l'Angleterre même si je me rappelle qu'il était censé partir quelques jours après le raz de marée.

Il quitte sa chaise en la heurtant si bien qu'il manque tomber ; je tends la main pour la redresser.

— Bordel !

Il se dirige vers le lecteur de disques, en attrape un dans le fouillis et le fourre dans la machine. Sheryl Crow, me semble-t-il. Lorsqu'il a regagné sa chaise sain et sauf, nous prenons plaisir à écouter la musique. On est bien. Même si mes doigts et mes orteils sont encore froids, le vin me réchauffe un peu. Christopher finit sa cigarette. Il est plus vieux que Dan et beaucoup moins beau, mais son sourire espiègle et sa nervosité le rendent séduisant.

— Allez-vous rester ? Pour l'hiver ?

Je me rends compte qu'une conversation peut s'engager et je ne pose cette question que pour le stimuler.

Il regarde autour de la pièce avec un semblant d'exaspération.

— Je l'ignore.

— Voulez-vous partir ?

— Non. Mais je n'ai aucune véritable raison de rester.

J'attends en faisant décrire des cercles à mon verre sur la table. Il réfléchit, le regard un peu vitreux, puis décide de se confier à moi.

— Aucune raison, sauf que je veux... rester près d'elle.

Telle est la conclusion à laquelle j'étais déjà parvenue. Je hoche la tête en me disant que la vie sur Halemni n'est pas aussi simple ou idyllique qu'elle le semble.

— J'étais prêt à partir à la fin de la saison. C'est mon troisième séjour ici, j'ai l'habitude de ne pas la voir des mois durant. Mais le tremblement de terre a tout chamboulé. Il a ouvert des plaies enfouies et les a révélées. J'ai peur, si je m'en vais, que quelque chose de terrible ne se passe et qu'elle ne soit plus là à mon retour.

— Oui.

— C'est pourquoi je veux rester ici et la protéger. Vous jugerez peut-être cela ridicule puisqu'elle a Xan et ses fils et tout ce qu'il lui faut, et elle n'a certainement pas besoin d'un peintre raté rôdant tristement à la lisière de sa vie, mais savoir que c'est absurde ne change rien à ce que j'éprouve à son sujet. Cela l'exagère, s'il se peut. C'est ridicule, hein ?

— Est-elle au courant ?

Il me jette à nouveau un coup d'œil à travers le voile de fumée, en inclinant la tête comme s'il cherchait à évaluer les proportions de mon visage avant d'entreprendre de me dessiner. Ce regard me met mal à l'aise et je détourne rapidement les yeux.

— Les femmes ne savent-elles pas toujours ce genre de choses ?

— Oui, j'imagine.

Je sais, par exemple, que s'il s'est confié à moi maintenant, c'est parce que je lui ressemblais, fugacement et après quelques verres. (J'ai conscience de notre vague ressemblance, à cause de notre taille et de notre physique anglais mais il s'agit de quelque chose de superficiel.) Pour peu que l'on soit enclin aux généralisations, on pourrait donc supposer une certaine intuition féminine.

— Lui en avez-vous jamais parlé ?

Il rit, remplit nos verres et se roule une nouvelle cigarette.

— Merde, non ! Qu'aurais-je pu dire ? « Olivia chérie, je t'aime plus que mon âme, je veux te serrer dans mes bras et te protéger à jamais ou à tout le moins vivre sur le même kilomètre carré que toi pour te voir chaque jour ? Je ne peux rien t'offrir d'équivalent à ce que tu as déjà, d'ailleurs. Ni même grand-chose d'autre, en fait. » Ça n'a rien de bien emballant, hein ?

Je ris moi aussi. J'aime Christopher, la manière dont il parle et cette façon bien anglaise de se déprécier dans l'univers grec. Le vin me monte à la tête mais j'ai toujours froid. J'approche ma chaise du radiateur et recourbe les doigts sur les ailettes crème. Pour commencer je ne sens rien puis le métal chaud finit par me brûler les doigts. Je les retire.

— Vous avez froid.

— Hum, oui.

Il se lève sans arriver vraiment à se redresser et bondit vers le lit. Il repousse les T-shirts, les pulls troués et s'empare d'une couverture afghane multicolore au crochet en laine.

— Venez vous asseoir ici.

Il installe des coussins le long du mur et m'enveloppe dans la couverture quand je m'assieds au bord du lit. Il en installe une autre épaisseur sur son propre bras et nous nous renfonçons contre les oreillers. Il sent le tabac et le savon, ce qui m'évoque un peu mon père et l'époque compliquée de l'enfance.

— Ça va mieux ?

Oui, chose étrange. Je pose la tête sur son épaule. C'est mon premier échange de chaleur physique – je remonte en arrière, à travers ces journées grainées comme une photo – depuis qu'Andreas et moi nous sommes étreints sur le bateau de pêche. Se toucher est apaisant, comme un pansement posé sur une brûlure.

Quand il tourne la tête pour reprendre la conversation, je sens la chaleur de sa respiration sur mon cou.

— Je l'aime, c'est tout. C'est simple, irréversible, insoluble.

— Tout comme moi, dis-je en haussant les épaules : si cela peut vous consoler.

Il n'en déduit pas que je suis lesbienne, c'est évident. Il hoche la tête et médite de son côté sur la vitalité d'Olivia et sa place enviable au centre de la toile halemniote, comparée à nos natures périphériques et sans consistance.

— Cela ne me console guère, dit-il enfin. Mais c'est sympa, malgré tout, d'être ici, hein ?

Même s'il est ivre, il ne va pas m'embrasser, je le sais et en suis soulagée. Boire notre vin d'un air pensif, blottis l'un contre l'autre, cela suffit.

— Je suis réchauffée, à présent.

— Parfait. Quand vous voulez, dit-il d'un ton pâteux.

Un peu plus tard, la musique s'achève. On n'entend plus que le grincement d'un volet détaché et je comprends qu'il s'est endormi. Je reste encore un peu, à moitié pelotonnée contre lui, à regarder la pièce, ses tableaux et ses biens. Le rythme robuste de sa respiration, qui ne s'est pas encore transformée en ronflement, est réconfortant.

Je ne bouge que lorsque je sens des picotements commencer à remonter le long de mon flanc et de mon bras : je m'écarte de Christopher et me lève sans bruit. Je me dégage de la couverture afghane et la repousse doucement sur lui, m'assure avant de sortir que sa cigarette est bien éteinte et qu'il n'y a plus de cendres chaudes dans le cendrier ni parmi les papiers éparpillés, puis je me glisse dans la nuit.

Elle est d'un noir de poix et venteuse. Mais je connais désormais par cœur la route du studio de la maison du potier, au mètre près et marche paisiblement. Le vent sent les chats, la terre humide, les embruns.

Mon autre travail, quand je ne suis pas à la boutique de Panagiotis, consiste à aider Meroula. Je le fais, bien sûr, pour remercier autant que possible Xan et Olivia de leur générosité à mon égard, mais aussi par plaisir. La mère de Xan est une perfectionniste et tout ce que je fais dans sa petite maison confinée doit être impeccable, mais cela ne m'empêche pas – peut-être même cela y contribue-t-il, car j'ai des tendances perfectionnistes, moi aussi – d'apprécier sa compagnie. Elle me regarde gratter le papier peint Anaglypta détruit ou poncer la menuiserie avant de la repeindre et me signale les fentes que j'oublie. Je m'y attelle aussitôt soigneusement.

La boue et les détritus laissés par la vague ont été nettoyés depuis longtemps et Meroula voit dans les circonstances actuelles l'occasion d'améliorer la décoration. La seule peinture laquée disponible sur l'île, sortie de quelque hangar de Panagiotis, est une couleur de pierre pâle brillante que Meroula apprécie beaucoup. J'en ai appliqué trois couches sur les portes et les plinthes. Pour le papier peint, il faudra attendre qu'elle puisse se rendre à Rhodes afin de choisir quelque chose qui lui convienne.

Nous bavardons pendant que je travaille – plus exactement, Meroula lisse son cardigan gris, croise ses jambes gainées de bas en fil d'Écosse et elle me parle.

Je sais déjà tout sur son mari, sur leur vie heureuse – même si l'époque était rude, si le travail était dur, je dois bien le comprendre, ils étaient faits pour s'entendre. Son expression s'adoucit et elle tapote sa mise en plis en pensant à cette période. Du reste, Meroula avait failli quitter Halemni et sa vie rude. Elle était partie étudier à Rhodes pour apprendre l'anglais et elle me dit qu'elle aurait pu y trouver un bon métier, peut-être comme secrétaire ou réceptionniste dans un hôtel. Mais c'est alors qu'elle était tombée amoureuse de Nikos et – elle sourit – après cela, il n'y avait plus rien eu à faire.

— Comment vous êtes-vous connus ?

Cette question innocente la fait rire de bon cœur.

— Sur l'île, on ne rencontre pas les gens ! On les connaît depuis toujours. Mais un jeune homme et une jeune femme se regardent et tout à coup, *ppff*, ils voient quelqu'un d'autre !

— Quel âge aviez-vous quand vous avez remarqué ce nouveau Nikos ?

— Dix-huit ans. Nous nous sommes mariés un an après.

— C'est très jeune.

Meroula hausse les épaules.

— Pourquoi attendre ?

Ensuite ils avaient reçu la grâce de Xan. Son soleil. Il a toujours raison et elle n'en fait jamais assez pour lui.

J'écoute tout cela avec fascination ; Meroula adore avoir un public.

Quand j'ai terminé ma tâche quotidienne, Meroula me propose un verre et j'accepte. Refuser son hospitalité serait impensable. Au début, sachant que je suis anglaise, elle faisait de son mieux pour me proposer du thé mais je l'ai désormais convaincue que je préfère le café. Et il est vrai que j'ai pris goût au café épais, très sucré, qu'apprécie Meroula elle-même. Elle l'apporte sur un plateau habillé de dentelle, dans de minuscules tasses dorées, avec un verre d'eau. Elle y ajoute toujours une assiette de gâteaux secs sortis d'une boîte en métal habillée de papier écarlate ondulé ou un assortiment de pâtisseries sucrées, collantes, au miel et à l'amande, confectionnées d'après une recette familiale. Je mange avidement sous son regard approbateur.

Un jour, comme elle voyait mes yeux s'arrêter sur les albums de photos que j'avais mis en sûreté chez Olivia le matin de mon arrivée avec Andreas, elle les a descendus. Ils ont d'épaisses pages grises cartonnées avec des feuilles intercalaires translucides. Les photos noir et blanc sont collées avec une précision géométrique et légendées en grec que je ne peux hélas, comprendre.

Voici une photo de Meroula et Nikos le jour de leur mariage. Sa moustache est opulente, son regard solennel. Il porte une veste de laine à col montant et une grande chemise blanche, Meroula une jupe ample avec un tablier et un justaucorps lacé sur un beau corsage de batiste à manches longues. Elle est très belle.

Elle se montre du doigt.

— Ça, c'est le costume de l'île. On n'en voit plus guère, aujourd'hui.

— C'est dommage.

La plupart des photos représentent Xan, bébé et petit garçon. Dodu et pâle, il semble enveloppé dans plusieurs couches de vêtements. Meroula a vu que je regardais attentivement. Je sais qu'elle a jeté un œil compatissant sur mon annulaire sans alliance.

— Pas d'enfants à vous.

C'est une affirmation, une évidence. Si j'avais des enfants, je serais bien sûr avec eux et ne peindrais pas des portes.

— Non.

— Pas mariée ?

— Je l'ai été. Divorcée aujourd'hui.

Je suppose que c'est la manière la plus commode de décrire la situation. Je me demande ce que ferait Peter – ce qu'il fait – et me dis qu'il doit bien sûr supposer que je suis morte. Les photos se brouillent devant mes yeux et j'ai la bouche pâteuse, chargée de pâtisseries trop sucrées.

J'ai parfaitement conscience du regard scrutateur de Meroula.

— Kitty ? Quelque chose ne va pas ?

— Non, non. Tout va bien. Quel âge a-t-il, ici ?

— Ah, cinq ans.

Je me concentre à nouveau sur les albums. Les photos qui m'intéressent le plus sont celles du vieux village tel qu'il était avant que les familles ne partent s'établir au bord du rivage.

Il y en a très peu et elles sont décolorées, sépia, comme si elles dataient de bien avant le début des années cinquante.

Les maisons sont les mêmes, en plus charnues, équipées de portes hermétiques et de fenêtres aux volets peints. Les jardins sont entretenus, les vignes courent sur des treillis de bois et de fil de fer, les roses dégringolent sur un muret et les enfants s'abritent les yeux du soleil pour fixer le spectacle insolite de l'appareil photo. Une vieille femme gravit les pavés raides, un fardeau de foin chargé sur le dos, dans une venelle un vieil homme courbé guide un âne aux lourds paniers.

— Mon père, explique Meroula. Il apportait de l'eau tous les jours. Son âne, il l'aimait autant que sa femme et ses enfants.

J'ai esquissé un sourire puis compris qu'elle disait la pure vérité.

— Les gens d'aujourd'hui, les jeunes d'ici, ils ne comprennent pas. Les mœurs d'antan, avant l'arrivée des touristes. L'épouse de mon fils ne comprend pas. Ils veulent que tout soit simple.

Il est de plus en plus clair qu'il y a des frictions entre Olivia et sa belle-mère et je vois assez bien pourquoi. Olivia veille sur Xan et tous ses besoins domestiques avec une attention soumise qui semble contredire sa confiance en elle et l'amour qu'il lui porte. Pourtant, aux yeux de Meroula, elle n'en fait pas assez. Elle ne prépare pas ses repas correctement. Il est obligé de se faire son café. C'est une mère négligente, selon les critères de Meroula, alors qu'il me semble à moi qu'elle offre beaucoup d'amour et assez de discipline à ses enfants. Et Meroula la jalouse car elle vit avec son fils. Comme je l'avais deviné presque dès le début, c'est notamment parce que je ne suis pas Olivia que la vieille femme m'aime bien.

— Vous vous êtes fait une amie, m'a dit un jour Olivia en figeant son expression dans une grimace comique qui ne dissimulait pas sa préoccupation.

— C'est que je ne suis pas sa belle-fille.

Olivia a ri et déclaré : « Les Grecs ne quittent jamais leurs mères et elles ne leur sont jamais infidèles. »

Une question tremblait dans l'air entre nous, mais je ne l'ai pas encore posée.

J'ai refermé l'album de Meroula en veillant à ce que les films de papier translucide ne fassent pas de faux plis entre les planches.

— Je pense qu'Olivia se débrouille admirablement bien. Beaucoup mieux que je ne pourrais.

Je devais la défendre ; impossible d'écouter les critiques de Meroula sans réagir.

Meroula fit la moue.

— Elle est bien. Je le sais. Mais un Grec doit avoir une femme grecque, Kitty. Vous n'êtes pas grecque non plus. Vous ne comprenez pas cela.

Les choses sont claires, je suppose. Meroula m'aime bien et aimerait bien Olivia si elle était à ma place. Mais l'épouse de Xan, c'est tout à fait différent. J'ai idée que Meroula s'opposerait toujours à celle-ci.

Il faut croire que l'idylle d'Olivia elle-même a ses imperfections. Je ressens un frisson de compassion s'associer à mon envie.

Aujourd'hui, j'ai soigneusement replacé les livres, les albums, les objets de porcelaine lavés de Meroula sur leurs étagères peintes, en disposant tout selon ses instructions. J'ai les mains et les lèvres chaudes et gercées. Il faut que je les enduise de crème. On entend un bruit de pas sur le seuil – désormais le plus propre et le plus blanc de la rue –, c'est Georgi et Theo qui reviennent de l'école. Ils rendent visite à leur grand-mère presque tous les jours en rentrant à la maison.

— Mella, j'ai faim.

— Regarde, j'ai fait une maquette. C'est un château.

Meroula a déjà préparé du jus de fruits et des biscuits ainsi qu'une autre cafetière pour nous. Nous sommes tranquillement assises à la cuisine et la pluie tapote les carreaux. Les enfants ont l'habitude de ma présence ici et s'installent entre Meroula et moi.

À sept ans, Georgi est mince avec une belle chevelure, mais Theo, à cinq ans, reste dodu comme un bébé. Je l'enlace tandis qu'il boit son jus de fruits : il me laisse faire. Il se rapproche même de moi : je sens sa peau et vois l'éclat de ses yeux sous les cils.

— Montre-moi ton château.

Il redresse sur la table sa structure renversée de carton peint et de ruban adhésif. Machinalement, je le fais monter sur mes genoux de façon que nous voyions mieux ; il se tortille pour s'installer confortablement. Sans crier gare, mon cœur se contracte et bat la chamade. Theo est chaud et solide et j'ai envie d'enfoncer le visage entre ses omoplates, de glisser les doigts entre ses mèches soyeuses et de lui caresser la tête.

— Tu vois, les gens passent par là.

Je me contente de lui enlacer les épaules. On se sent complet avec un enfant sur les genoux. Voilà à quoi mes propres enfants auraient ressemblé, les bébés que je n'ai pas su garder. Tenir Theo contre moi satisfait un désir et en crée un plus grand. À présent, on dirait que c'est à peine si je peux m'empêcher d'enlever les enfants à Xan et Olivia pour me les approprier.

Je redoute ce sentiment – il m'envahit parfois dans la maison du potier et c'est pourquoi je m'efforce de maintenir une certaine distance entre les petits et moi. Ici, chez Meroula, leurs parents sont plus loin ; j'ai presque l'impression que mon aspiration pourrait être comblée, au moins pendant une heure.

— Les animaux sont installés ici.

Il désigne un enclos fait avec une bande de carton collée.

— Et quels sont leurs animaux ?

— Des chèvres et des moutons. Quelques ânes, répond-il, enchanté que j'avoue mon ignorance.

Meroula m'observe. Aussitôt, je me sens coupable, mais ce que je lis sur son visage carré et lourd, c'est de la compassion. Elle se hisse sur les pieds, contourne la table et vient me tapoter l'épaule.

— Mangez un peu de ces *ghlika*, dit-elle en me passant le petit plateau de friandises.

Proposer de la nourriture est sa manière de manifester sa sollicitude. Georgi essaie d'en attraper une mais elle lui donne une tape sur la main. Les enfants n'ont pas le droit de manger les gâteaux des adultes, ils ont des gaufrettes au chocolat. La douceur qui envahit ma bouche est réconfortante.

— Regarde mon cahier d'exercices, insiste Georgi.

Il n'aime pas que Theo monopolise l'attention. Il ouvre un cahier d'exercices rouge avec des cases et me montre la liste des mots.

— Je ne peux pas en lire un seul, dis-je en riant.

C'est vrai : je saisis des bribes du langage parlé, mais ma maîtrise de l'écrit ne va pas au-delà du déchiffrage de certaines des étiquettes de la boutique.

— Et tu es une adulte ! se récrie Georgi, d'un ton moqueur et réjoui.

— Tu pourrais me montrer les lettres, pour commencer.

— Moi, je connais l'alphabet ! proclame Theo.

Ils rivalisent pour monter sur mes genoux, à présent. Georgi aplatit les feuilles de son cahier du poing et salit les mots déjà inscrits.

— *Alfa, vita, ghamma,* récitent-ils en chœur.

Georgi écrit soigneusement les lettres en tirant la langue.

— Comme Kyria Tsatsas, me dit Theo. Notre maîtresse.

— Maintenant, à toi.

Je prends le crayon et recopie, en remplissant un carré pour chaque lettre. De vagues images d'inscriptions classiques me flottent dans la tête et je regrette de si mal connaître la culture grecque. Je me fais la promesse de lire. J'ai du temps pour ça.

— Très bien, commente Georgi.

Il écrit le reste de l'alphabet pendant que Theo psalmodie « *Omicron, pi, ro, sigma* ».

Une fois qu'il est arrivé à *omega* et que j'ai copié chacune des lettres, Georgi me donne la page.

— Maintenant, il faut que tu l'apprennes.

— Je le ferai.

Il a cessé de pleuvoir mais la lumière baisse. Olivia doit attendre le retour des enfants.

Nous disons au revoir à Meroula et je remonte la grand-rue avec eux. Elle est déserte, mis à part quelques chats furtifs. Les garçons m'ont pris chacun une main qu'ils balancent, ravis de leur leçon d'écriture, quand j'entends une voiture venant du port qui ralentit derrière nous. Les enfants me tiennent prisonnière et je ne pense d'ailleurs qu'à eux, ce qui explique que la voiture ait déjà ralenti et soit à notre niveau quand je retourne la tête.

— *Yia sou,* Olivia, dit une voix forte.

C'est Panagiotis dans sa camionnette. Je porte mon caban, le col en est relevé et les enfants me tiennent par la main : la nuit tombante explique son erreur. Mais sa surprise ne m'échappe pas avant qu'il ne sourie de toutes ses dents.

— Oh pardon, Kitty ! Je voulais dire Kitty, bien sûr.

— *Kali spera,* Panagiotis.

— J'ai quelqu'un avec moi.

Il rayonne. La porte du passager s'ouvre et un homme se hisse à moitié hors de la voiture pour me regarder par-dessus le toit. Avant que Panagiotis nous ait présentés, je jette un regard affolé autour de moi en me demandant où me cacher. C'est l'un des pêcheurs ou contrebandiers. Le plus âgé, celui qui tenait la barre dans la cabine, tendu de tous ses muscles sur les mers démontées.

— Voici mon frère Michaelis, déclare Panagiotis d'un ton suggestif.

Je reste muette, attendant le claquement de mains de reconnaissance et les explications qui s'ensuivront forcément. Chose stupéfiante, rien ne se passe. Michaelis ne révèle pas, fût-ce par le moindre battement de cils, qu'il m'a déjà vue. Ses activités de pêche nocturne, il doit les cacher même à son frère.

C'est ça ou alors Andreas et moi étions invisibles.

— *Kali spera*, murmurons-nous poliment.

— Nous nous reverrons peut-être, ajoute Michaelis.

Puis il se rassied sur le siège du passager et la camionnette reprend son ascension de la rue.

C'est Olivia qui nous ouvre. Un rai de lumière et une chaude odeur de poisson et de tomate la précèdent. Les garçons m'échappent et se ruent dans la maison.

— Merci de les avoir ramenés.

— J'étais chez Meroula.

Je m'apprête à me diriger vers le studio mais Olivia est toujours sur le seuil. Elle semble attendre, tenant la porte ouverte comme au premier jour. J'ai les mains chaudes, elles me démangent.

— As-tu un peu de crème pour les mains ?

— Bien sûr. Xan n'est pas encore rentré. Viens, dit-elle en ouvrant largement la porte.

10.

Elles montèrent à la salle de bains et Olivia sortit un panier de produits de beauté du placard.

— Tiens, dit-elle en tendant un tube à Kitty, laquelle étala une noix de crème sur ses doigts gercés tandis qu'Olivia fixait le miroir accroché derrière le lavabo.

Il était juste assez grand pour refléter leurs deux visages. L'expression d'Olivia changea. Elle secoua la tête lentement, l'air incrédule, en mesurant le contraste.

— Mon Dieu. Regarde-moi ! souffla-t-elle.

Elle joua avec une mèche de ses cheveux en brosse.

— Regarde-moi, comparée à toi.

Kitty reposa le tube de crème. Leurs yeux se croisèrent dans le miroir.

— Comment ?

— Quel âge as-tu ? s'enquit Olivia.

— Nous avons le même âge, répondit Kitty.

Olivia continuait de s'étudier, les yeux écarquillés. Elle voyait un visage ridé d'avoir ri et froncé les sourcils, des rides qui semblaient mettre son nez et son menton entre parenthèses, un menton comme de la tôle ondulée et une peau tannée de taches brunes à cause de l'excès de soleil. Cela faisait des mois, des années même qu'elle ne s'était pas regardée dans le miroir aussi longtemps et elle détestait l'image qu'il lui renvoyait.

Il n'y avait pas de coiffeur pour femmes sur Halemni durant l'hiver. Meroula et les autres vieilles dames se faisaient mutuellement leur permanente à l'aide de bigoudis et de lotion tandis que les plus jeunes portaient les cheveux longs ou allaient à Rhodes. Indifférente, Olivia se faisait couper les cheveux par le barbier de l'île en même temps que les garçons et Xan. À présent elle découvrait que cette coupe exposait vilainement ses oreilles. Ses lèvres étaient gercées, ses sourcils épais partaient dans tous les sens. Et des poils noirs lui poussaient au menton qu'elle n'avait jamais remarqués.

Alors que Kitty…

Sa chevelure soyeuse renvoyait mille reflets de blond. Son visage était lisse comme si elle n'avait jamais souri ni grimacé, sa peau avait la douceur du lait.

Olivia se couvrit le visage des mains, mais elle continua à se fixer, horrifiée, par l'interstice laissé entre les doigts.

— Cette île…, chuchota-t-elle. C'est un paradis ou une prison. Je ne sais pas. Un endroit dont on ne peut s'échapper peut-il être qualifié de paradis ?

Kitty s'empara de ses poignets et lui abaissa doucement les mains.

— Halemni me paraît s'approcher le plus près possible du paradis.

Sans aucun doute, Kitty pensait ce qu'elle disait. Il y avait dans son accent une intensité qui donna à Olivia l'envie de battre en retraite, de se moquer de son accès de panique et de vanité pour parler d'autre chose. Bien sûr, Halemni n'était pas une prison. Qu'est-ce qui lui prenait ?

Mais le choc de leurs reflets comparés n'était pas tout à fait passé. Elle détourna soigneusement les yeux du miroir.

— C'est ce que je pensais. Mais je ne quitte jamais cet endroit. L'argent manque, comme la raison d'aller ailleurs. J'avais l'habitude de sillonner le vaste monde ; à présent, j'ai presque peur de m'y aventurer. J'ai intégré les usages insulaires. J'ai besoin de Xan, je ne pourrais quitter les enfants.

Sa bouche se durcit.

— J'ai l'air… vieille. Mes horizons se sont rétrécis. Il est trop tard pour faire autre chose. C'est donc bien une sorte de prison, n'est-ce pas ?

— Que veux-tu d'autre ?

Olivia pensait à l'Angleterre et à ses parents. Elle aurait aimé revenir au pays de temps en temps, certes, mais Denis et Maddie descendaient à Halemni chaque printemps. Polly, Jack et les autres adoraient venir se prélasser sur la plage, chaque fois qu'ils le pouvaient. Et, de toute façon, l'Angleterre n'était pas *son pays* – son pays était ici.

Elle aurait beaucoup aimé voir davantage Max car il lui manquait tous les jours, mais aller en Australie était hors de question.

Il serait pourtant agréable d'échapper au regard critique de Meroula, ne fût-ce qu'un bref moment.

Et je me déteste, se dit Olivia, de souhaiter davantage que ce que j'ai déjà. C'est à cause de Kitty. C'est sa présence qui me rend mécontente de ma vie.

Ses yeux glissèrent malgré eux vers leur reflet.

Kitty porta les doigts sur la mâchoire d'Olivia et la fit lentement pivoter. Elle fit bouffer ses cheveux, marquant une raie ou l'effaçant. Olivia se laissait faire, bien qu'elle détestât d'ordinaire « être tripotée » comme elle disait. Kitty n'avait-elle pas été mannequin ? Être coiffée, maquillée, dévisagée, elle en avait l'habitude. Rien d'étonnant à ce qu'elle eût cette allure incroyable, même avec ces vieux vêtements de récupération !

— Il doit bien y avoir quelque chose, lui suggéra Kitty.

Instinctivement, Olivia souhaitait faire diversion. Elle haussa les épaules.

— J'ignore ce que je veux. Je n'en sais foutrement rien.

Elles éclatèrent de rire, d'un rire bruyant qui les étonna toutes deux. Elles ressemblaient à des amies jouant devant le miroir de la salle de bains dont la surface argentée cachait les abîmes personnels.

Olivia balaya le problème.

— Je suis trop occupée pour y réfléchir.

— Je vais te dire : je pourrais te faire un essai de maquillage, suggéra Kitty. Un avant et après.

Elle se mit à farfouiller dans le panier en faisant la moue.

— Es-tu folle ? As-tu bu ?

— Mais oui, du café avec ta belle-mère !

Quoi qu'elle eût fait – bu ou pas –, la bouche de Kitty était plus douce, ses yeux plus somnolents que d'habitude. Cette expression détendue lui seyait.

— Libertine. Sauvageonne.

Kitty dévissa un bâton de rouge à lèvres et retroussa les lèvres pour montrer à Olivia ce qu'elle voulait, puis elle se mit à dessiner la bouche de son amie. En bas, on entendit la porte claquer.

— Papa est de retour, crièrent les enfants de leur chambre.

Olivia poussa un soupir et se recula.

— Un autre jour.

— C'est promis.

Xan apparut, massif et sombre dans le vestibule. Il embrassa sa femme puis eut un mouvement de recul.

— Qu'est-ce que c'est ?

— Du rouge à lèvres. Tu ne peux pas t'en souvenir.

À la cuisine, le téléphone se mit à sonner. C'était inhabituel, en hiver, quand les affaires tournaient au ralenti.

Olivia alla répondre.

— Max ?

Elle écouta avidement, la main levée pour intimer silence aux enfants. Elle hochait la tête, au début souriante puis de plus en plus sérieuse.

— Bien sûr que tu peux. Seulement toi ? Oui, oui, bien sûr. Quand tu veux, j'adorerais que tu le puisses, Max. Tu le sais…

Les enfants la tiraient par les jambes, pour dire un mot eux aussi.

Kitty articula sans bruit un « Bonne nuit » à l'intention de Xan et regagna son studio. Il y faisait si froid que son haleine dégageait de la buée devant elle. Elle alluma les radiateurs, s'emmitoufla dans son manteau, puis se posta devant la fenêtre pour regarder, par-delà l'angle de la colline, la baie noire.

La bouche de Xan sentait le raki quand sa femme l'embrassa. Il n'avait bu que deux verres mais elle avait secoué la tête quand il avait brandi la bouteille. Elle frotta la bouche contre ses lèvres, laissant le chaume de ses joues gratter les siennes. Ils avaient dîné, elle avait débarrassé, les enfants étaient couchés et à présent ils étaient assis tous les deux au coin du feu.

— Qui y avait-il ?

Plus tôt dans le bar, voulait-elle dire.

Il haussa les épaules.

— Stavros, Yannis, Michaelis et Panagiotis.

Rien de surprenant. C'était le rythme d'hiver. Les hommes buvaient, jouaient aux cartes ou au trictrac, partaient pêcher quand l'envie leur en prenait. Les femmes suivaient le train-train quotidien. Un sentiment d'insatisfaction s'appesantit sur sa nuque puis la quitta. Elle se pelotonna davantage contre son mari.

— Allons nous coucher.

Il bâilla et la serra plus fort.

— Voilà une proposition tentante.

Plus tard ils restèrent étendus dans le noir.

— Pourquoi crois-tu que Max veuille venir pour Noël ? En laissant Hattie et ses filles là-bas ? Ça n'augure rien de bon, n'est-ce pas ?

Il soupira.

— Je n'en ai aucune idée. Je suis sûr que tu finiras par savoir.

Sa voix s'épaississait et elle devinait qu'il n'avait qu'une envie : s'endormir.

Elle lui donna un petit coup de hanche. Son frère avait téléphoné à l'improviste, pour demander s'il pouvait passer les vacances de Noël à Halemni ; elle voulait en parler, essayer de deviner ce qui n'allait pas à Sydney. Mais Xan ne s'intéressait pas à ces supputations sur les mobiles d'autrui, surtout en pleine nuit. Le besoin d'Olivia de se relier à lui devint soudain plus vif. La solitude commençait à se cristalliser aux marges de sa conscience.

— Que penses-tu de Kitty ?

Elle prononça le nom comme entre guillemets, et ce n'était pas la première fois, mais Xan était sourd à ça aussi.

— Ce que j'en pense ? Hum. Je pense qu'elle a le droit de faire ce qu'elle veut. Maintenant qu'elle a un travail, elle peut s'assumer. Ma mère l'aime bien, c'est clair. Et qu'elle décide de rester ici ne nous regarde pas, hein ?

Cette déclaration était soit remarquablement généreuse, soit paresseusement indifférente. Olivia ne savait trop qu'en penser.

— Elle voit beaucoup Christopher.

— Il serait étrange, dit Xan patiemment, qu'il ne soit pas intéressé par elle. Il n'y a pas grand choix dans le coin ! À moins qu'il n'ait un faible pour les femmes de l'âge de ma mère.

En effet, les veuves abondaient sur Halemni.

Olivia avait l'habitude de ce qu'elle aimait appeler le « problème de Christopher » – elle en avait tellement l'habitude que l'idée de lui trouver une solution la mettait curieusement mal à l'aise. La dévotion de Christopher lui donnait une sorte d'assurance. Elle ne pouvait la transférer à Kitty.

Kitty… Son nom lui martelait la tête, faiblement mais de manière dérangeante.

— Je ne comprends pas la raison de sa présence.

Il y eut un silence ; Xan roula sur le flanc et lui opposa son dos.

— Je ne comprends pas pourquoi tu m'empêches de dormir.

Olivia était étendue, les yeux perdus dans l'obscurité. Son esprit battait la campagne, de Kitty à Christopher puis Meroula, de Max à Theo et Georgi. Xan dormait déjà et l'effort qu'elle s'imposait pour rester immobile à côté de sa masse inerte tendait douloureusement ses membres. Durant toute la saison, se disait-elle, elle attendait la paix et l'intimité qui lui succéderaient, sans résidents dont s'occuper. Et voici que sitôt qu'ils étaient partis, elle se sentait impatiente.

Elle fronça les sourcils. Semblable insatisfaction était une sensation neuve. Elle savait qu'elle avait toujours su accepter les choses comme elles venaient lorsqu'on ne pouvait rien y faire. Elle était heureuse. Le bonheur était une chose normale, non ?

D'un mouvement rapide elle repoussa légèrement sa moitié de couvertures et posa les pieds par terre. Theo n'avait pas eu d'accès récent de somnambulisme, le dernier remontait à la veille du raz de marée. Mais elle allait jeter un coup d'œil. Xan marmonna des mots inintelligibles dans son sommeil tandis qu'elle passait la porte.

La chambre des enfants était plongée dans l'obscurité mais dès qu'elle y pénétra elle sut que tout allait bien. Elle pouvait sentir leur odeur chaude à tous les deux et son ouïe aiguisée avait repéré leur souffle avant même que ses mains ne touchent leurs corps endormis. Georgi était pelotonné en boule, Theo étalé comme une étoile de mer. Elle s'assit à l'extrémité de son lit et écouta leur sommeil.

Sa satisfaction et son bonheur résidaient là. Si ses enfants étaient bien, alors tout le reste allait – l'ennui, la frustration ou l'anxiété n'étaient que des rides sur une mer calme. Son amour pour ses enfants était solide et incontestable.

La maison baignait dans un silence apaisant et elle appréciait d'être la seule éveillée. Elle se promenait mentalement dans chaque pièce, vérifiait que tout était en ordre et parvenait tout juste, à l'extrême limite de la perception, à entendre le clapotis des vagues dans ce calme réfléchi. Elle s'appuya contre le mur pour écouter et ferma les paupières.

— Maman ? chuchota Georgi.

— Je suis là.

— Est-ce que la grande vague revient ?

— Non. Rendors-toi.

Il soupira et se retourna, tenant sa présence pour acquise et son réconfort comme absolu. Une minute lui suffit à se rendormir.

Olivia regagna son propre lit. Xan avait roulé au centre du matelas. Elle se glissa sous les couvertures pour se réchauffer contre lui.

Xan avait pris le ferry pour Rhodes avec Meroula. La sœur veuve de Meroula y vivait ; ils devaient passer une nuit chez elle, acheter du papier peint, du matériel de photo pour Olivia et des jouets pour le Noël des enfants puis revenir le lendemain.

Olivia passa à la boutique de Panagiotis et y trouva Kitty en train de fermer hermétiquement un grand sac de farine pour Stefania, l'épouse si patiente de Yannis.

— Viens donc dîner, proposa-t-elle à Kitty quand elles eurent toutes trois échangé les salutations d'usage.

Ils avaient beau vivre en circuit fermé et se rencontrer tout le temps, les formules de politesse restaient indispensables.

— J'en serais ravie.

Kitty ferma la boutique et reprit son chemin habituel mais au dernier moment, au lieu de se diriger vers la rangée de studios, elle gagna la porte d'entrée de la maison du potier. Sur l'étagère de ses amis, elle avait récemment trouvé un ouvrage tout abîmé, au dos arraché, intitulé *Portrait d'un village de montagne grec,* qu'elle avait commencé à lire le soir, emmitouflée dans son manteau près de son cher radiateur, tout en mangeant de bon appétit, mais l'idée d'une conversation et d'un verre de vin la séduisait beaucoup plus qu'apprendre d'autres détails sur les mœurs et coutumes grecques.

— Des œufs d'aujourd'hui, dit-elle en tendant un sac de papier kraft à Olivia.

Ils provenaient du fermier misanthrope installé au bout d'une sente rocailleuse, à l'extrémité est de l'île et Panagiotis les apportait en camionnette à la boutique.

— Formidable ! la remercia chaleureusement Olivia. Entre.

La nuit était fraîche, la pluie arrivait sur le vent qui se levait. Kitty pénétra, le sourire aux lèvres, dans la cuisine illuminée par un bon feu et des bougies.

Theo s'installa aussitôt sur ses genoux tandis que Georgi lui soumettait une liste de mots grecs à lire : « *Meli, psomi, kafe, tsai.* »

Il corrigeait sévèrement sa prononciation et Olivia leva la tête – elle était en train de trancher du pain – pour regarder leurs trois visages animés serrés l'un contre l'autre et penchés sur le cahier. Elle se redressa en fichant la pointe du couteau dans la planche à pain.

— C'est prêt ! s'exclama-t-elle.

Durant le repas, elles burent toutes deux un verre de vin, puis un autre.

— As-tu vu Christopher ?

Voir signifiait davantage que se croiser dans la rue ou pardessus le comptoir de la boutique, ce qui arrivait en permanence dans l'autarcique Megalo Chorio. Cela signifiait se rencontrer en privé et avoir une conversation qui ne reviendrait pas forcément aux oreilles de tout le village.

— Non, répondit sincèrement Kitty.

Tout au contraire, il avait semblé l'éviter.

Quand les enfants furent montés se coucher et que, sur leur insistance, Kitty leur eut souhaité bonne nuit, elle redescendit avec le panier de produits de beauté d'Olivia.

— Je pourrais finir ton maquillage, la taquina-t-elle.

Olivia hésitait. Puis elle vida son verre en haussant les épaules. Qu'est-ce que je crains ? se demanda-t-elle. Kitty ?

— Je vais en ouvrir une autre. Soyons fous, allons-y.

Elle fit pivoter sa chaise pour offrir à la lumière son visage qu'elle inclina.

Kitty le prit entre ses mains et l'observa intensément. Puis, avec la délicatesse d'un chirurgien se saisissant d'un scalpel, elle extirpa une pince à épiler du fouillis du panier et attaqua les sourcils de sa « patiente ».

— Ouille. Ça fait mal.

— Il faut souffrir pour être belle.

— Vraiment ?

— Je vais désépaissir tes cheveux aussi. Puis-je utiliser ces ciseaux ?

Elle tailla par petits coups dans la masse de cheveux, effilant les mèches épaisses en épis plus souples.

— Comment as-tu appris tout ça ? Ta mère était-elle du genre à aller chez l'esthéticienne ?

— Tu veux parler des despotes qui disent à leur fille « ma chérie, enduis toujours tes cuticules d'une bonne crème, faistoi un masque exfoliant deux fois par semaine et je t'assure que tu deviendras juste comme moi » ? Non, ma mère n'était pas comme ça. J'ai simplement vécu dans le milieu propice. Je suis heureuse d'avoir ma revanche.

Olivia se mit à rire. C'était agréable, ce jeu féminin, même si sa copine était aussi insaisissable que de la fumée. Elle se rendait compte qu'elle manquait de compagnie féminine dans ce bastion masculin. C'était une chance d'avoir Kitty ici.

Je ne me rappelle pas grand-chose à son sujet avant la mort de Marcus. Ce n'était que ma mère. Elle n'avait pas de métier, au contraire des mères de plusieurs de mes amies. Celle de Clare Colley était médecin, et celle de Jessica Park travaillait dans une banque. La mienne faisait des gâteaux et mettait des talons hauts pour sortir avec mon père ; elle s'occupait de nous et de la maison. Puis tout changea et quel changement ! Je me rappelle ses larmes. Elles n'avaient rien d'humain. On eût dit un chat ou un animal pris au piège, un long gémissement suraigu que j'entendais derrière les portes closes. Je me glissais dans le vestibule ou descendais silencieusement les marches pour coller l'oreille sur une fente, l'œil contre le trou de la serrure. Il fallait que je l'entende. Je savais que c'était à cause de ce que j'avais fait, tout ce chagrin venait de moi.

Plus tard ma mère émergeait de l'endroit où elle avait tenté de s'enfermer et son visage ressemblait à un masque que l'on aurait percé de trous sombres, sa bouche toute tordue. Je m'élançais vers elle, elle me prenait dans ses bras et je sentais de tout mon être qu'il lui fallait faire un effort pour cela, m'embrasser alors que de toutes ses fibres son être voulait me repousser de n'être pas Marcus.

Je cessai de m'élancer vers elle à la fin et les pleurs cessèrent aussi, du moins ceux qu'on pouvait entendre. Elle était juste très calme et maigre – je revois le haut de ses bras décharnés, entre l'épaule et le coude.

Nous ne parlions pas vêtements ni rouge à lèvres, non, rien de tel. Lorsque je fus assez grande pour m'y intéresser, il était déjà beaucoup trop tard.

Le visage d'Olivia est sous mes mains. J'ai le sentiment que je pourrais facilement le remodeler, comme s'il était fait d'argile, et non d'os et de muscles. Sa mâchoire est carrée, son front haut, j'aurais besoin d'en reformer et d'en adoucir les contours. La peau est ridée et abîmée par le soleil. Halemni prélève la dîme de sa générosité estivale.

Je prends plaisir à – *j'aime* – ce sentiment de puissance, cette idée que je peux révéler d'elle une autre facette que sa solide identité.

Avec une éponge et un morceau de coton, Kitty se mit à appliquer le fond de teint. Elle prit tout son temps, travaillant des couches de lumière et d'ombre, puis recouvrant l'ensemble d'une fine touche de couleur. Elle transforma le visage d'Olivia en un ovale doux, estompé.

Olivia gigotait sur sa chaise : elle en avait assez de cette immobilité.

— N'as-tu pas enfin fini ?

— Je commence à peine. Il faut de la patience dans ce jeu.

— Donne-moi un verre, au moins.

— Finis-le avant que je ne fasse tes lèvres.

Mascara, fard à joues, rouge à lèvres... même si les tubes étaient fissurés et poussiéreux, Kitty avait tout ce qu'il lui fallait pour peindre un nouveau visage sur celui qu'elle avait gommé.

— J'en ai marre. J'ai mal au cou.

Kitty recula pour jauger le résultat.

— D'accord. Tu peux regarder maintenant.

Et elle lui tendit le miroir.

Olivia resta médusée.

Ses cheveux étaient mieux disciplinés, dégageant son visage. Le fond de teint masquait ses rides, donnant à ses joues une consistance cireuse qui se lézarderait si elle se risquait à sourire. Son front était comme du marbre, sa bouche une large balafre écarlate et brillante.

C'était bien plus qu'un maquillage sophistiqué, on eût dit que le savoir-faire de Kitty avait effacé les traces du temps et des sentiments, les avait reniées complètement, à l'exception des yeux. Ceux-ci étaient d'énormes creux sombres, cerclés d'ombres, comme si Kitty lui avait percé deux trous dans la figure. Ils semblaient renfermer toutes les émotions volées à son visage et toutes ces émotions n'exprimaient que de la douleur.

— Mon Dieu.

Parler même devenait bizarre, avec la raideur et l'épaisseur inhabituelle de sa peau, l'éclat luisant de ses lèvres. Les épaisses paupières noires s'abaissèrent, voilant temporairement des abîmes de chagrin.

— Mais je ne me ressemble *absolument plus.*

— Non.

— J'ai l'air triste. Non. Une tête de mort.

— Tu as l'air stupéfiante.

Ce n'était qu'un visage, se dit Olivia, en fixant toujours le miroir. Cela n'avait aucun rapport avec l'identité. Le temps, la vérité et l'histoire perduraient et ne pouvaient être effacés. Pourtant, c'était si étrange d'être à ce point transformée, rien qu'avec quelques tubes de maquillage. L'alchimie de Kitty était perturbante. Elle arrivait de nulle part, seule, sans rien d'autre qu'elle-même et pouvait exercer malgré tout une influence irrationnelle. Olivia se demandait si son malaise, le mécontentement qui l'avait gagnée, avaient un rapport quelconque avec Kitty ou s'il existait en elle, la présence de Kitty n'en ayant été que le détonateur.

Olivia écarta cette idée. Elle était trop fantaisiste.

Elles n'étaient que deux femmes qui trouvaient l'hiver un peu long sur cette petite île, et cherchaient à se distraire ensemble avec une trousse de maquillage. Comme des enfants, elles testaient les frontières en essayant le visage que leur mère offrait au monde.

Olivia se rappelait comment la sienne mettait chaque matin du rouge à lèvres, du fond de teint et une couche de mascara qui rendait ses cils épineux et raides. Dans les années soixante, elle était déjà une femme mûre, mais elle raccourcissait par jeu ses jupes pour exhiber des genoux cagneux : l'effet général, avec ses cheveux soigneusement coiffés et ses sacs à main mastocs, n'était guère gracieux. Olivia portait encore des robes chasubles et des socquettes mais le spectacle de sa mère s'essoufflant à courir derrière les diktats de la mode la mettait très mal à l'aise. Elle avait essayé ces cosmétiques elle-même, bien sûr, appliquant d'un geste tremblant du fard à paupières sur ses paupières duveteuses, affadissant ses lèvres avec un rouge à lèvres pastel, mais le résultat avait été comique, sans aucune métamorphose.

Max s'était une fois insinué en douce derrière elle pour la surprendre. Il était rare qu'il eût l'occasion de se moquer de sa grande sœur et il en avait bien profité. Ils s'étaient pourchassés, taquinés et bagarrés. Leur mère s'était précipitée pour les séparer, se souvenait Olivia, et lui avait arraché la petite trousse de maquillage.

On l'avait renvoyée dans sa chambre jusqu'au retour de son père.

Une grande partie de leur existence, à tous les trois, avait apparemment consisté à attendre qu'il rentre à la maison.

— Coucou ? la taquina Kitty. Tu es là ?

Olivia se ressaisit. Ce n'était qu'un visage, en effet. Un maquillage de magazine, un trompe-l'œil de styliste pour les objectifs.

— Prenons une photo.

Elle sourit et la couche de fond de teint se fendit sur ses joues mobiles.

Elle attrapa l'appareil sur son étagère, vérifia la lumière et la mise au point et le tendit à son amie. Elle s'efforça d'imiter l'aplomb machinal, photogénique de Kitty tandis que celle-ci tournait autour d'elle en parodiant le paparazzo. L'obturateur se déclencha trois fois.

Olivia remit l'appareil en place. Le feu était mourant : elle y remit une brassée de bûches, provoqua une pluie d'étincelles en ranimant les braises. Kitty vida son verre et les resservit.

— T'ai-je dit que mon frère vient pour Noël ?

Pourquoi lui parlait-elle de cela maintenant ? Elle l'ignorait. Peut-être parce qu'elle venait de penser à lui, peut-être aussi pour meubler le petit moment de gêne qui s'était installé entre elles.

— C'est super, dit doucement Kitty. N'est-ce pas ?

— Oh oui, c'est mieux que super, il n'y a personne que j'aime voir autant. Mais il vient sans sa femme Hattie et sans ses enfants et je redoute que...

On frappa au vieux heurtoir de fer de la porte d'entrée, rouillé par les embruns, dont le son évoquait un grattement étouffé. Quelqu'un essayait de signaler sa présence sans faire trop de bruit. Olivia alla ouvrir et revint avec Christopher. Il portait un manteau au col retourné et une écharpe autour du cou. Sa chevelure blond-roux lui tombait sur les yeux, coupant précisément son visage en deux, mais lorsqu'il les vit toutes les deux à la lumière, il se redressa et ramena les mèches en arrière. Son regard glissa d'Olivia sur Kitty.

— Je suis désolé, je ne savais pas que vous étiez là, Kitty. Je pensais juste...

Il fit un geste et l'on aperçut qu'il portait une bouteille.

— Je passais voir si Olivia aurait envie d'un verre.

— Kitty m'a maquillée. Qu'en penses-tu ?

Olivia savait que le charme était rompu. Son masque s'était craquelé et elle ne ressemblait plus qu'à une comédienne mal grimée sur une scène de théâtre amateur.

— Serais-tu en train d'auditionner pour un boulot de geisha ?

Il continuait à les regarder alternativement. À l'évidence, les voir ensemble le perturbait plus qu'il n'aurait voulu le montrer.

— Ne soyez pas impoli avec mon travail, le rabroua Kitty en riant.

Elle s'était passé les doigts dans les cheveux pendant les opérations et était passablement hirsute. Elle revissa les bouchons et rangea les pots dans le panier.

— Je vais ranger cela, Olivia, et je me sauve.

— Reste, répliqua aussitôt Olivia qui se tourna vers le nouveau venu : elle peut rester, n'est-ce pas ?

Christopher venait la voir parfois, en ces occasions où Xan s'absentait. Ce n'était pas un secret, il eût été difficile de garder un secret de ce genre sur Megalo Chorio. C'était un accord tacite entre eux. Il venait s'asseoir et la regarder tandis qu'elle cuisinait, reprisait des vêtements, et ils parlaient de tableaux et de photos, le genre de conversation qui n'intéressait guère Xan. En invitant Kitty à brûle-pourpoint elle avait bien imaginé que Christopher puisse débarquer. Sans se l'avouer clairement, elle avait supposé qu'il serait intéressant de voir sa réaction devant elles deux et peut-être d'évaluer sa loyauté.

L'aimait-il parce qu'il n'y avait personne d'autre et cela changerait-il à présent que Kitty était là ?

Et si cela se produisait, lui en voudrait-elle ou serait-elle soulagée que le « problème de Christopher » ait trouvé sa solution ?

Puis, tout à l'activité insolite et fébrile du maquillage, elle l'avait oublié.

— Oui, restez.

Faisant comme chez lui, Christopher s'empara de trois verres propres et y versa le cognac qu'il avait apporté. Cela aussi faisait partie de leur rituel.

— *Stin iya sas*, dit-il, en prononçant la formule grecque à leur intention.

Olivia mit un disque. C'était une musique locale, pleine de pathos et de cordes. Kitty et Christopher avaient pris place dans les deux fauteuils au coin du feu et elle leur fit signe de ne pas bouger. Elle vint s'asseoir par terre, les épaules contre les genoux de Christopher qui posa la main sur le sommet de son crâne. En même temps, il avait attiré le pied de Kitty sur sa cuisse : ainsi réunis, ils écoutaient la musique et regardaient le feu.

La pluie battait les persiennes. Le village était dans le noir et les lueurs d'Arhea Chorio s'étaient éteintes depuis des heures. Les vagues érodaient les galets avant de venir se briser contre la digue, le vent fouettait les derniers tamaris. À l'intérieur, les minutes s'écoulaient doucement, mêlées d'ambiguïté.

Christopher ne regardait ni l'une ni l'autre des deux femmes mais Olivia percevait sa sensibilité vacillante à leur égard. Il était confronté à son nouveau visage, embelli et dénaturé, ainsi qu'à une Kitty différente, plus souriante, une étincelle nouvelle de bonheur dans le regard. Au lieu d'une femme qui lui parlait de Diane Arbus ou Frank Auerbach tout en accomplissant scrupuleusement ses besognes ménagères, il en avait maintenant deux vautrées contre lui et ces deux femmes avaient modifié leurs visages pour en devenir quatre, lesquelles en reflétaient d'autres, comme des miroirs, dans un infini érotique.

Aucun d'eux ne bougeait ni ne parlait. Le feu offrait des images moins risquées et ils préféraient regarder son cœur qu'examiner le leur. Un hurlement soudain déchira le silence.

Olivia bondit sur ses pieds.

— Theo !

Elle gravit l'escalier quatre à quatre et pénétra dans la chambre. Theo était assis sur son lit ; elle repoussa les draps froissés et les couvertures pour le prendre dans ses bras. Il enfouit son visage chaud contre son cou tandis qu'elle le berçait, lui caressait les cheveux, murmurait des petits mots doux automatiques : « Tout va bien, je suis là, tu es en sécurité. » C'était encore un de ses cauchemars. Il avait seulement peur, n'était ni malade ni blessé. Les hurlements se transformèrent lentement en sanglots.

Georgi s'était réveillé lui aussi et sa mère se pencha maladroitement dans l'ombre pour le rassurer.

— Theo a fait un mauvais rêve, c'est tout. Rendors-toi.

Au son de sa voix, au contact de sa main, le petit garçon se réinstalla dans son lit.

Puis, portant Theo sur la hanche comme elle faisait quand il était bébé, elle descendit au rez-de-chaussée. Elle s'installerait au coin du feu et dissiperait ses terreurs pour ne pas déranger Georgi davantage. Kitty et Christopher étaient toujours assis dans leurs fauteuils mais Kitty avait enlevé son pied.

Theo dégagea sa figure rougie du cou maternel et cligna des yeux dans la lumière soudaine. Puis il tourna la tête pour voir sa mère. Il resta parfaitement silencieux une fraction de seconde puis poussa un long hurlement qui la frappa en plein visage. Tout son corps se raidit et il se tortilla violemment pour lui échapper. Kitty et Christopher se précipitèrent : Theo regarda Kitty par-dessus l'épaule de sa mère et lui tendit les bras d'un air suppliant tout en matraquant Olivia de coups de pied sauvages pour se dégager de son étreinte.

Impossible à sa mère de le retenir. Kitty l'enveloppa de ses bras pour l'empêcher de tomber. Elle frotta la joue contre sa tête, le caressa, s'efforça de chuchoter les paroles appropriées.

Olivia ne bougea pas, ses mains tendues vers le vide. Sa bouche voulut exprimer son épouvante mais elle l'emprisonna aussitôt dans ses doigts. Elle comprit en touchant le masque oublié.

— C'est mon visage, c'est ce foutu maquillage !

Elle s'élança vers l'évier et fit une écuelle de ses mains sous un filet d'eau froide. Theo sanglotait toujours, calmé tant bien que mal par Kitty. Olivia s'aspergea les yeux et les joues puis se frotta avec un torchon. De grotesques traînées noires coulaient de ses yeux sur ses joues ; sa bouche ressemblait à une plaie ouverte. Kitty lui jeta un coup d'œil, secoua la tête et se retourna pour que Theo ne puisse voir ce spectacle. Il se cramponnait à elle comme s'il voulait grimper à l'intérieur de son corps.

— Laisse-moi faire, intervint Christopher.

Il s'empara du torchon et frotta les joues d'Olivia. Elle fermait les lèvres et les yeux pour lui faciliter la tâche.

— Voilà qui est mieux, dit-il enfin.

Le frottement grossier du torchon lui avait brûlé la peau.

— Regarde-moi maintenant, Theo. C'était un jeu, un jeu stupide. Juste du maquillage.

À contrecœur, Theo écarta le visage de l'épaule de Kitty. Il frissonnait encore sous le coup de la peur et du choc, mais il reconnut sa mère. Il lui tendit une main qu'elle serra tendrement dans la sienne. Aussitôt son étreinte se raffermit.

— Pardonne-moi, chuchota-t-elle. Maman a fait une sottise.

Il lui tendit les bras en gémissant et elle l'enleva à Kitty. À présent, c'était Kitty qui restait les bras ballants. Olivia s'assit dans le fauteuil et serra son enfant contre elle.

— Je veux Papa, renifla-t-il.

— Il est parti à Rhodes avec Mella, tu te souviens ? Il se pourrait bien qu'il te rapporte des surprises, à toi et à Georgi.

À l'évidence, il n'y avait plus personne dans la pièce à ses yeux que Theo. Kitty et Christopher restèrent un moment immobiles puis se dirigèrent vers la porte. Olivia répondit d'un signe à leur murmure de « bonne nuit » et leur sourit rapidement par-dessus la tête de son fils. Celui-ci suçait son pouce.

Il faisait froid dehors, mais la pluie avait cessé.

— À quoi cela rimait-il ? demanda Christopher.

Il ramena sa mèche sur le côté en parlant comme pour bien dévoiler son visage, sans ambiguïté.

— Simple séance de maquillage.

Elle ne le regardait pas mais fixait l'obscurité.

— Theo a été terrorisé. Ça m'a plutôt désarçonné, moi aussi.

— Pourquoi ? Il n'y avait aucune raison.

— Vous aviez toutes deux l'air différent. Tout à fait autres. Vous vous ressembliez davantage. Je ne savais pas laquelle d'entre vous était vraie.

— Les visages ne veulent rien dire. On peut les modifier. C'est ce que vous êtes à cette minute qui importe, c'est ce qui est vrai. Et ce qu'on veut être.

Christopher frissonna et fourra les mains dans ses poches.

— Il fait trop froid ici pour une conversation sérieuse. Voulez-vous monter boire un autre verre ?

— Non merci, pas maintenant.

Elle s'approcha d'un pas, inclina un peu la tête et l'embrassa sur la joue.

— Une autre fois. Bonne nuit.

— Bonne nuit, dit-il en la regardant s'éloigner.

Je n'arrive pas à oublier ce parfum d'enfant. La chaleur et le poids de ce corps qui se cramponnait contre moi et l'humidité des larmes et de la morve qui me mouillait le cou. Pendant une minute, une seule minute, j'ai su exactement ce que c'est qu'être mère. J'ai ressenti l'urgence et la férocité et la détermination animales visant à écarter tout mal de lui. Et la douleur que j'ai éprouvée quand Olivia me l'a ôté des bras était celle d'une mise au monde.

Si j'avais pu être elle quand elle s'est assise au coin du feu avec lui, j'aurais volontiers sauté dans son être.

Debout dans ma pièce blanche et froide, j'imagine ce qu'a dû sentir ma mère. J'ai déjà essayé de le faire cent fois, peut-être même mille fois, mais ce soir je comprends que je n'ai jamais ne serait-ce qu'approché cette réalité.

11.

Meroula m'a dit que s'il fait beau pour la fête d'Aghios Pandelios, le saint patron de l'île, on est assuré que l'année à venir sera paisible et prospère.

C'est aujourd'hui sa fête et la journée est parfaite – dès l'ouverture des persiennes, le ciel du petit matin est d'une pureté de porcelaine, sans le moindre accroc. C'est ce qui se produit sur Halemni quand la pluie cesse et que le vent tombe. Les nuages se déchirent et dérivent vers l'horizon en tourelles rose argenté, tandis que le ciel vibre sous l'illusion de la chaleur, reflété par la mer sur une feuille de cobalt dense ridée de bleu marine. Sous le soleil brillant, les creux de la colline virent au pourpre et au bleu ardoise et les pentes exposées révèlent cent nuances de noir et de sépia. Il fait juste assez chaud pour que l'air exhale les parfums de la sauge et du thym. Dans ce paysage égéen d'eau, de rochers et de buissons, à la végétation austère, on a du mal à croire qu'on n'est pas en plein été. En fait on est déjà en décembre et voilà deux mois que je vis à Halemni.

C'est un jour important. Non seulement il y aura la fête, la plus grande célébration de l'île, mais le frère d'Olivia, Max, doit arriver par le ferry d'Athènes.

Olivia compte les heures – elle me l'a dit, mais elle est aussi soucieuse de savoir pourquoi Max vient ici sans sa famille.

— Je déteste imaginer qu'il ait des problèmes, qu'il soit peut-être malheureux. Je l'aime et il vit si loin. Si je pouvais le voir tous les jours, ne serait-ce que toutes les semaines, j'aurais une meilleure idée et pourrais l'aider davantage.

Je l'ai écoutée attentivement, en réprimant mes sentiments. J'envie beaucoup de choses à Olivia et, par-dessus tout, l'existence de son frère et sa proximité avec lui.

— Et il doit éprouver la même chose pour toi.
— Oui. Oui, je sais que c'est le cas.

Je veux connaître Max mais je sens que ma jalousie est comme un écueil sous la surface d'une eau trompeuse. Il me faudra la contourner. Et je redoute aussi que l'arrivée d'une tierce personne ne déséquilibre le rythme calme de ma vie. J'ai été heureuse ces dernières semaines et crains le changement.

Dès qu'ils voient à mes persiennes que je suis levée, Theo et Georgi viennent tapoter la porte du studio. Ils ont pris l'habitude de traverser en courant la cour de la maison du potier pour passer me voir chaque matin avant d'aller à l'école.

Je leur ouvre la porte et ils se ruent à l'intérieur. Les quelques semaines qui me séparent de mon arrivée m'ont permis de mesurer leur évolution. Au début, seule leur taille, pour ainsi dire, me permettait de les distinguer. Il s'agissait de petits enfants dont je devais me détourner sous peine, en les regardant, de voir surgir des souvenirs de Marcus et des regrets de mes propres bébés à peine formés. Mais c'est en train de changer.

Georgi me paraît grandir de jour en jour. Il devient plus réfléchi, plus attentif à mesure que les conséquences de ce qu'il fait et dit lui apparaissent. J'ai remarqué ses hésitations quand il réfléchit, en se mordant la lèvre inférieure. Ses mouvements sont plus maîtrisés, sa voix s'est apaisée.

Theo est toujours un bébé. Ses mains écartées ressemblent à des étoiles de mer et il a encore des fossettes à l'articulation des doigts. Ses jambes sont dodues, pas minces et allongées comme celles de Georgi. Il pleure facilement, chaque fois qu'il est contrarié ou déçu, mais ses larmes sèchent tout aussi vite. Il sourit et babille, toujours prêt à se faire câliner. J'aime l'avoir dans mes bras, mais je fais plus de cas de l'approbation mesurée de son frère. Et le cadet continue de suivre les directives de son aîné. Georgi a décidé que j'étais quelqu'un de bien, aussi l'allégeance de son frère m'est-elle donnée quasi automatiquement.

— Max arrive aujourd'hui, me rappelle Georgi.
— C'est vrai. Sur le grand ferry, hein ?
— Car on est mardi.

En hiver, le grand ferry ne fait la tournée des îles qu'une fois par semaine, un voyage de dix-huit jours depuis Le Pirée, et seulement si le temps le permet. Comme tout le monde à

Halemni je me repère dans la semaine en fonction des horaires du bateau – même si, à la différence de tout le monde, je n'y embarque jamais, fût-ce pour visiter les îles les plus voisines. Ma superstition m'en empêche. Si je quitte cet endroit, il pourrait être difficile de revenir.

— Il va venir à la fête aussi, j'espère, dit Georgi.

Je hoche la tête.

— Je ne voudrais pas la manquer si j'étais lui.

Il y aura un office dans l'église à moitié en ruine du vieux village, comme chaque année, m'a appris Xan. D'ordinaire, la fête qui y succède se déroule sur le rivage mais cette année, à cause de la réoccupation partielle d'Arhea Chorio, on a décidé de la célébrer sur la vieille place du village où elle se déroulait jadis. Xan, Panagiotis, tous les hommes du village sont convenus qu'il serait judicieux de restaurer l'ancien usage après les dévastations du raz de marée. La fenêtre de temps calme et chaud qui vient de s'ouvrir sur la façade de l'hiver est prise pour un signe d'approbation divine.

Mais Theo ne s'intéresse déjà plus à la discussion.

— Où est-elle aujourd'hui ? s'exclame-t-il.

— C'est à moi de le savoir et à vous de la trouver.

Il y a deux ou trois semaines, comme j'époussetais les rayons de la boutique, au milieu de la mercerie d'Hélène, j'ai trouvé un petit sac de minuscules peluches. L'une d'elles était une souris de feutre gris aux oreilles doublées de feutre rose, aux yeux de perles noires, aux moustaches de nylon raide. Je l'ai soulevée par la queue en riant et Hélène a fait mine de s'épouvanter en portant les mains à la bouche.

Il se trouve que c'était le jour de la paie. Quand elle m'a tendu mon enveloppe brune de billets de mille drachmes, j'ai senti une masse molle à l'intérieur. C'était la souris. Mon hurlement de feinte horreur et nos rires ont fait sortir Panagiotis de sa tanière.

Cette nouvelle compagnie s'est immédiatement remarquée dans mon intérieur dénudé. Les garçons s'en sont emparés dès le premier matin pour la baptiser « Couinie ».

— Parce qu'elle ne couine pas, a expliqué Georgi avec sérieux.

Dès le lendemain, ils ont exigé de savoir où la souris avait disparu.

« Elle se cache », leur ai-je dit. En fait, elle était dans la poche de mon pantalon de flanelle, si serré qu'elle y faisait une protubérance visible. C'est Theo qui l'a repérée le premier.

La chasse à la souris est devenue notre jeu habituel. Tous les soirs, je trouve une nouvelle cachette – ce qui n'est pas facile dans cet endroit réduit et peu meublé – et quand vient le matin ils courent partout en criant « couine, couine », jusqu'à ce qu'ils la trouvent. Aujourd'hui la porte de la petite terrasse laisse entrer le soleil et j'ai juché la souris sur le loquet extérieur des persiennes. Ils ne pensent pas à chercher à l'extérieur et regardent sous le poêle, dans ma tasse, au fond de mes chaussures, tous lieux que j'ai déjà utilisés, et je leur dis « non, c'est froid, ça se réchauffe et finalement, chaud, chaud, brûlant ». C'est Georgi qui a trouvé la souris aujourd'hui. Leur score est à peu près égal, heureusement pour moi.

— C'est l'heure de l'école, maintenant.

— Nous n'avons qu'une demi-journée.

C'est vrai. Pour la Saint-Aghios Pandelios, l'école, les boutiques et même le *kafeneion* des hommes fermeront à midi. Tous les habitants de l'île se rendront à l'église sur la colline, moi comprise. J'ai cessé de m'inquiéter à l'idée qu'un des trois pêcheurs puisse me reconnaître et poser des questions auxquelles je ne saurais répondre. Je suis Kitty, à présent, et celle-ci n'a commencé d'exister que lorsque j'ai posé le pied sur Halemni. La vieille Cary, même son fantôme arrivé ici avec Andreas, a tout simplement été balayée.

Je leur ouvre la porte. Olivia sort de la maison.

— C'est moi qui l'ai trouvée, aujourd'hui, s'exclame Georgi.

Olivia a les yeux cernés, comme si elle dormait mal, et j'ai l'impression qu'elle a un peu maigri. Mais sa nouvelle coupe de cheveux lui va bien, tout comme les sourcils arqués que je lui ai sculptés. Et je remarque qu'elle porte une couche de mascara. C'est peut-être ce qui alourdit ses yeux.

— C'est l'heure de l'école, répète-t-elle.

— Veux-tu que...

Je pars ouvrir la boutique – huit heures trente est bien assez tôt pour l'hiver somnolent – et je pourrais facilement accompagner les enfants jusqu'à la porte de l'école.

— Non, merci. Je vais y aller moi-même. Je dois voir Dimitria au sujet des *melijanes*, des aubergines, pour ce soir.

Je fais la proposition presque chaque matin. Au début elle acceptait régulièrement, à présent elle refuse toujours.

À une heure, je suis de retour chez moi. La boutique n'a pas désempli de toute la matinée, investie par les femmes venues faire des emplettes de dernière minute pour la fête. Hélène ne peut plus faire grand-chose, désormais, que rester assise à tricoter le minuscule article jaune citron ou blanc en équilibre sur son gros ventre. Elle paraît avoir doublé de taille dans les deux dernières semaines.

Je me prépare du café et une assiette de thon en boîte avec des haricots et transporte mon plateau sur ma petite terrasse. Je suis assise sur les dalles de pierre, le dos au mur et le visage tourné au soleil et contemple la vue de la plage et de la mer au loin. Le bien-être s'épanouit en moi, tel un galet chaud. Je n'ai plus à réexaminer le passé, ni à me resituer dans son contexte. Je peux me vautrer au soleil, l'esprit vide, vivre au jour le jour, jouer à la chasse à la souris avec les enfants. Il me semble désormais que ce n'est pas une réussite extraordinaire d'être aussi heureuse qu'Olivia. S'affranchir de l'histoire, en ce lieu magnifique, c'est bien naturel.

J'entends une camionnette, sans doute celle de Panagiotis, passer dans la rue. Il y a un bruissement dans l'air, pas tant celui d'un mouvement de foule que le frémissement de l'attente. Le ferry va arriver et c'est un jour férié. Il doit y avoir foule sur la digue du port pour l'accueillir.

Presque malgré moi, je m'aperçois que je suis comme les autres attirée vers le port. Je quitte ma terrasse et y descends lentement. On a réparé la plupart des dégâts de l'inondation, bien que certaines des maisons restant vides durant l'hiver soient simplement condamnées avec des planches. Les cordes à linge sont revenues, la chaise à côté du seuil blanchi ici et là, et les chats vaquent entre eux à leurs affaires furtives. Mais on ne voit pas encore de géraniums ni de soucis dans des boîtes de conserve peintes. Il faudra attendre le printemps.

Comme je le prévoyais, il y a du monde au port. Le *kafeneion* est fermé mais un groupe d'hommes flâne sous le cadre métallique du store. Je vois Xan en train de fumer une cigarette et de parler, j'aperçois la carrure d'ours de Yannis. Je parcours les groupes du regard à la recherche d'Olivia que je repère enfin un peu à l'écart, face à la mer. Elle danse sur la pointe des pieds, d'avant en arrière, et attend le bateau qui amènera Max.

Theo et Georgi sont là aussi, bien sûr. Ils courent autour des véhicules qui vont charger et décharger les provisions du ferry. Je reste à l'arrière, dans l'ombre des bâtisses du port, en me disant, tel l'un des chats efflanqués couleur de fumée, que je regarderai sans m'impliquer.

Le ferry est en retard, mais ça n'a rien d'inhabituel. Les horaires sont incroyablement élastiques. Olivia marche un peu le long de la jetée, revient sur ses pas, sans quitter des yeux la pointe que le bateau contournera. Xan est absorbé par sa conversation avec ses copains et les garçons s'impatientent. Ils grimpent sur les garde-boue d'une des camionnettes, en sont chassés, escaladent le hayon abaissé et en sautent, regrimpent et ressautent. Quand ils s'en lassent, les voilà attirés par une pile de palettes ; ils exhibent des cageots derrière la file de voitures. Je vois Georgi en empiler deux l'un sur l'autre et Theo en hisser un troisième au-dessus. Deux autres enfants, le fils et la fille de Michaelis, me semble-t-il vu d'ici, s'élancent pour se joindre à eux.

Du coin de l'œil, je distingue un mouvement à l'ouest au-delà des rochers. Je constate aussitôt qu'il s'agit de la cheminée du bateau. Une seconde plus tard, la proue apparaît et le paquebot glisse dans la baie. La taille des ferries m'étonne toujours, cette massive superstructure bleu et blanc qui domine la mer de si haut et laisse un éventail d'eau blanche dans son sillage. Une nuée de mouettes plonge à sa suite – j'entends leurs cris au-dessus du bourdonnement des machines, des camions qui reculent et des ordres hurlés.

Une fois dans la baie, le ferry doit accomplir une marche arrière compliquée pour présenter d'abord sa poupe au mouillage. Il paraît trop gros, disproportionné à côté du minuscule port et des gens qui attendent. Comme toujours, je regarde avec admiration la coque massive décrire son cercle et les machines inverser la vapeur pour l'aligner exactement sur les bollards massifs, avec leurs cicatrices de chaînes. La porte de poupe est déjà ouverte et son entrebâillement devient une rampe entre le bateau et la digue.

Olivia ne tient pas en place, elle agite les bras en demi-cercle. En plissant les yeux, en les abritant, je parviens à distinguer un homme sur le pont arrière, qui se penche sur le bastingage pour répondre à ses signes. Puis il disparaît en hâte, sans doute pour franchir la passerelle. Xan a jeté son mégot et descend vers le bord du quai. Un cordage est balancé depuis le bateau et adroitement saisi. Les machines rugissent et l'odeur de diesel monte jusqu'à moi. Tout le monde se dirige vers la porte du ferry tandis qu'elle s'ouvre comme un piège.

Quelque chose attire mon attention.

Je vois une structure bancale de palettes et de cageots, haute peut-être de deux mètres, à moitié cachée par l'un des camions. Elle forme un ensemble de marches irrégulières surmontées d'un cageot renversé comme une guérite. Des planchettes de bois dépassent au petit bonheur. L'un des gosses se hisse à quatre pattes là-haut et la tour oscille sous son poids. Deux autres, dont Georgi, sont entassés dans la guérite.

Debout sous la tour à sucer son pouce, tout à fait inconscient parce que son attention va au bateau qui accoste, se trouve Theo. La porte de la poupe forme passerelle.

Un cri d'avertissement me retentit aux oreilles.

Mon cri s'échappe encore de mes lèvres que je me suis mise à courir.

Mes yeux ne quittent pas Theo mais d'autres images défilent dans ma tête. Je les visualise en quelques fractions de seconde, comme des éclairs. Je vois Jim, dans son bar près de la piscine, le kiosque démantibulé de Manolis sur la place dévastée. Je vois aussi un jardin anglais envahi par l'odeur de l'herbe et des roses et le doux éclat du soleil dans mes yeux.

Puis c'est une dégringolade oblique de ciel et de branches et le spectacle bizarre de mes pieds qui tournoient au-dessus de moi dans leurs sandales rouges à trous.

J'entends un cri d'avertissement, celui de ma mère, avec un accent sauvage que je ne lui ai jamais entendu, mais il est trop tard.

Georgi et les autres enfants hurlent, des hurlements de peur enchantée, pleins d'excitation. Ils savent que leur tour est branlante mais ils nourrissent la certitude enfantine de l'immortalité. Le pouce de Theo quitte lentement sa bouche.

Je plonge sur lui, l'arrache en pivotant à l'ombre indécise et l'attire dans mes bras. Les autres enfants hurlent en grec. La tête de Theo vient heurter violemment ma mâchoire, la douleur me poignarde la langue, mais au moins il est sain et sauf. Les cageots ont une ultime oscillation et s'écroulent dans un grand bruit. Les trois enfants se retrouvent enfouis dans un entrelacs de planches et de membres. Theo est dans mes bras mais je suis glacée de peur pour les autres. Ma langue me fait affreusement mal.

Je sens un déplacement d'air près de nous, plus que je ne vois ou entends quelqu'un.

— Qu'est-ce qui se passe, les gars ?

À nouveau, Theo se recroqueville, et son crâne revient frotter l'endroit où il m'a heurtée : je tourne la tête instinctivement pour éviter un autre choc. Je perçois aussi, plus que je ne le vois, que trois enfants ont rampé ou roulé en dehors de l'amas de cageots. Ils crient en riant tout excités de leur incartade. Je soupire de soulagement tandis que des larmes de douleur m'inondent les yeux : ma bouche me fait atrocement mal.

— Ne reconnaissez-vous pas votre oncle Max ?

Je lève la tête sur l'homme à contre-jour dans le soleil de l'après-midi. Xan et Olivia l'encadrent et je cligne des yeux, en réprimant de nouvelles larmes car je crois brièvement reconnaître Andreas. J'ouvre les lèvres : un petit filet de sang dégouline sur mon menton.

— Nom de Dieu ! s'écrie l'homme.

Olivia pousse un petit cri en me voyant.

— Oncle Max, oncle Max ! s'exclame Georgi en dansant autour des jambes du nouveau venu.

Xan éloigne Theo tandis qu'Olivia et l'homme s'emparent chacun d'un de mes bras. Ce n'est pas Andreas, évidemment.

— Qu'est-ce qui s'est passé ?

Olivia porte un mouchoir à mon menton tandis que je secoue faiblement la tête.

— Morhu la langue.

— Regardons.

Il scrute le carnage de ma bouche.

— Nom de Dieu, répète-t-il dans un murmure. Je pense que vous survivrez, mais il s'en est fallu de peu.

Je me sens faible, nauséeuse. Pas à cause de ma langue mordue mais à cause du choc d'avoir vu la tour tomber. Un petit attroupement s'est formé. Chancelante, je fends la foule pour m'asseoir sur un autre cageot à poissons. Une fois assise je baisse la tête, ce qui a pour effet de provoquer un nouvel accès de douleur et un autre flot de sang. Le frère d'Olivia, Xan et sa femme s'échangent les enfants, les mouchoirs et les conseils.

— Kitty ! pleurniche Theo.

— Parhon, dis-je à tous en songeant que j'ai gâché l'accueil de Max.

— N'essayez pas de parler, dit ce dernier en me tendant un mouchoir bien plié, impeccablement blanc. Mettez ceci sur la morsure et appuyez. Les langues saignent beaucoup et font très mal mais ça n'est jamais grave. Je ne voulais pas vous effrayer, j'essayais juste d'être drôle. Je ne fais pas toujours le zouave.

J'essaie de dire « ce n'est pas ça », en vain, le mouchoir et le sang m'en empêchent. Georgi et Theo sont rassurés : je ne suis pas gravement blessée en dépit de tout ce sang et de la foule de spectateurs qui d'ailleurs se sépare pour s'atteler au déchargement et au chargement des marchandises du ferry.

Olivia s'accroupit à côté de moi et me frotte les mains.

— Merci d'avoir attrapé Theo. As-tu pensé qu'ils allaient lui tomber dessus ?

La vérité va tellement plus loin, je ne peux pas l'effacer de mes yeux, quels que soient mes efforts. Elle fixe les miens un instant et je perçois dans ses mains un tremblement de désarroi suivi d'une brusque décharge de peur.

Je ne veux pas qu'elle ait peur de moi.

Je n'ai plus peur de moi, parce que j'ai échappé à l'histoire et à ses tentacules. Je suis ici sur cette digue ensoleillée que les vagues éclaboussent, surveillée par les yeux ronds de Theo et je sens la pulsation d'un bonheur possible dans mon cœur.

Non, il n'est pas « possible », ce serait l'atténuer : il *est.*

Olivia et moi sommes toujours en train de nous regarder. Les autres, les deux hommes et les deux garçonnets, sont étrangers à tout ça.

Je hoche la tête puis hausse les épaules.

— Hum, hupide. Enhuite me huis mohue.

Un sourire, c'est à peu près tout ce que je peux faire.

Olivia se relève, rassurée, et attire rapidement ma tête contre sa hanche, aussi affectueuse que si j'étais l'un de ses garçons.

— Ma pauvre. Ça doit faire affreusement mal. Rentrons à la maison, si tu peux. Max ?

Celui-ci a deux sacs en toile. Il en hisse un sur l'épaule, comme un marin, et prend l'autre à la main. Xan a juché Theo sur son dos et Georgi marche entre sa mère et moi, en nous donnant à chacune une main. De ma main libre, je maintiens le mouchoir en place afin qu'il n'irrite pas ma blessure et nous remontons la grand-rue.

— C'est super d'être de retour. Et quel accueil ! déclare le nouveau venu par-dessus son épaule libre.

Il a un large sourire et ses phrases s'achèvent sur la note interrogative commune aux Australiens. Olivia et moi laissons Georgi se balancer entre nous en chantonnant « un, deux, troi-oi-ois ».

L'ancienne église est illuminée de douzaines de cierges formant un halo de lumière qui cache une partie des lézardes et des fissures de la bâtisse. Toute la population de l'île est rassemblée entre les murs de pierre. Je distingue même le vendeur d'œufs qui vit en reclus dans sa ferme. Les vieilles personnes sont installées sur des chaises en bois un peu branlantes ou sur des chaises pliantes en toile, d'autres ont fait des bancs avec des planches usées par les intempéries et quelques pierres. Hélène dispose d'une chaise, bien sûr. Je ne sais pas comment elle est arrivée jusqu'ici. Nous autres sommes assis sur le sol de mosaïque érodé ou attendons debout.

Personne ne parle, ni même ne chuchote. Les enfants eux-mêmes sont silencieux.

Je suis debout tout à fait au fond, entre les Georgiadis et Max. À cet endroit le toit est presque inexistant, seules deux poutres fendent le ciel. Il est presque six heures et la lumière baisse.

La cloche éraillée sonne six coups ; au sixième on entend des pas lents sur les dalles. Je tourne la tête pour découvrir deux garçons qui avancent vers l'autel en tenant une forme rectangulaire enveloppée dans un tissu. Le pope de l'île les suit, drapé dans sa chasuble noire. Il balance un encensoir de cuivre et d'épais nuages d'encens dérivent autour de nous. Deux autres popes venus d'îles voisines pour l'occasion marchent derrière lui. Lorsqu'ils atteignent l'abside de pierre sous le dôme encore intact, les enfants de chœur installent l'objet drapé sur l'autel grossier puis s'écartent. Le pope confie l'encensoir à l'un d'eux et soulève le tissu.

Malgré les têtes devant moi, je vois facilement de quoi il s'agit : c'est l'icône du saint lui-même. Son long visage plat aux yeux ovales et aux lourdes paupières fixe les fidèles d'un air impassible. Derrière sa tête se trouvent les quatre bras de la croix dont la peinture dorée ternie reflète la lueur des cierges.

Une bénédiction sonore retentit que nous recevons tous à genoux, chaque rangée après l'autre et l'encens dérive à nouveau sur nos crânes inclinés. Puis les trois popes entament un plain-chant sous le regard de saint Pandelios. La musique me donne la chair de poule.

Quand les chants s'arrêtent enfin, on entend à nouveau des pas au fond de l'église. Quatre jeunes gens de l'île, à peine adolescents, s'avancent. Chacun d'eux porte un panier d'osier et diverses odeurs rivalisent à présent avec les effluves épais de l'encens – un tas luisant d'olives nouvelles, le scintillement argenté de poissons surmontés d'une épineuse couronne d'oursins, une pile de citrons, quelques pains ronds. Les paniers sont posés sur l'autel de pierre devant l'icône et le prêtre les soulève l'un après l'autre, les lui présente avant de les tourner vers l'assemblée.

Quand le quatrième panier a été présenté, le pope ouvre les bras. Un petit vieillard assis sur le côté soulève une sorte de violon – un curieux instrument, antique, avec trois cordes seulement, qu'il pose en équilibre sur la cuisse au lieu de le coincer sous le menton – et en tire un accord. Des clochettes sont accrochées à l'archet, dont le grelot agit comme un signal. Les bras du pope se dressent dans un grand geste et nous intiment l'ordre de nous lever. D'un même mouvement, chacun dans l'église, y compris moi qui n'y suis pas préparée, prend son souffle avant d'attaquer le chant à pleins poumons. Les flammes des cierges vacillent sous l'air exhalé par tant de bouches ouvertes.

À ma vive surprise, ce chant est plein d'allant, son refrain tonitruant, l'ensemble rythmé de claquements de mains, de tambourins et des accords d'une mandoline. Le sens des paroles m'échappe, bien sûr, et même si je les comprenais, ma langue est trop gonflée et douloureuse pour que je puisse chanter – ma pauvre langue réduite pour le moment à bouger le moins possible. Au moins puis-je taper dans mes mains et marteler le sol comme tout le monde. C'est une nuit chaude pour le mois de décembre, mais cette longue immobilité sur les dalles humides de la vieille église glace peu à peu mon corps. Suivre le rythme me permet tout juste de faire circuler le sang dans mes doigts et mes orteils.

Nous célébrons les fruits de l'année, terrestres et marins. Chaque strophe correspond à l'un des paniers, et l'on brandit les olives, les poissons, les fruits et le pain tour à tour à mesure qu'augmentent en intensité les chants et le martèlement des pieds sur le sol.

Le chant de la moisson s'achève sur un accord sonore et un cri de joie. Une forêt de bras s'agite devant moi, masque la lueur des cierges et donne l'impression que deux cents mains veulent toucher saint Pandelios. Les quatre jeunes gens reprennent leurs paniers et redescendent l'allée centrale, suivis par les popes, et nous repartons en procession derrière eux, au son de la musique et des tintements de la cloche éraillée, abandonnant le saint qui continue de surveiller l'église vide.

Il fait tout à fait noir, à présent, bien qu'une vague lueur blanche embrume le ciel, peut-être portée par la lune invisible ou le reflet de la mer. J'emboîte le pas à Olivia et à sa famille dans une marée de têtes qui se balancent en rythme. Xan et Max portent chacun un enfant sur leurs épaules. Quelqu'un se cogne à moi : je baisse les yeux et découvre Meroula.

— C'est bon, hein ?

Je ne peux faire mieux que hocher la tête en souriant, ce qui paraît la satisfaire.

— Même cette année, malgré le raz de marée et ce pauvre Manolis, nous avons bien des raisons d'être reconnaissants. Halemni est une belle île.

Pour sûr, me dis-je. Plus que belle. Il y avait une logique imparable de la part d'Andreas lorsqu'il m'a déposée ici, même si cette logique semble échapper à toutes les règles dont j'aie jamais entendu parler.

Nous voici sur la vieille place. Les efforts de tous l'ont débarrassée des feuilles mortes, et ont réuni les éboulis de pierres en un seul tas. Au milieu des pavés, on a allumé avant l'office un immense feu qui diffuse maintenant une chaleur intense et bienvenue. Un chevreau rôtit, embroché au-dessus des braises. De la graisse dégouline de son arrière-train faisant jaillir de brusques flammes jaune et bleu. Je sais que d'autres animaux sont déjà cuits, largement plus qu'il n'en faut pour nous nourrir tous, mais celui-ci est un symbole, comme les paniers d'olives et les autres offrandes qu'on dispose à présent au milieu d'une longue table chargée de victuailles dressée contre le mur exposé au sud. Chacun a apporté quelque chose jusqu'à la vieille place ce soir.

— C'est la fête, déclare une voix familière à mon oreille.

Je tourne la tête pour découvrir Christopher Cruickshank.

— C'est la première fois que j'assiste à la fête du saint. Je suis bien content de ne pas la manquer, cette fois.

Depuis la soirée maquillage, nous n'avons plus jamais évoqué la date du départ possible de Christopher pour l'Angleterre. Il est admis désormais qu'il passera ici cette saison inhabituelle.

— Comment va votre langue ?

J'ai deux entailles sur la pointe, dont l'une est si profonde qu'un bout de chair est presque coupé. Une fois rentrés à la maison, Max a examiné les dégâts et déclaré que cela guérirait sans points de suture. C'est aussi bien car les seules sutures d'urgence qui soient faites sur l'île le sont par Anna Efemia, l'infirmière-sage-femme de l'île. Il y avait un médecin mais il a épousé une fille de l'île voisine et il vit maintenant là-bas durant l'hiver. Il vient opérer à Halemni deux fois par semaine mais pour le reste il est à près d'une demi-heure en vedette.

— Vous hoheur ? ai-je demandé à Max, et pas très aimablement tant j'avais mal.

— Non. Ingénieur. Mais j'ai suivi un cours de premiers secours de brousse.

— Ah bon.

Je hoche la tête. Parler est simplement impossible ce soir. De même que manger. Pendant les prochains jours, je ne pourrai ingurgiter que des liquides, avec une paille. Olivia en a retrouvé une pochette au fond d'un placard, des pailles roses fluo, et j'en ai glissé deux dans la poche supérieure de mon caban comme un premier de la classe des stylos bille. Christopher me sourit et pose brièvement le bras sur mon épaule. Je vois qu'Olivia s'est retournée vers nous.

Deux ou trois des personnes âgées qui avaient fui Megalo Chorio y sont redescendues, mais la plupart sont encore là. Des cierges brûlent aux fenêtres de Kyria Elena, et à celles du vieux Yannis, et les portes sont ouvertes en signe d'hospitalité, entourées de chaises.

Meroula s'est à nouveau rapprochée de moi.

— Ça ressemble au bon vieux temps, murmure-t-elle.

La nostalgie adoucit les rides de son visage. Même les crêtes gris fer de sa chevelure paraissent détendues.

— Quand je me suis mariée, c'est ainsi que nous fêtions notre saint. Toujours, année après année, jusqu'à ce que trop de gens soient partis s'installer au pied de la colline. Cela signifie peut-être que certaines des traditions reviendront.

Max fend la foule et nous rejoint. Il nous tend deux gobelets avec une petite révérence.

— Voici pour vous, mesdames.

Meroula prend le sien et le remercie. Je me jette sur le mien et y plonge une de mes pailles. J'ai terriblement soif. J'espérais du vin, c'est du raki incendiaire. L'alcool me mord la langue si férocement que je me mets à tousser, et que du raki dégouline sur mon menton, mais une quantité équivalente trouve quand même le chemin de mon estomac. L'alcool me réchauffe.

Il flotte une merveilleuse odeur de viande grillée, d'huile et d'herbes. Je défaille presque de faim, et maintenant que j'ai l'habitude de ne plus refréner mon appétit, je supporte à peine l'idée de ne pas pouvoir le satisfaire. À la place, j'avale une autre gorgée de raki et me promène parmi les convives en serrant contre ma poitrine mon gobelet et ma paille. Le mouvement de la foule vers le buffet m'a séparée de Max et de Meroula. J'ai l'impression qu'il y a dans cette joyeuse assemblée occupée à manger, à boire et à rire beaucoup plus de monde que la population totale, si réduite, de Halemni. Mon visage est familier à un grand nombre d'entre eux, désormais, après mes semaines de travail à la boutique et je perçois les saluts murmurés, *Kali spera, yia sou, Kyria Kitty*...

Le raki se boit comme de l'eau, une fois qu'on s'y habitue. Et il réchauffe ce que le feu n'atteint pas. J'achève mon gobelet, en aspirant voracement les dernières gouttes avec ma paille rose.

J'ai faim d'autre chose que de nourriture et de boisson.

Je veux m'immerger dans tout cela. Je veux me fondre dans l'île, être engloutie, ligotée de tout mon cœur. Le fait que je souffre, que je suis devenue muette en plus d'être étrangère décuple encore cette aspiration. Si je pouvais me presser contre les pierres, si je pouvais attirer tous ces gens à moi et me fondre en eux, je le ferais.

La première que je vois, c'est Olivia qui domine une rangée d'amies de Meroula. Mon désir d'effacement la prend pour cible. Je glisse près d'elle, tends les bras, nos épaules et nos joues se rejoignent dans une étreinte déséquilibrée. La foule vient nous souder brièvement ensemble, son odeur et ses formes ont quelque chose d'intensément familier. Je cherche à tâtons l'origine de cette reconnaissance mais déjà je titube à cause de tout l'alcool qui baigne mon estomac vide. J'ai le vertige aussi à cause des effluves de citron, de pain frais, de chevreau rôti et d'olive douce. Mais Olivia s'écarte dès que la foule le lui permet sans que je puisse, à la seule lueur du feu, des cierges ou des torches, interpréter son expression.

— Il te faut de la soupe ou un truc dans le genre, dit-elle comme si j'étais Georgi ou Theo. On aurait dû penser à en monter.

— J'henh a a !

Je lui montre le gobelet en carton.

— C'est un simple calmant, dit-elle sans sourire.

Je voudrais dire *je n'en ai pas besoin*, mais j'ai trop mal à la bouche.

Il y a beaucoup à manger, mais toutes ces victuailles disparaissent vite. Le pain puis les luisantes olives nouvelles, les oursins de mer tranchés et vidés de leur intérieur piquant, iodé. Les voir me fait saliver, m'évoque Andreas, mes insolubles questions à son sujet, déjà trop coutumières pour fournir le moindre espoir de réponse. Panagiotis a fait frire l'autre poisson dans une casserole sur les braises, les citrons sont à présent tranchés et pressés sur son dos croustillant. Je parviens à en attraper un, en respire l'écorce épaisse que je frotte de l'ongle pour en libérer la fragrance huileuse. J'ai toujours l'eau à la bouche et si faim que je suis presque dans un état second.

Après le repas vient la musique. Les joueurs s'assemblent dans un coin et entament les lentes, douloureuses chansons d'amour, de marins, dont tous les Halemniotes semblent raffoler. Les vieux et les enfants écoutent, en ondulant doucement au rythme des mélodies, en se joignant aux chœurs. Le feu a décliné, mais Xan et deux autres hommes vont rechercher du bois pour l'alimenter. Quand les flammes de nouveau crépitent et bondissent vers le ciel, la musique s'égaie. Outre les tambours et les tambourins, deux violoncelles et une flûte se sont joints à la *lyra* et à la mandoline. Au hasard, un cercle se forme, hommes, femmes et enfants se donnent la main autour du feu et se mettent à danser, aussitôt rejoints par un autre cercle qui part dans la direction opposée.

Je reste d'abord à la lisière, à regarder. Et puis quelqu'un m'attrape par la main et m'attire dans le cercle. En tournant la tête, je m'aperçois que c'est à nouveau Christopher. Il noue les doigts autour des miens, les serre et nous voici entraînés dans la danse. La ronde tourne dans le sens des aiguilles d'une montre, puis repart dans l'autre sens, avant d'inverser encore son cours. Nous allons plus vite, à présent, car la musique s'est accélérée. Le feu scintille entre les jambes et les bras des deux groupes de danseurs ; cette succession d'ombres et de lueurs est hypnotique. Je vois soudain qu'une nouvelle ronde enserre la nôtre, celle-là toute d'enfants. Il doit y en avoir vingt ou trente, peut-être davantage, de l'âge de Theo jusqu'au début de l'adolescence, aux visages tout rougis, brillants sous les flammes. Je savais que je ne me trompais pas, me dis-je. Il y a plus d'enfants que ne l'avait dit Olivia. La foule d'au-delà des rondes semble avoir grossi, elle aussi : j'ai l'impression que des centaines de visages sont tournés vers le feu et vers nous.

Les à-coups de la danse font terriblement souffrir ma langue et ma mâchoire mais comment m'arrêter ou me retirer ? Christopher me serre trop fort. De l'autre côté, je le vois à présent, se trouve Yannis, qui se dandine comme un ours ivre.

Puis, au-delà de la ronde de danseurs, du feu, de l'autre côté de la place, derrière les spectateurs silencieux, je distingue quelque chose.

Max est debout sur le seuil éclairé de Kyria Elena. Il tourne un peu la tête de biais si bien que j'aperçois son profil. Il ressemble à Olivia, bien sûr.

Mais il est plus jeune et son visage arbore une expression songeuse qui me donne soudain envie de le voir de plus près, de poser les mains sur ses joues, de lui faire tourner la tête pour que ses yeux croisent les miens. Une décharge électrique me traverse de la tête aux pieds.

Bien sûr. C'est donc ça.

Les mots résonnent dans ma tête. Pas aussi clairement que sur le promontoire – *Maintenant, tu sais* – car la musique tend à les noyer. Mais j'entends tout de même.

Max m'est familier d'une manière que je ne peux identifier. C'est peut-être à cause d'Olivia. Ou c'est peut-être l'inverse : j'ai l'impression de reconnaître Olivia parce que c'est en fait Max que je connais très bien, à un niveau beaucoup plus profond que celui que nous avons abordé jusqu'à maintenant, que nos routes physiques se soient croisées ou pas…

C'est donc ça.

La danse me laisse hors d'haleine, la douleur dans ma bouche est presque insupportable. Je me demande si je suis ivre bien que je ne croie pas avoir bu plus d'un verre de raki. J'essaie de me dégager des mains de Christopher et de Yannis ; je les vois me sourire tous les deux en secouant la tête, telles des lanternes d'Halloween dans leur lumière rouge sang.

Si nous ne nous arrêtons pas bientôt, mes jambes vont me lâcher.

Avec un grand bruit de percussion et sur un long accord, la musique s'achève. Les rondes ralentissent, puis se défont comme des colliers de perles cassés. Je laisse retomber mes bras le long de mon corps et traverse lentement les groupes disséminés. Il me semble qu'il y a moins de monde que tout à l'heure. Il fait froid, à présent, et l'on voit apparaître des châles, des manteaux et des chapeaux tandis que chacun se prépare à rentrer. La fête d'Aghios Pandelios a pris fin jusqu'à l'année prochaine.

Max s'est éloigné de la porte de Kyria Elena. Il se tient dans son ombre, il attend. Quand je le rejoins, nous restons à nous regarder, les yeux dans les yeux, nos mains se touchant presque. Je veux parler, mais ne peux dire un mot.

Il se contente de me toucher la lèvre, là où ma langue entaillée repose derrière la barricade de mes dents.

— Pauvre bouche, chuchote-t-il.

Je lève les mains et les plaque sur ses joues en immobilisant son visage pour qu'il ne puisse détourner le regard. Je sais que, derrière moi, Xan, Olivia et Christopher Cruickshank ne perdent pas une miette du spectacle. Le temps est suspendu. Je laisse retomber mes mains.

— Je ne peux pas t'embrasser maintenant, dit Max comme si nous en avions parlé.

Et, en un sens, c'est ce qui s'est passé, sans que nous le sachions, depuis qu'il a débarqué du ferry, que j'ai ouvert la bouche et qu'un ruisseau de sang s'en est échappé.

— Mais je le ferai.

Quelle étrangeté d'être muette quand il y a tant à dire !

Theo me déboule dessus.

— Kitty, Kitty, j'ai dansé !

— Hun, fais-je, dans l'intention de lui dire *Oui, je t'ai vu avec tous les autres enfants,* même si je ne l'ai pas vu, en réalité. Il devait être là, quelque part au milieu d'eux.

— Allons, Theo et Georgi, venez. C'est l'heure de rentrer.

La voix d'Olivia est glacée.

Je me retourne. Sur la place, on range, remplit des sacs-poubelle, entasse des assiettes et des plateaux, avant de redescendre vers Megalo Chorio. Hélène et Panagiotis passent lentement devant moi, son bras est si protecteur autour d'elle qu'il donne l'impression de la porter. Elle m'adresse son sourire timide.

Je me dirige vers les tréteaux, rassemble au hasard une pile d'assiettes et de boîtes de conserve. Max me tend un sac-poubelle de plastique noir rempli de détritus et nous nous heurtons l'un à l'autre pour aussitôt nous reculer, unis par notre amusement devant cette activité terre à terre comme par notre étonnement devant ce qui vient de se passer. Nous quittons la place avec la procession. Je vois la tête blonde d'Olivia et la tête brune de Xan devant nous. Les enfants doivent être avec eux.

L'étrange halo blanchâtre s'est dissipé et il fait nuit noire. Les marches de pierre qui serpentent entre les maisons en ruine sont raides et inégales et les douzaines de pieds descendant la colline résonnent pesamment. Je ne vois pas où je vais sinon en observant la tête de celle qui me précède. Il s'agit d'Anna Efemia, l'infirmière, je m'en rends compte à présent. Une sorte de vague vient me frapper par-derrière, quelqu'un descend trop vite, et cette vague se communique au reste de la file, comme une ride à la surface de l'eau. Lourdement chargée, je manque trébucher mais parviens à retrouver l'équilibre. Je reprends la marche plus lentement, en regardant attentivement où je pose les pieds.

À mesure que nous abordons les virages en zigzag, chacun trouve son rythme et la file s'allonge. On a l'impression de s'inscrire dans une frise religieuse, comme les adorateurs apportant leurs offrandes à la déesse. Je me retrouve isolée, même si je sais que Max n'est pas très loin. Une brise rafraîchissante venue de la mer me baigne le visage et je perçois l'odeur de la pluie. Sans doute l'œil du beau temps s'est-il refermé.

Nous sommes sur la dernière section rocheuse un peu raide avant que le sentier ne s'élargisse et ne descende doucement jusqu'à l'arrière de la maison du potier. Je regarde le village étendu, les lampes qui scintillent à quelques fenêtres quand un cri vif retentit en contrebas, suivi d'une glissade sur les pierres puis du bruit de la vaisselle qui se casse. Quelqu'un est tombé.

Une ou deux minutes plus tard, je contourne le dernier virage et découvre un amas d'assiettes cassées, un attroupement et Olivia assise au milieu. Anna Efemia est déjà agenouillée près d'elle. Je dépose mon propre fardeau sur le bord du chemin et me faufile vers elles. Quelqu'un a mis la main sur une torche qui éclaire la blessée. Olivia me regarde. Tandis que l'infirmière se penche sur elle, je repère une vilaine entaille irrégulière sur le gras du bras, qui va de l'articulation presque jusqu'au poignet. Des ruisselets de sang noir dégoulinent sur son coude. Sa paume est joliment écorchée.

— On ne peut pas dire que la journée ait été superbe ni pour l'une ni pour l'autre, n'est-ce pas, me dit-elle en tâchant de masquer l'accent douloureux de sa voix. Voilà ce qui arrive quand on se retrousse les manches !

— Maman est tombée, me dit Theo.

Anna Efemia prononce quelques mots rapides en grec. De son panier, quelqu'un extirpe un rouleau de Sopalin ; l'infirmière en applique une feuille sur la coupure. Xan tient l'autre main de sa femme.

Je perçois Max près de mon épaule, plus que je ne le vois, et sais que sa sœur scrute le cercle de visages penchés sur elle pour trouver le sien.

— Quelle journée, dit-il doucement. Est-ce que ça va ?

— Ça va.

Olivia semble irritée qu'on lui accorde tant d'attention. Elle étend les doigts, les replie, grimace.

— Ce n'est qu'une égratignure. Merci, Anna. Reprenons la route de la maison. Oh Seigneur, regardez les assiettes !

Xan et Max l'aident à se relever, sous un flot de mises en garde et d'instructions en grec d'Anna Efemia. Chacun recharge son fardeau et abandonne les débris de vaisselle brisée où ils sont ; les enfants sautillent anxieusement dans le sillage des adultes qui redescendent lentement la colline.

Christopher Cruickshank marche à présent près de moi. Ses cheveux tombants lui cachent le visage – du reste il n'y a pas assez de lumière pour que je voie son expression. Des questions se dressent à l'horizon mais je les refoule délibérément, de l'épaule et par mon silence.

Je ne veux qu'une chose : regagner mon petit studio dénudé, pour réfléchir.

La blessure d'Olivia n'a que trop frappé mon imagination. Mon propre bras m'irrite et vibre comme si c'était moi qui m'étais écorchée.

Et ma langue ressemble à une énorme blessure.

12.

Olivia et moi faisons la vaisselle sans parler. Max et Xan sont descendus au bar et les enfants dorment. Il fait noir et tout ce que je vois quand je regarde au-dehors, c'est le reflet de la pièce.

Olivia me tend une assiette dégoulinante d'eau que je sèche avec des gestes doux et circulaires.

— Tu l'aimes bien, n'est-ce pas ? dit-elle en rompant brusquement le silence.

— Oui.

Nous savons toutes les deux de qui nous parlons et nous savons aussi que cela déclenche une alarme.

Depuis la fête, Olivia nous surveille, Max et moi. On ne nous a jamais laissés seuls ensemble – Olivia a presque toujours été là ou alors nous étions avec Xan, les enfants, Christopher ou Yannis, Stefania et Panagiotis. (Je crois comprendre que cet hiver est inhabituel, après le raz de marée. Olivia me déclare que les gens éprouvent un plus grand besoin d'être ensemble : ils vont les uns chez les autres, pour fumer, boire, faire de la musique et raconter des histoires.) Pourtant, j'ai eu le sentiment que Max et moi n'attendions que le moment opportun. Nous sommes patients. Olivia le sait et je sens sa jalousie nous entraîner comme une vague. Max lui appartient, chaque fois que je lui parle, que je regarde dans sa direction, je sens sa possessivité. Elle ne veut pas partager l'amour et l'attention de son frère avec un tiers. Surtout pas avec moi.

— Nous avons longuement parlé, me dit-elle. Il m'a assuré qu'Hattie et lui allaient se rabibocher. Il ne l'a pas quittée, rien d'aussi grave. Il repartira dès qu'il aura repris ses marques.

— Tant mieux, mens-je.

— J'ai pensé qu'il était de mon devoir de te le dire, au cas où tu aurais vu les choses différemment.

Elle est sincère, au moins. Je sens ma nuque et mes doigts se raidir, sur la défensive.

— Je sais combien tu dois te sentir solitaire, ici, poursuit-elle, en me voyant avec Xan, en voyant Yannis avec Stefania, Panagiotis avec Hélène. Je crois que tu sais aussi où vont les penchants de Christopher…

Je pose une autre assiette sèche. Je vois nos reflets jumeaux dans la vitre noire, nos têtes détournées, les lampes de la pièce chaude derrière nous qui nous transforment en deux masses sombres.

— Je comprends, dis-je calmement.

Au même instant, j'ai pris la décision d'aller trouver Max demain matin pour lui demander s'il aimerait faire un tour avec moi.

Nous pourrions monter au château des chevaliers. Au plus haut point de la colline dominant la baie, les ruines du château se dressent sur la falaise comme une tiare brisée sur la roche. Le vieux village s'étend en contrebas, un peu sur la gauche, entouré par les marches des terrasses abandonnées.

Max avait raison. Les langues guérissent vite, en effet.

Je pointe le bout de la mienne sur le palais : l'engourdissement a remplacé la douleur. Le nouveau tissu de la cicatrice lui donne une épaisseur malhabile qui brouille les limites de mes mots et enlève le goût de la nourriture. Je mange tout de même. La quantité, le plaisir somnolent que donne un estomac plein compensent largement la perte des saveurs les plus exquises. Je me sens forte de cette nouvelle énergie et grâce à la marche, en meilleure condition physique que je ne l'aie jamais été. Aujourd'hui, bien que nous ayons crapahuté une demi-heure sur cette pente de roches éparses, je suis à peine essoufflée.

J'ai envie de rire, de chanter. Je ne me suis jamais sentie si vivante. Comme si j'avais perdu une épaisseur de peau ou accédé à une autre dimension. Les gris et les pourpres des rochers et de la mer, les plis sépia de la terre vibrent avec une intensité supplémentaire ; l'odeur du sel et de la végétation humide est plus prononcée que d'habitude.

Nous sommes seuls, à présent.

Quand je le lui ai demandé, Max a hésité. Avec ma nouvelle vision, plus aiguë, j'ai compris que l'envie et la prudence le tiraient dans différentes directions, comme de minuscules petites vibrations sous sa peau. Je veux la toucher, ressentir sa chaleur palpitante. Mais j'ai attendu calmement sa réponse.

— Oui, faisons-le.

Je vois le toit affaissé de la vieille église. À part les chèvres sautillant sur les pierres tombées et la fumée qui s'échappe des cheminées autour de la place, rien ne bouge.

— Peux-tu grimper là ?

Max n'est toujours pas certain qu'il a bien fait de monter jusqu'ici avec moi : il concentre son anxiété sur mes aptitudes physiques.

Je regarde le rocher, pour en jauger la difficulté.

— Oui, facilement.

Ma langue enflée transforme le son en « hoh ».

— Je veux voir le château.

— Redescendre sera plus difficile, rappelle-toi.

— Je peux y arriver.

— Je te précède, alors. Mets les mains et les pieds où je mets les miens.

Le calcaire est rude et grêlé, creusé par les intempéries, ce qui fournit des appuis ; bien que raide, il est assez facile à escalader. Il y a de minuscules et fascinants jardins de sedums et de lichens installés dans les crevasses. Je progresse sur les talons de Max, sans penser au gouffre sous mes pieds. Lorsqu'il se hisse sur un petit parapet de pierre je l'imite et saute à côté de lui à l'abri du château. Penchés sur le mur, nous regardons autour de nous.

L'antique mur d'enceinte enserre un espace d'herbes folles et de roches, recouvert des blocs de pierre grossièrement taillés qui se sont peu à peu effondrés au cours de cinq siècles de déclin. Côté terre, il n'y a plus qu'un horizon déchiqueté de pierre mais la pente m'apparaît moins raide par là – on discerne même un vestige de sentier menant vers le plateau de l'île. Il devait s'agir de la route d'accès originelle à la forteresse, elle est trop longue et ennuyeuse pour nous. Nous avons pris d'assaut la place forte, directement, à la manière des envahisseurs.

Max s'est détourné et pose les bras sur le parapet qui nous arrive à la taille pour regarder la mer. C'est un jour gris et venteux – mes cheveux détachés viennent me fouetter les yeux. Deux rapaces, des busards sans doute, tournoient au-dessus du château.

— Sais-tu qui l'a construit ? me demande-t-il.

— Les croisés. Les chevaliers de Saint-Jean. Ils sont venus de Rhodes au début du XIVe siècle, ont occupé et fortifié quasiment tout le Dodécanèse.

J'ai lu les guides. J'imagine les croisés, des hommes aux visages tannés, déferlant avec leurs petits bateaux dans la baie et construisant leur forteresse. L'air sent la fumée et quelque chose d'épais comme le sang. Cela me fait tousser et me détourner pour scruter la mer, comme Max.

— Ah vraiment ?

L'histoire ne l'intéresse pas réellement – le conflit qui se joue ici et maintenant l'absorbe trop. Nos bras se touchent presque et je sens sur les miens les poils se dresser comme de minuscules antennes.

— Regarde, dis-je.

Le ferry contourne l'île pour entrer dans la baie. Cela fait juste une semaine que Max est arrivé à Halemni, une semaine que j'ai failli me couper la langue et que je suis tombée amoureuse pour la deuxième fois de ma vie.

— Je suis ravi que nous soyons montés jusqu'ici, dit-il. Je n'avais jamais fait cet effort, lors de mes visites précédentes.

Personne ne grimpe jamais jusqu'au château ; Olivia elle-même n'y est jamais venue qu'une fois, avec Xan, juste après son arrivée sur l'île. Après tout, il n'y a rien d'autre ici que quelques pierres et l'histoire.

À présent que nous nous trouvons dans ce lieu isolé, Max et moi sommes sur le point de franchir une frontière. Cela ne me pose aucun problème, à ceci près que tous mes sens sont douloureusement en alerte.

Tandis que nos regards se baissent sur le ferry en train de faire sa marche arrière compliquée sur l'eau tricotée à l'envers, il me prend la main et mêle nos doigts. Soudain, respirer correctement me devient impossible : une sueur collante fait de ma peau la ventouse d'une flèche enfantine. Marcus avait un de ces jeux, je m'en souviens : des flèches de bois jaune, aux ventouses rouge sombre. Il fallait les lécher pour qu'elles tiennent.

— Je ne sais pas, je ne sais plus, fait-il en un souffle.

Je ressens les mouvements contradictoires qui le traversent, les étincelles électriques sous sa peau. Mon pouce tournoie sur le V de sa chair entre le pouce et l'index.

Je comprends son indécision. Dans la semaine écoulée nous avons parlé, même si Olivia, Xan ou quelqu'un d'autre était toujours avec nous. Il m'a parlé de Hattie et des deux fillettes, Ellie et Lucy, âgées de sept et trois ans, de la maison sur l'eau dans la banlieue de Sydney, de ses nombreux amis, de son métier, un bon métier qui rapporte bien.

— Et ? l'ai-je relancé quand il a abordé ce point.

Max a répondu tranquillement qu'il aimait sa femme et ses enfants, bien entendu. Il a connu Hattie lorsqu'il arpentait la planète dans le sillage de sa sœur aînée, aussi intrépide et aventureux qu'elle, mais sans sa détermination. Il s'est marié et installé tôt et aujourd'hui sa femme et lui se houspillent en permanence, plus occupés à compter les fautes de l'autre qu'à se féliciter de ce qui marche bien entre eux.

— Nous sommes juste convenus que nous devions cesser de nous disputer et prendre du champ. Je me suis mis en congé et suis venu voir Olivia. Nous avons toujours été si proches.

Certes. Ils s'accordent bien, comme des moitiés fraternelles, Olivia l'aînée dominatrice qui s'est adoucie avec l'âge, Max le cadet qui a grandi et l'égale désormais. Mais cette paire semble imparfaite comparée à la nôtre, lui et moi. Je pense maintenant mieux connaître Olivia et plus profondément que ne le laisse supposer notre récente relation – pour cette raison qu'elle reflète son frère.

Je le regarde pendant qu'il semble captivé par l'arrivée du ferry. Il a la carnation de sa sœur – et donc, dans une certaine mesure, la mienne aussi –, sa longue lèvre supérieure et certaines caractéristiques de sa silhouette. Mais il est plus gracile qu'Olivia, son visage et sa mâchoire sont plus étroits. Il est un peu plus petit que moi, mais a des épaules et des mains puissantes.

— Et moi ? fais-je de mon nouveau ton mesuré.

La main tenant la mienne m'oblige soudain à pivoter face à lui. Il bouge les hanches de telle sorte que je suis clouée dos au parapet et à la mer. Je vois la lumière à travers ses cils, et le scintillement de sa barbe rasée sur les pommettes.

Il est plus familier que ma propre main et en même temps plus exotique que le point le plus écarté de l'univers.

Il réfléchit soigneusement avant de parler :

— C'est sans doute mal d'agir ainsi, Kitty. Mais je ne peux pas m'en empêcher. Je ne sais pas comment l'éviter.

À mon tour, je choisis mes mots.

— Moi non plus. Je ne suis pas dans ta position, je n'ai ni responsabilités ni devoir de fidélité à l'égard de quiconque ici-bas. Mais je crois que même si c'était le cas, même si je risquais tout ce à quoi je tiens, je ne tournerais pas le dos à ça. Ni à toi. Je ne le pourrais ni ne le voudrais.

Il porte les pouces sur la commissure de mes lèvres et m'ouvre la bouche pour voir ma langue. Je sais qu'elle est déformée, plissée par les cicatrices. Je voudrais la cacher.

— Je ne veux pas te faire mal si je dois t'embrasser.

Je secoue la tête et découvre que j'ai les larmes aux yeux.

— Tu ne pourrais pas me faire mal.

Quand nos bouches se rencontrent, je me rappelle Peter, la première fois qu'il m'a embrassée, le seul homme que j'aie embrassé entre cette époque et aujourd'hui.

Puis je ne pense plus qu'à la minute présente.

À la fin du baiser, il pose les mains sur mes joues. Il me regarde intensément, nos yeux ne sont pas tout à fait au même niveau, le vent continue de fouetter mes cheveux sur ma bouche. Il ramène du doigt une mèche derrière mon oreille et sa douceur, l'intimité de ce geste après ma si longue solitude est comme un deuxième baiser. Je lui souris et je sais qu'il y a de la lumière sur mon visage.

— Qui es-tu, Kitty ?

— Tu sais qui je suis.

Ma réponse a deux sens, le plus important et le plus profond étant qu'il me connaît, de la même façon que je le connais, sans avoir besoin de questions ou de récits. Je suis quelqu'un d'autre que la vieille Cary Stafford, embourbée dans la culpabilité.

Je suis Kitty Fisher, à présent. Je suis libre.

— Vraiment ?

Nos bouches, nos nez se touchent pratiquement encore ; il a glissé les bras derrière mon dos pour s'appuyer sur mes hanches et le reste de mon corps. J'entends la sirène du ferry et imagine brièvement l'agitation du déchargement sur le quai ; les filets de pommes de terre, les cageots d'oranges et de citrons ; les sacs bruns de choux-fleurs.

— Je te raconterai tout ce que tu voudras savoir, dis-je dans un murmure.

— Nous avons le temps.

Je sens le tiraillement des petits muscles qui entourent sa bouche. Il sourit face à moi. Il a pris une décision, folle ou sage.

— Sirène !

Brièvement, je pense à Lisa Kirk et à mon mari séduit. C'était elle la sirène, avec sa jeunesse insolente et sa cruelle assurance. Suis-je la sirène pour Hattie, bien que je ne sois ni jeune ni sûre de moi ? Oui. Non. Peut-être. Et maintenant, de toute façon, il est trop tard. Nous sommes déjà enlacés l'un à l'autre et il faudrait un nouveau tremblement de terre pour nous séparer.

Voici une bande d'herbe sèche, en forme de hamac entre une double ligne de pierres tombées.

C'est un accouplement sauvage, avec la chaleur entre nous et ce vent froid même à l'abri des roches du château. Je le tiens serré contre moi et ma langue blessée m'envoie de petites épingles déplacées de douleur pendant tout le temps où nos bouches sont collées l'une à l'autre.

Puis il me remet mes vêtements qu'il ajuste plus étroitement.

— Tu as froid. On dirait de la glace.

— Mais non. J'ai chaud. Partout. Je suis plus heureuse que je me rappelle l'avoir jamais été.

C'est la vérité.

Max rit. Il me frictionne cheveux et mains, embrasse les méplats de mon visage. Lorsqu'il me touche, comme tout à l'heure quand il m'a fait l'amour, je réalise que mon corps comporte de nouveaux plis et creux. Des zones de chair souple glissent sur mes os, les adoucissent, s'offrent au pétrissage et à la dégustation. Quand Peter et moi nous sommes connus, c'est lui qui m'a donné l'impression d'être voluptueuse alors qu'en réalité j'étais fragile et tendue, mais tout est différent à présent. À présent je sais que je *suis*, cette nouvelle opulence m'appartient en propre. C'est moi qui l'ai faite. Elle s'inscrit dans ma libération, dans ma recréation.

— Et toi ? dis-je.

Il soupire. Il est triste et je l'admire d'autant plus parce qu'il veut être loyal.

— Kitty. Ça fait douze ans que je vis avec Hattie et je ne lui ai jamais été infidèle. L'idée ne m'a même jamais effleuré. Et puis je décide de venir ici parce que nous nous sommes un peu trop disputés, en accordant trop d'attention au travail et à l'argent et pas assez à l'autre. Je pensais que prendre du champ me permettrait à mon retour de redresser la barre. Donc je viens rendre visite à ma sœur et à sa famille. C'est quelque chose de normal et d'ordinaire, n'est-ce pas ?

« Et puis je te vois debout sur le quai avec l'enfant d'Olivia dans les bras et je me dis *qui est-ce ?* Tu ouvres la bouche et un ruisseau de sang en dégouline. Je pense que tu vas mourir et la première idée qui me vient à l'esprit, c'est que tu ne peux pas déjà mourir. Je viens de faire ta connaissance et je veux prendre soin de toi : tu ne peux pas me quitter comme ça. Mon cœur *bat la chamade.*

« Malgré tout, je fais semblant de prendre la direction des opérations ; je te demande de me montrer les dégâts et prononce des bêtises à l'australienne, du genre "tu t'en tireras".

Ce souvenir me fait sourire, ce qui dissipe sur son visage certaines des rides profondes que son souci de sincérité y a creusées.

— Et puis il y a la fête du saint patron. Tous ces cierges, cet encens, les fruits mûrs et les ombres qui dansent. C'était chrétien et païen en même temps, totalement différent de ce qu'on connaît en Australie, différent de tout ce que j'ai vu dans ma vie ou ailleurs, et tu te trouvais au beau milieu. Tu étais *là,* bien que tu sois une inconnue complète. Et je te vois traverser cette vieille place en ruine vers moi, te faufiler parmi la foule comme si tu suivais un fil. Et je sais ce qui va se passer comme si je l'avais déjà vécu. *Je ne peux pas t'embrasser maintenant,* dis-je. *Mais je le ferai.*

« Pourquoi ai-je dit une chose pareille, alors que je te connaissais à peine ?

« S'ensuit cette semaine où j'essaie d'être avec toi et de n'être pas avec toi en même temps. De penser à Hattie et aux filles et en même temps de ne pas y penser.

Son regard se perd derrière mon épaule.

— Et nous montons ici et nous retrouvons allongés ensemble parmi les ruines. De qui s'agissait-il : des croisés ?

— Oui. Les chevaliers de Saint-Jean.

Des pirates et des pillards, s'ils étaient aussi des envoyés du Christ.

Max secoue la tête d'un air interrogatif.

— T'étonnes-tu que je te demande qui tu es ? Quand cela se passe entre nous, sans... présentations, ni explications ?

— La passion ne respecte pas les convenances sociales, fais-je en marmonnant.

Je revois Lisa Kirk à mon dîner et me rappelle le changement subtil de pression atmosphérique qui annonça le commencement de la fin de mon mariage. C'est maintenant seulement, comme une lame de lumière qui me traverse le crâne, que je comprends : *j'en suis heureuse.* Sans quoi, comment pourrais-je être ici, avec Max ? Et plus de Cary, mais Kitty.

— Je sais cela. En tout cas, je connais la formule. Je n'en avais jamais fait l'expérience.

— Parfait. Je ne veux pas t'imaginer avec quelqu'un d'autre que moi.

Il se redresse sur un coude. Je suis tout engourdie d'être restée étendue sur la terre froide, je me dégage et me redresse en appuyant les épaules contre le mur du château. Comme le sol dégringole de tous côtés, je ne vois rien d'autre qu'un amoncellement de nuages et les busards qui tournoient au-dessus de nous.

— Tu n'as pas à l'imaginer, pour l'instant. Maintenant, c'est maintenant. Mais qu'arrivera-t-il dans un mois ou un an... je l'ignore.

J'accepte son offrande, avec ses limites. Ma vision plus aiguë n'est pas encore assez pointue pour lire l'avenir. *Maintenant, tu sais.*

Sauf que je ne sais pas. Ou très partiellement, avec un bref aperçu de ce que signifie la liberté.

Il fait soudain trop froid pour que nous restions là. Nous nous embrassons à nouveau, appuyons nos visages glacés l'un contre l'autre, puis je me relève péniblement, en tirant sa main pour l'obliger à se lever aussi. La mer et le plateau de l'île réapparaissent. Le ferry est reparti depuis longtemps et le port est désert. Il est temps de redescendre vers Megalo Chorio car la nuit va bientôt tomber.

— Je comprends, dis-je.

Nous longeons le mur jusqu'à l'endroit où nous l'avons escaladé. Max me précède et je l'observe par-dessus le mur. Le dénivelé paraît beaucoup plus raide et long vu d'ici, même s'il ne doit pas y avoir plus de six mètres.

Il est arrivé facilement au pied de la paroi et lève le visage vers moi.

— Lentement, me dit-il.

Je grimpe sur le mur intérieur, m'agenouille sur le parapet. Le vent est bien plus vif, les pierres semblent danser sous mes genoux. De nouveau j'ai les mains moites et je ressens la nausée du vertige. Je tourne le dos au vide et descends un orteil, cherchant à tâtons une prise. Mes doigts restent enfoncés au sommet du mur et pendant un moment je suis convaincue que je vais rester coincée, incapable de descendre ou de remonter.

— Fais glisser tes mains plus bas.

La voix est assurée et toute proche ; une seconde, je crois qu'il s'agit d'Andreas. Mon sauveur, une fois de plus. Tremblante, j'abaisse une main puis l'autre, en enfonçant les doigts dans les trous des pierres. Je m'aperçois que je peux bouger les pieds, de quelques centimètres puis davantage. Je suis sur la paroi, à présent, avec ses minuscules jardins de lichen.

— Continue. Tu es presque en bas.

C'est Max qui m'appelle, bien sûr. Je me concentre, laisse peu à peu glisser mes mains, m'équilibre, fais de même avec mes pieds. Encore deux fois et ses mains m'enserrent la taille. Je halète sous le coup de l'exercice et de la peur.

— Tu es en sécurité, à présent. Regarde.

Étalé en contrebas, je vois le hameau en ruine éclairé en son centre du minuscule faisceau de lumignons comme un anneau de diamants dans un nid de pie tandis que bien plus bas s'étend Megalo Chorio. Plus loin, le cordeau clairsemé des lumières suspendues à des câbles danse au vent sur le front de mer un peu vacillant. Derrière, les maisons irradient un éclat poudreux. Il fera bientôt nuit.

Mes lèvres s'entrouvrent en un sourire, une bouffée de chaleur m'envahit la poitrine et la gorge.

Je ne suis pas tombée.

J'aime cette île exquise et les rythmes tranquilles de son mode de vie. J'aime l'odeur de la boutique et la nourriture simple et délicieuse que je peux manger sans compter, j'aime jouer à la chasse à la souris avec les deux enfants. À présent Max est là et le sentiment de plénitude que j'éprouve est plus que de l'amour.

Je mesure et soupèse la valeur et l'effet de tout cela ; j'en chéris la réalisation au-dedans de moi – c'est le bonheur. À l'opposé, un creux au lieu d'un plein, un vulgaire métal au lieu de l'or, il y a ce que j'ai vécu depuis la mort de Marcus. Toujours, jusqu'à ce qu'Andreas m'amène à Halemni. Mon étoile directrice, quelle qu'en fût la nature.

À l'entrée du village je discerne à peine les lumières de la maison du potier.

— Qu'en est-il d'Olivia ?

— Olivia ?

Il ne veut pas répondre à la question. Mais elle fait partie de l'équation, elle en constitue peut-être l'inconnue. Parce qu'elle forme une passerelle entre Max et moi. Sa sœur, mon reflet inversé.

— Vas-tu – allons-nous – lui dire ce qui se passe ?

Je veux qu'elle sache et soit en quelque sorte associée, mais je le redoute aussi. Pourquoi ? Parce que je suis jalouse d'elle ?

J'étais jalouse de l'existence d'Olivia, je pense. Je ne le suis plus.

Max m'a pris la main pour me guider sur la pente raide. Des buissons épineux me griffent les chevilles.

— Je ne crois pas que nous devions dire quoi que ce soit à quiconque. À mon avis, ils sauront tout ce qui s'est passé rien qu'à nous voir.

Il a raison, bien sûr. Je regarde vers l'avant, au bas de la colline, vers les lumières du village et laisse la loi de la pesanteur jouer son rôle si bien que nous survolons les buissons, courons et sautons en faisant rouler les pierres et la terre sous nos pas.

Olivia retourna la pâte sur la planche, la roula en boule, la tourna encore, l'aplatit et ainsi de suite. Contrairement à ce qui se passait d'habitude, le contact frais et élastique entre ses doigts ne lui procurait pas un grand plaisir.

Il faisait presque nuit dehors mais elle sortit sur la terrasse pour jeter un coup d'œil. La colline formait une ligne sombre sur le ciel pâle où le château se détachait comme un découpage de papier noir. On ne voyait rien, personne ne bougeait. Le contraire eût été surprenant, sur Halemni en plein hiver.

— Il est presque l'heure que les enfants rentrent à la maison, dit-elle.

Xan était installé dans l'un des fauteuils voisins de l'âtre, mais aucun feu n'y brûlait car ils économisaient le bois pour Noël. Pour compenser, tous deux avaient enfilé un pull supplémentaire ; elle n'arrêtait pas de retrousser les manches du sien pour empêcher que les extrémités ne fussent souillées de pâte à pain. Un bandage recouvrait son avant-bras et la blessure consécutive à sa chute au retour de la fête de saint Pandelios : sa manche s'y accrochait sans cesse. D'ailleurs cette blessure était une entaille courte et profonde qui ne cicatrisait pas bien. Olivia se dit qu'il faudrait peut-être demander à Anna Efemia de refaire le pansement.

Xan fermait les yeux en écoutant de la musique avec un casque : il ne semblait pas l'avoir entendue parler.

Jadis, et même tout récemment, elle aurait manifesté son désir d'écouter elle aussi ne serait-ce que pour partager la musique avec lui, mais à présent elle était heureuse de ces intervalles de paix et de silence. Elle n'était même pas curieuse de savoir quel morceau l'absorbait à ce point. Elle finit de pétrir la pâte et la plaça dans un bol recouvert d'un linge. Puis elle trancha quelques aubergines pour le dîner, les sala et les laissa dégorger dans un plat rainuré.

Xan ou elle allait devoir chercher les enfants chez Meroula. Ils auraient facilement pu parcourir la courte distance les séparant de la maison mais il arrivait souvent que Meroula oublie ou ne se soucie pas de les renvoyer à l'heure pour le dîner. Elle ne téléphonait pas non plus. Le téléphone était réservé aux affaires ou aux urgences ; on transmettait tous les autres messages en personne à Megalo Chorio, avec la plupart du temps une tasse de *metrio*[*].

Ses pensées allaient à l'Angleterre. Si elle avait vécu à Londres, ou dans une ville ayant un marché ou encore un village prospère avec des cytises dans le jardin et des canards dans une mare, elle aurait sans doute fait partie d'un réseau informel de mères reliées par le téléphone, de brefs trajets en voiture et le partage tacite des tâches. Rien de tel sur l'île et c'était peut-être ce qui expliquait qu'elle se fût tant rapprochée de Kitty. Celle-ci n'était pas mère de famille, elle était souvent bizarre et impénétrable, mais elle était tout de même familière. Elle connaissait l'Angleterre, les mœurs anglaises et les rythmes ayant marqué son enfance car elle les avait vécus. À en juger du moins par les quelques détails que Kitty lui avait donnés, ils avaient l'air exactement semblables.

* Café grec sucré.

Il était étrange qu'Olivia eût essayé d'échapper jeune femme à toutes ces limites ; pourtant, aujourd'hui, elle se mettait à songer avec nostalgie à la vie qui aurait pu être la sienne. Elle se sentait solitaire, c'était vrai, aspirait aux conversations et à l'intimité féminines : l'arrivée de Kitty avait dissipé cette solitude. Mais aujourd'hui que Max était là, les voir ensemble l'emplissait de jalousie.

Ou était-ce le fait de vieillir ? Un sourire amer lui tordit la bouche. On se mettait à souhaiter ce qu'on aurait pu avoir et ce qu'on avait en réalité paraissait moins simple et exploitable que par le passé. Elle était lasse, et les chemins séduisants qui avaient autrefois abondé autour d'elle semblaient se perdre dans les sables arides.

Dans ce cas, elle vieillissait trop vite.

Elle ôta le linge posé sur le bol pour vérifier la pâte. La coupure de son bras la lançait un peu.

Elle se raisonna : elle devait cesser de penser ainsi. Rien n'avait changé, en réalité. C'était un étrange hiver. La présence de Kitty perturbait l'équilibre, elle s'inquiétait pour Max et Hattie. Elle ne voulait pas spéculer sur ce qui pourrait arriver entre Max et Kitty, même s'il lui était impossible de ne pas en être obsédée. Les images lui traversaient l'esprit comme des poissons dans l'eau trouble.

— Xan ?

Il ouvrit les yeux et ôta le casque.

— Xan, il faut que l'un de nous aille chercher les garçons chez Meroula.

Pour toute réponse, il passa le bras autour de sa cuisse et tenta de l'attirer vers lui.

— Arrête.

Il laissa aussitôt retomber son bras.

— Pourquoi es-tu si irritable, ces temps-ci ?

Ils entendirent le cliquetis du loquet de la porte d'entrée et la course des enfants dans le vestibule. Une autre voix les escortait. Celle de Christopher.

Olivia fit un pas en arrière.

— Je ne suis pas irritable. En tout cas, ce n'est pas volontaire.

La porte de la cuisine s'ouvrit bruyamment et Georgi et Theo entrèrent. Le visage de Christopher pointa derrière le chambranle, après la mèche de cheveux blond et roux.

— J'ai apporté à Meroula un peu de poisson de la part de Panagiotis. Elle les expédiait juste à la maison.

Olivia hocha la tête. C'était habituel, c'était la manière dont Halemni marchait cet hiver. Les gens déposaient des choses, s'attardaient pour parler, raccompagnaient quelqu'un chez le voisin pour poursuivre la conversation. Un infime sentiment de claustrophobie la démangeait. Ce serait un soulagement bienvenu de jouir d'un peu d'anonymat ou de pouvoir choisir qui entrait et passait chez vous !

— Merci, Christo.

Xan se hissa enfin hors de son fauteuil. Il fit mine de lutter et boxer brièvement avec ses fils.

— Un verre, Christopher ?

Le peintre jeta un coup d'œil rapide à Olivia, redressa sa mèche.

— Un petit verre.

Theo était allé droit à la porte de la terrasse d'où il pouvait voir le studio de Kitty. Pas de lumière.

— Où est Kitty ? demanda Georgi.

— Elle est sortie se promener avec Max.

— Oh, je voulais qu'elle joue avec moi.

Les deux enfants semblaient déçus. Olivia écarta son couteau et sa planche à trancher. Le dîner pouvait attendre un peu.

— Je vais jouer avec vous. Que voulez-vous ? Une partie de trictrac ?

— Tu ne joues pas bien, dit son fils aîné.

C'était d'ailleurs vrai. Elle n'y était pas bonne.

— Un Monopoly, alors ?

Elle prit un ton persuasif pour cacher son trouble et son irritation. Pourquoi ses enfants voulaient-ils jouer avec Kitty et pas avec elle ?

— D'accord.

Les enfants s'assirent à un bout de la table et Olivia alla chercher le jeu. Christopher approcha avec son verre de vin rouge pour s'installer sur la chaise voisine d'Olivia, Xan bâilla puis se dirigea aussi lentement vers eux. Il alluma quelques bougies, se pencha brièvement sur l'épaule de Georgi puis se laissa convaincre par ses fils de les rejoindre. Ils avaient déjà joué tous les cinq comme cela ; Olivia lutta contre le sentiment que les choses étaient différentes, cette fois, qu'il n'y avait plus de spontanéité dans leur attitude. Elle s'entendit bavarder d'une voix claire tandis que le dé roulait et qu'elle déplaçait son petit pion en forme de chaussure d'argent sur le plateau de jeu. Les enfants se partageaient la voiture de course. Cette fois elle était à Theo. Il appuya le menton sur la table pour mettre la voiture au niveau de son œil et fit des petits bruits de moteur en attendant son tour. Il poussa la voiture du doigt et Georgi l'accusa aussitôt de tricher.

— Mais non, il joue, c'est tout, dit leur mère.

Xan se versa du vin ainsi qu'à Christopher.

— Et moi, je n'ai droit à rien ? lança sèchement sa femme.

— D'habitude tu n'en veux pas, fit Xan en haussant les épaules.

— D'habitude, répéta-t-elle.

Tout était encore habituel. Mais si les choses avaient été faciles, elles ne l'étaient plus, comme si un courant d'air froid avait envahi la pièce faisant se hérisser ses poils sous ses vêtements. Le contraste lui donnait le vertige, la nausée : elle avala une longue gorgée de vin, en manière de défi, quand Xan lui eut rempli son verre. Christopher se détourna pour la regarder, elle sentit son mouvement derrière elle, mais ne quitta pas des yeux le plateau du Monopoly.

La nuit était noire quand ils entendirent Kitty et Max à la porte. Elle riait, à gorge déployée, et ce rire remplissait le vestibule.

Olivia se leva à moitié puis se laissa retomber sur son siège. Georgi déposa le gobelet à dés tandis que Theo détournait les yeux de la voiture de course.

La porte s'ouvrit et ils entrèrent.

Les trois adultes comprirent instantanément. Les mains de Max et de Kitty se touchaient presque, mais pas tout à fait. À la lumière de leurs visages, à l'électricité les entourant, ils auraient pu être collés l'un à l'autre. Il y eut un silence.

Georgi le rompit en quittant la table et en s'élançant vers Kitty.

— Viens jouer, l'implora-t-il.

Xan quitta nonchalamment sa chaise pour saisir deux autres verres.

— Prenez un verre, dit-il froidement.

Tous deux restèrent debout. Olivia serra les poings sur son bas-ventre.

C'était impossible, intenable que cette inconnue pût entrer dans sa vie et en prendre possession. L'influence de Kitty paraissait s'insinuer partout, sur ses enfants, sur Christopher et maintenant même sur Max, alors que celui-ci lui appartenait. Du plus loin qu'elle se souvenait il avait été là, son aide et son soutien.

Kitty ne pouvait pas l'avoir, pas comme amant, c'était impossible. Un tel lien serait plus étroit que le sien ; pourquoi Kitty Fisher jouirait-elle de ce privilège ?

Elle regarda Xan, son solide mari, si accommodant et paresseux. Il était le prochain sur la liste. Kitty le subvertirait aussi, si ce n'était déjà fait. *Pourquoi es-tu si irritable ces temps-ci ?* lui avait-il demandé. « Ces temps-ci » renvoyait à la présence de Kitty, n'est-ce pas ? Et pourtant cette possibilité elle-même était moins redoutable que la certitude qu'elle se fût emparée de Max. Leurs visages arboraient un ravissement et une incrédulité identiques.

La rage et la jalousie jaillirent en Olivia et envahirent tous ses membres. Elle serra les poings sous la table.

— Viens jouer…

Theo tirait sur la main de Kitty.

— Eh bien…

D'une voix froide, tout à fait différente de sa voix habituelle, Olivia lança :

— Nous jouons en famille.

Les mots s'abattirent dans le silence. Kitty battit en retraite, saisit le loquet.

— Je comprends. Bien sûr. Une autre fois, Theo. Bonne nuit à tous.

La porte se referma derrière elle.

Christopher se leva lui aussi.

— Je pense que cela m'exclut moi aussi.

— Tu fais partie de la famille, lâcha Olivia. Bien entendu.

— Malgré tout, je pense que je vais rentrer. Merci pour le verre.

Olivia repoussa le plateau de jeu. Sa bouche la brûlait mais le reste de son corps était froid. Elle se leva et alla chercher le plat d'aubergines pour continuer à préparer le dîner, tâcher de revenir au cours ordinaire des choses.

Mais Xan s'était levé, l'avait suivie et la retourna face à lui.

— Ne fais plus jamais ça sous mon toit, dit-il en grec et à voix basse de façon que Max ne puisse le comprendre.

Elle savait avoir rompu les règles de l'hospitalité, le pire crime que puisse commettre une épouse grecque, après l'infidélité. Le défi se ralluma en elle.

— Ne me dis pas ce que j'ai à faire.

Cette simple réplique la fit se souvenir de l'allure du monde avant Xan. Elle déposa l'assiette d'aubergines.

— Tu peux te faire ton dîner, Xan, et celui de tes enfants. Je sors. Je veux parler avec mon frère.

Xan en resta bouche bée. Max avait à peine bougé depuis son entrée dans la pièce. Il avait tout entendu mais sans mot dire. Sa sœur attrapa son manteau au portemanteau et s'en couvrit les épaules.

— Viens Max, on va au café.

— Maman, geignit Theo.

— Papa va te faire un bon dîner, l'interrompit-elle bien que Xan ne sût rien faire d'autre que le café.

Il avait transféré sa dépendance domestique directement de Meroula à sa femme.

— L'oncle Max et moi te verrons plus tard.

Une minute plus tard, Olivia et Max traversaient la place. Elle s'empara du bras de son frère et ils descendirent la colline. Elle voulait s'excuser, gommer la colère de ses mots.

— Je suis désolée, je suis jalouse de Kitty.

— Je comprends, répondit son frère simplement.

Rien n'était changé. Ils se comprenaient vraiment, sans rancœur ni difficulté.

— Je savais que tu le serais. Mais tu as fait une vraie scène, Ovvy.

Ovvy, c'est comme ça qu'il l'appelait quand ils étaient tout petits, faute de bien prononcer Olivia.

— Je suis désolée.

— Ça ressemblait à la vieille Ovvy.

— Une emmerdeuse de première ?

Max se mit à rire.

— Xan a au moins ce mérite, ma chérie. Il t'a dressée.

— En me rendant heureuse, admit-elle.

Sur la digue, la taverne se détachait dans le noir comme un phare avec son fil d'ampoules électriques suspendu aux barres des auvents d'été. Les fenêtres ouvrant sur la mer étaient embuées si bien qu'ils ne pouvaient regarder à l'intérieur et voir qui était là.

— Viens, dit-elle en poussant la porte.

Une douzaine de visages se levèrent pour la regarder.

Ce n'était pas que les femmes fussent interdites, ni même mal accueillies. On ne les attendait pas, tout simplement, en hiver, quand les hommes se réunissaient après la pêche. Ou au lieu d'aller pêcher. Olivia les connaissait tous, bien sûr – Panagiotis et son frère, Yannis et son père et tous les autres. Ils la fixèrent une seconde en silence avant de la saluer en hochant la tête et de revenir à leurs cartes ou à leur trictrac.

Le comptoir, dans le coin, était habillé de zinc, souillé de flaques et encombré de bouteilles. Il y avait une vieille machine à café, un meuble en verre renfermant des pâtisseries peu appétissantes, des rangées de tasses et de verres. Le barman, un cousin de Panagiotis, se leva de la table voisine, où se jouait une main complexe qui captivait l'attention de tous. D'un coup de menton, il invita les nouveaux venus à passer commande. Olivia demanda un verre de vin et Max une bière.

Munis de leurs verres poisseux, ils gagnèrent une table voisine de la fenêtre. Des voilages grossiers et de pâles géraniums étiques masquaient la moitié inférieure de la vitre tandis que la condensation formait de grosses gouttes au-dessus. Ils tirèrent leurs chaises et s'installèrent de part et d'autre d'une planche de contreplaqué gondolée. Les deux vieilles machines à sous à côté d'eux étaient silencieuses, mais une télévision juchée sur une étagère dans le coin retransmettait un match de football italien.

Elle ouvrit la bouche pour parler mais ses mots furent noyés par un hurlement de triomphe et les imprécations bruyantes des deux équipes de joueurs de cartes.

Quand ils purent s'entendre à nouveau, Max posa la main sur celle de sa sœur.

— Tu disais ?

— Juste que je m'excuse.

— D'avoir été impolie à l'égard de Kitty ou d'en être jalouse ?

Un nouveau hurlement s'accompagna de grands coups sur les tables. Les joueurs de trictrac vinrent voir ce qui se passait et Yannis se versa un autre verre de raki.

Olivia prit la main de son frère entre les siennes.

— J'aimerais ne pas avoir été grossière. Xan est fâché après moi.

Max hocha la tête.

— Mais j'ai revu en un éclair la pure Ovvy d'autrefois. D'avant ta venue ici.

Ils regardèrent autour d'eux.

— Crois-tu vraiment que Xan m'ait domptée ?

— En te rendant heureuse, lui rappela-t-il.

Elle but une gorgée de vin. Il était bon et goûteux, le meilleur du cru. Les hommes prenaient bien soin d'eux.

— Alors. Qu'est-ce qui s'est passé ?

— Quand ?

— Tu sais quand.

Les joueurs de trictrac avaient repris leur place, à l'exception de deux clients qui regardaient un penalty à la télé.

Max se pinça l'arête du nez. Il semblait las.

— D'accord. Nous savons tous les deux ce qui s'est passé.

Elle se rétracta.

— Je n'arrive pas à l'imaginer.

— Alors ne l'imagine pas. Pense à autre chose. Tu n'es peut-être pas la seule qui soit jalouse. Tu es chez toi, ici, avec Xan, et tu ne m'appartiens plus comme autrefois.

Leurs yeux se croisèrent, prudemment.

— Te souviens-tu de nos jeux ? lui demanda-t-elle.

Il y en avait un appelé le jeu des adultes. L'un d'eux jouait la femme et l'autre le mari – un plus petit mari, plus malléable et sûr que leur modèle de la vie réelle. Ils jouaient beaucoup à faire les courses, à la dînette, et aller à la bibliothèque. C'était un univers rassurant que celui qu'ils construisaient, où les épouses n'attendaient pas les maris en pleurant et où personne ne se disputait ni n'élevait la voix. Ils devaient avoir lui cinq ou six ans, elle sept ou huit. À peu près l'âge de Theo et Georgi aujourd'hui, se dit-elle.

— Oui, je m'en souviens, répondit son frère.

Ils jouaient au mariage aussi, en drapant la mariée de déguisements et en la chaussant des talons aiguilles de leur mère. Le costume du marié consistait en une casquette à visière de chauffeur d'autobus. Ils intervertissaient les rôles très régulièrement.

— C'est l'une des raisons pour lesquelles je suis venu ici, poursuivit-il. Hattie et moi nous disputions trop. Je ne voulais pas que nos filles connaissent les mêmes atroces batailles domestiques que nous.

Olivia se revit étendue sur son lit, lors d'une soirée d'été où les rideaux tirés estompaient à peine la vive clarté du jour. La pièce était étouffante. Elle avait l'impression que ses genoux et ses coudes étaient bloqués et que son estomac était vissé sur le matelas. La voix de son père était sonore, exaspérée, celle de sa mère aiguë, perçante, larmoyante. Le sujet, supposa-t-elle quand elle fut assez âgée pour interpréter son souvenir, devait être le sempiternel ping-pong d'accusation et de dénégation. Les autres femmes, l'échec de leur foyer et la sauvegarde des apparences à l'extérieur.

À l'époque, elle n'avait aucune idée de tout cela. Elle s'était forcée à se lever et à descendre à pas de loup.

— Va-t'en, retourne au lit.

Le visage de son père était tout à la fois marbré de rouge et livide.

Sa mère, ratatinée sur elle-même dans un coin du sofa, n'avait pas tendu les bras vers elle pour la rassurer.

— Oui, va, Maman et Papa sont…

— Incompatibles.

Elle entendait encore résonner le mot qu'il avait marmonné. Elle en ignorait le sens à l'époque et avait battu en retraite.

L'une des raisons pour lesquelles elle avait si facilement aimé Xan, c'était qu'il lui offrait un mode de vie différent. Pas de routine citadine, pas de train de banlieue pour se rendre au bureau, pas tous ces petits moyens anglais de torture mutuelle. C'était ce à quoi elle avait échappé.

Et pourtant, et pourtant…

Cet après-midi encore, elle regrettait les Volvo et les cytises. Du reste, Xan et elle étaient-ils aussi heureux sur leur île qu'elle avait toujours eu besoin de le croire ? Elle ferma les yeux un instant et tenta de remettre ses idées en place.

— Nous avons eu une enfance heureuse, intervint son frère en entourant cette contre-vérité des mêmes guillemets invisibles qu'employait Olivia lorsqu'elle donnait à Kitty son nom complet.

Et pourtant elle n'avait pas été malheureuse. Ils s'étaient tenu compagnie. Il y avait eu des cadeaux de Noël, des vacances d'été et des sorties de week-end. Un cousin du côté paternel avait une grande maison à la campagne, avec de beaux jardins, des terrasses et un court de tennis où ils avaient souvent joué. Ces après-midi d'été ressemblaient à de longs halliers scintillants d'ombre verte.

Leurs parents étaient restés mariés et l'étaient encore aujourd'hui. Après que leurs enfants étaient partis de la maison, ils avaient quitté la banlieue et s'étaient installés dans une maison en pleine campagne. Olivia revoyait la manière dont son père s'était étiolé lorsqu'il avait perdu son travail et ses maîtresses. Il s'était comme dégonflé. Sa voix sonore s'était muée en un sifflement douloureux, son aplomb en geignardise. Sa femme était devenue un noyau de colère dans une coquille d'indifférence. Tout ce qu'il faisait l'irritait, depuis sa manière de plier le journal jusqu'au bruit de sa mastication quand il croquait dans son pain grillé au petit déjeuner. Mais ils étaient enfermés dans leur maison de contrariété et seule la mort leur en ouvrirait la porte.

— Oh Seigneur ! dit-elle.

Elle avait la tête lourde comme au début d'une grippe et son bras lui faisait toujours mal. Le café était complètement enfumé, tout le monde devait allumer cigarette sur cigarette.

Max n'essaya pas de blaguer ou de deviner ses pensées. Il fit signe au cousin de Panagiotis pour lui commander deux autres verres et attendit.

— Je sais que Xan, les enfants et Halemni peuvent sembler m'importer davantage que toi, dit-elle en pesant ses mots. Je les aime comme j'aime ce lieu. Tu sais que c'est vrai, comme pour toi vis-à-vis de Hattie et des filles. Mais tu habites une partie différente de mon être, qui ne s'altérera jamais et ne le pourrait pas.

Elle laissa le serveur poser deux autres verres pas très nets devant eux, et reprit :

— Vas-tu tomber amoureux de Kitty ?

Elle redoutait l'intrusion de Kitty bien davantage qu'elle avait jamais redouté celle de sa belle-sœur.

À nouveau, les cris redoublèrent. Cette fois on se disputait. Yannis jeta ses cartes sur la table et la quitta. Il se dirigea vers la machine à sous et y fourra plusieurs pièces tandis que les récriminations faisaient rage derrière lui. Olivia et Max se recroquevillèrent dans son ombre.

— J'essaie de dire la vérité, dit Max au bout d'un moment. Je ne crois pas que la question se pose en ces termes. Je crois que c'est déjà un fait. Je n'ai jamais connu personne comme elle. Sauf toi, peut-être.

La machine recracha à contrecœur quelques pièces en réponse aux coups de levier administrés par Yannis. Il les y réintroduisit derechef, en marmonnant.

— Je vois, fit-elle d'un ton lugubre.

— J'aimerais pouvoir en dire autant.

Ils se regardaient sans bouger, tandis que les bruits du café enflaient autour d'eux.

— Et que vas-tu faire ?

Ils avaient souvent eu ce genre de discussions, émaillées de questions sur leurs projets et leurs intentions et ce lien était resté solide à travers les appels téléphoniques longue distance, les mois, voire les années de séparation physique. Aujourd'hui l'équilibre était différent, beaucoup moins confortable, et ils le redoutaient tous deux.

Max posa les mains bien à plat sur la table comme pour dire qu'il n'entendait rien cacher.

— Je resterai encore un peu. Pour passer Noël avec vous, comme prévu, si c'est possible.

C'était un Noël anglais, comme Olivia aimait le fêter pour ses enfants. Le Noël du calendrier orthodoxe tombait début janvier et l'on n'en faisait pas grand cas sur Halemni. La plus grande fête était celle de saint Pandelios.

Elle attendait, son verre à nouveau vide, mais Max ne semblait pas vouloir dire autre chose. La pile de pièces de Yannis avait disparu : il se détourna de la machine pour regagner la table en traînant les pieds et réintégra la partie comme si de rien n'était.

Je peux m'opposer à Kitty et perdre Max malgré tout, pensait Olivia avec désespoir. Il y avait toutes les chances que tel soit le résultat. Ou je peux essayer de traverser ce qui s'éteindra peut-être comme un feu de paille, Max retrouvera Hattie comme il convient. Il n'est là que depuis une semaine. Ils ne sont passés à l'acte qu'aujourd'hui. On a simplement l'impression que cela remonte à beaucoup plus longtemps.

D'ailleurs, bien qu'elle fût jalouse, méfiante et qu'elle lui en voulût, elle ne souhaitait pas non plus rompre les ponts avec Kitty. Elle l'avait dans la peau. Elle aspira une bouffée d'air et se rendit compte qu'elle avait mal à la poitrine. Elle ne pouvait que se soumettre à ce qui échappait à sa volonté, en tout cas.

— Un autre ?

— Absolument.

Elle glissa la main dans la poche de son jean et en sortit un peu de monnaie. Peut-être décrocherait-elle le gros lot de la machine à sous.

Il était tard quand ils remontèrent la rue d'un pas incertain. Ils étaient les deux derniers clients, à l'exception de Yannis, endormi la tête sur ses bras croisés.

— Te souviens-tu, bredouilla-t-elle, de la casquette du chauffeur d'autobus ?

— Et des chaussures à talons aiguilles ! Mes préférées. Je me demande où elles sont passées.

— Tu veux dire qu'on pourrait en avoir besoin ?

— On ne sait jamais.

Ils passèrent le seuil en trébuchant. Sur la table de la cuisine, les enfants avaient laissé des dessins à son intention, signés en bas des feuilles de leur nom et de rangées de baisers. C'était si inhabituel qu'elle sorte le soir et manque l'heure de leur coucher !

Elle s'essuya les lèvres du dos de la main. Des larmes d'ivresse lui brûlaient les yeux.

— Je vais me coucher, chuchota-t-elle.

Max l'enlaça.

— Je suis toujours là.

— C'est vrai.

Une fois dans sa chambre, elle tenta de ne pas faire de bruit mais elle n'arrêtait pas de heurter les meubles. Xan soupira.

— Ça va. Je suis réveillé.

Elle se glissa sous les draps, toute refroidie de s'être déshabillée dans la pièce glacée et il l'entoura de ses bras.

— Pardonne-moi, murmura-t-elle.

— Combien de verres as-tu bus ?

— Beaucoup.

— Je t'aime, lui susurra-t-il à l'oreille.

Sa main glissa sur ses seins et sur son ventre.

— C'est bien. Je suis fatiguée, maintenant.

Elle s'endormit presque aussitôt, la bouche entrouverte sur la toison drue de sa poitrine.

Xan avait toujours les mains sur elle et il la trouvait changée. Elle était plus mince, il sentait les arêtes et les rondeurs des os sous la peau. Elle avait une odeur un peu fétide, aussi, inhabituelle, comme si elle faisait un accès de fièvre. Voilà à quoi devait ressembler le corps de Kitty au lit, songea-t-il. Il s'abandonna quelques secondes à ce fantasme, puis le repoussa.

13.

Le temps que nous passons ensemble est précieux : j'ai déjà le pressentiment qu'il sera trop bref. Ce n'était pas comme cela avec Peter, quand nos vies semblaient s'étirer à l'infini devant nous. Cette fois, chaque minute doit être chérie et je sais qu'il faut y faire entrer tant de choses !

Un soir, alors que nous sommes dans mon petit studio, j'annonce brusquement à Max :

— Voilà ce qui s'est passé. Je veux que tu le saches.

C'était un après-midi d'été. J'avais sept ans et mon frère Marcus cinq : nous jouions ensemble dans un beau jardin. Il y avait de grands arbres qui jetaient d'épaisses ombres vertes et profondes, séparées par des îles lumineuses et translucides. Il y avait des marches de pierre usées par les pas, aux creux pleins du souvenir de petites mares évaporées ; il y avait l'odeur de la lavande et le roucoulement des tourterelles des bois.

Ou c'est peut-être ma mémoire qui embellit en surchargeant la période d'*avant* des détails nécessairement doux d'un monde sur le point d'exploser. Juste parce que la période d'*après* fut tellement dépourvue de toute beauté gratuite.

Outre les arbres et les bordures de fleurs, il y avait des statues dans le jardin et ces statues me fascinaient depuis toujours. Chaque fois que nous rendions visite à la famille qui possédait la maison, je demandais l'autorisation d'aller admirer les animaux de pierre. Il y avait les têtes massives de bêtes étranges, juchées sur des colonnes de pierre nervurée. Je me rappelle un cheval à la crinière bouclée si ressemblante que j'essayais d'enrouler les boucles pétrifiées autour de mes doigts. Il y avait un lion à la gueule rugissante, une licorne, un chien étrange à la langue fourchue et mon préféré, un griffon. J'ignorais du reste son nom et j'aimais seulement sa tête cruelle avec son bec incurvé et ses yeux fixes, les puissantes épaules félines qui ne correspondaient pas, chose fascinante, à la tête d'oiseau. L'un de mes premiers souvenirs est d'avoir été portée dans les bras de quelque adulte pour en caresser le cou emplumé.

Mais c'est peut-être un autre tour que me joue mon esprit.

En ce jour d'été, je savais avoir beaucoup grandi depuis notre dernière visite.

— Tu es une grande fille, me dirent les cousins adultes.

— Marcus aussi a poussé, ajoutèrent-ils.

Je me tenais sur la pointe des pieds, consciente de ma taille et de ma force, et de ma capacité à voir et à saisir des choses tout à fait hors d'atteinte de mon petit frère. Une fois qu'on nous eut admirés et félicités, cependant, on ne fit plus attention à nous. Les adultes conversaient dans un salon aux meubles recouverts de velours, ouvert sur une terrasse. Je voulus sortir jouer dans le jardin.

— Emmène Marcus avec toi, dit mon père.

— Ne grimpe pas sur les statues, m'avertit ma mère.

Je sais que là-dessus ma mémoire ne me joue pas de tour. Je sais que ces mots furent prononcés, légèrement, même distraitement, mais prononcés. Je les entends encore, même si rétrospectivement leur faible intonation d'inquiétude s'est amplifiée en un grondement tonitruant.

Le soleil tapait fort sur ma tête quand je m'échappai dehors. La soudaine luminosité me fit cligner les yeux. Marcus trottait à côté de moi et nous allâmes droit au griffon.

Je vais l'enfourcher, c'est mon cheval volant.

Puis-je jouer ? Qu'est-ce que je serais ?

Tu peux être le palefrenier.

J'escaladai la colonne, griffant le cuir de mes nouvelles sandales sur les nervures de la pierre. J'atteignis le sommet et m'y cramponnai, accrochant les genoux autour des épaules de la bête.

C'était mon destrier magique. Nous allions voler ou galoper sur ses pattes massives, à travers les profondeurs ombreuses et les îles ensoleillées. Nous décollerions dans l'air d'été pour découvrir ensemble de nouveaux mondes.

Mon imagination me donnait plus de poids. Je dansais sur mon destrier de pierre, ce qui le fit danser aussi. La colonne frémit et menaça de céder sur sa base ; ressentant ces tremblements, je remuai encore plus, prise dans mon vol imaginaire. Au pied de la colonne, Marcus tenait fidèlement une bride imaginaire.

Ma mémoire ne démêle plus si le hurlement se produisit avant ou au moment précis où la colonne s'effondra.

Je l'entendis, sentis la pierre bouger et m'immobilisai en agrippant des mains le bec de l'oiseau pour le tenir droit. Mais nous décrivions déjà un arc dans l'air bleu. Mes pieds étaient passés par-dessus ma tête et les arbres tournoyaient entre mes jambes et le ciel. Je fus projetée et mon visage frappa l'herbe. J'entendis un bruit sourd et spongieux derrière moi, le bruit terrible d'un poids lourd frappant une matière douce et sans résistance.

Je me rappelle le hurlement, ce qu'il eut d'interminable, une note aiguë de terreur pure qui déchira l'après-midi somnolent. Il me brûla le cerveau, y resta et y restera à jamais.

Je me redressai, croyant que le hurlement de ma mère me concernait. J'étais saine et sauve, hésitant à pleurer ou non. Puis tout le monde arriva en courant, non pas vers moi mais vers Marcus. Il gisait inanimé sous la colonne. Sa tête était cachée en dessous mais je voyais ses jambes nues et pâles, ses pieds de travers chaussés des mêmes sandales que moi, dans une taille plus petite. Mon père et deux autres messieurs s'efforçaient de dégager le poids de son petit corps. Ma mère se tenait à côté, immobile, les mains plaquées sur sa bouche. Et son cri résonnait dans ma tête, sans répit.

Lorsqu'ils eurent soulevé la colonne, mus par la force du désespoir, Marcus ne bougea pas plus qu'il ne se leva. Il gisait étendu. Je voyais qu'il y avait du sang sur sa tête et ses vêtements. Voix et gestes se mêlèrent, quelqu'un se rua vers la maison. Mais tous trois, Marcus, ma mère et moi, nous restions immobiles.

Ce long moment d'immobilité fut celui où tout bascula. L'histoire commença, le passé qu'on ne peut effacer et qui vous marque à jamais. Toute ma vie, dès ce jour, j'ai vécu avec la conscience de ma responsabilité dans la mort de mon frère.

Ces quelques minutes de jeu dans un jardin d'été projetèrent ma mère dans une spirale de chagrin dont elle ne se remit jamais.

La perte de leur enfant sépara définitivement mes parents, mon père quitta sa famille pour en fonder une autre, les beaux et les demis, avec Lesley.

Et moi, je devins celle que je suis. L'épouse de Peter Stafford, qui aspirait de tout son être à avoir un bébé et doutait de son aptitude à l'élever, dont le corps de toute façon refusait de retenir un enfant. Dunollie Mansions fut le refuge de mon existence rétrécie quasiment à ma seule respiration. Jusqu'à Lisa Kirk.

Tout cela me ramena à Branc et au tremblement de terre. Ces images de dévastation et du cadavre de Jim dans les décombres d'un bar d'hôtel ravivaient de manière si perçante cette autre image d'un corps écrasé.

Puis vint Andreas et avec lui la chaîne d'événements qui m'a amenée ici à Halemni, à Olivia et à Xan, à Max, à ce moment sur le promontoire.

Maintenant, tu sais, ce fut ce que j'entendis.

Je ne savais pas, je ne sais pas ce dont il s'agit, mais j'ai bien vu une chance d'échapper à mon histoire.

Kitty Fisher au présent, sans passé.

Sur cette île, avec ses rochers, ses buissons d'épines et cinq cents ans de ruines, je ne suis pas la femme qui a causé la mort de son frère. J'en suis une version, sans la tragédie, une proche parente, mais je ne suis pas elle.

Regarde.

Je suis négligée, pas maquillée, habillée n'importe comment. Je suis grosse et libre. J'ai choisi d'être heureuse. Je ressens mon sourire comme s'il appartenait à mon visage et à lui seul, même si les plis qu'il y creuse restent inhabituels.

Max me frotte les mains.

— Kitty, je suis heureux que tu me l'aies raconté. Cela m'aide à comprendre l'expression de tes yeux, le jour où je t'ai vue pour la première fois. Je ne peux imaginer ce que cela a dû être pour toi, de grandir à l'ombre d'un tel événement. Même si c'était un accident.

Il dit la même chose que Peter, la même chose que les très rares personnes auxquelles j'aie jamais parlé de Marcus et de moi.

— C'était dur, c'est sûr.

Je suis heureuse de le reconnaître, même si ces mots n'expriment rien de la réalité.

Mais quelque chose ne colle pas, ne va pas, me gêne. Si je voulais tant devenir une page blanche et vierge, pourquoi y avoir écrit cette histoire pour Max, entre tous les êtres ?

— En as-tu parlé à Olivia ? me demande-t-il.

Olivia ? Je réfléchis. Et je suis un peu surprise de me rappeler que je ne lui ai rien dit.

— Non. Mais je le ferai, un de ces jours.

Peut-être cette aptitude à parler révèle-t-elle une nouvelle force. J'ai raconté mon histoire à Max, directement, comme je ne l'avais jamais fait avant. Par le passé, elle ne m'avait échappé que par morceaux épars, pour la plupart arrachés par Peter. Et voici que je l'ai dite, offerte : il me sera possible de sortir de la nuit.

L'histoire, ce n'est pas les autres. C'est soi-même.

J'ai choisi de tout recommencer.

Nous sommes assis autour de la petite table, séparés par les assiettes et les plats vides. Nous avons bien bu et bien mangé ce soir, Max et moi. Ça fait des heures que les lumières sont éteintes dans la maison du potier. Megalo Chorio est dans la nuit complète. On dirait que nous sommes les deux seuls êtres éveillés au monde.

Nous nous levons et faisons les deux pas qui nous séparent du lit. Le studio est froid, comme toujours, et nous nous glissons sous les couvertures, dans les bras l'un de l'autre, sans nous déshabiller. La laine rêche et la flanelle nous frottent les joues, nos doigts se heurtent à la résistance de boutons rétifs.

Je trouvais agréable le sexe avec Peter, mais cela n'a rien à voir. Un sentiment d'urgence que je n'imaginais même pas et en même temps c'est naturel et sans hâte, avec une logique et un rythme tout à fait neufs. Les mots et les explications sont inutiles mais nous parlons tout de même, comme si nos mots pénétraient directement l'autre, presque sans la formalité d'une langue, plus proches du murmure de la mer. Cette rencontre, cette harmonie sont nouvelles pour tous les deux. Il n'y a rien à découvrir car nous semblons déjà tout connaître et désormais tout est là.

Puis nous nous endormons dans un méli-mélo de jambes, de pantalons et de sous-vêtements, et sombrons dans le sommeil.

Dans la maison du potier, l'arbre de Noël était toujours installé dans le vestibule. Ce n'était pas un vrai – il n'y avait pas de sapins sur Halemni, bien sûr, et certainement pas les rangées d'arbres coupés sur les trottoirs devant les épiceries de leur enfance.

C'était un rituel familial. Chaque année, Max et elle se rendaient avec leur mère chez M. Weekes, dans la grand-rue, pour choisir le sapin. Son choix provoquait toujours une polémique. Il voulait toujours le plus grand, qui n'était pas forcément le mieux proportionné. Parfois, les plus hauts avaient un vilain épi au sommet, que l'étoile des bergers elle-même ne parviendrait pas à cacher. Le meilleur arbre faisait peut-être trente centimètres de moins, mais il avait une belle forme, fourni à la base avec des branches bien effilées. Olivia finissait toujours par obtenir celui qu'elle voulait parce qu'elle défendait mieux son point de vue. M. Weekes attachait une étiquette à leur nom sur l'une des branches et leur père passait le chercher par la suite. Ce n'était pas le même jour, d'habitude, parce qu'il ne rentrait pas du travail à temps, mais le samedi suivant. Quelle douloureuse attente avant qu'il ne rapporte ce parfum excitant et ce sillage d'épines déjà mortes dans la maison ! Leur mère le suivait, aspirateur en main, en se plaignant du désordre.

L'arbre d'Olivia lui avait été envoyé de Londres par Celia quand Georgi était encore bébé. Il était fait d'un matériau synthétique épais, vert sombre, brillant, très ressemblant. Mais il était évidemment dépourvu de cette odeur vive de résine, et cela lui manquait. La tradition, chez les Georgiadis, était de le décorer la veille de Noël, bien que Xan ne s'y intéressât guère. Il avait peu de sympathie pour ce stupide folklore de forêt nordique païenne, comme il disait. Noël, pour lui, c'était soit la fête religieuse de Halemni, soit les barbecues brûlants des années passées en Australie. Mais il laissait Olivia installer son arbre et regardait ses fils qui arrangeaient la crèche de bois sculpté en dessous.

Toutefois, chaque année, il s'occupait de la guirlande lumineuse. C'était une vieille guirlande que ses parents avaient donnée à Olivia, les lampes étaient parfois rétives à l'alimentation électrique fluctuante de l'île. Mais Olivia aimait ces bougies de plastique jauni nanties de gouttelettes de fausse cire et leurs ampoules en forme de fines larmes transparentes. La boîte d'ampoules de rechange jadis envoyée d'Angleterre était vide, désormais. À la prochaine ampoule grillée, elle ne pourrait la remplacer. Pour le moment, en tout cas, toute la guirlande fonctionnait. Xan la posa sur le sol ; pour une fois, elle s'alluma dès qu'il la brancha.

Les enfants inspirèrent un grand coup devant le spectacle de cette lumière d'or qui illuminait tout le vestibule puis ils poussèrent un cri de plaisir. Surexcités et bruyants, ils se mirent à grimper et dévaler l'escalier, à trébucher sur les tapis en se pourchassant.

Les bougies étaient fixées aux branches synthétiques par de minuscules pinces de métal. Olivia les accrocha pendant que les enfants enroulaient les autres décorations. Celles-ci étaient simples, pour la plupart des étoiles et animaux en bois peints par les enfants et Christopher.

Lorsqu'ils eurent fini, Olivia se recula pour juger le résultat en fermant à demi les yeux. C'était beau. Il aurait presque pu s'agir de l'arbre de son enfance. Seul le parfum de résine manquait.

— Quand pourrons-nous installer nos chaussons ? demanda Georgi.

Il posait cette question, toutes les cinq minutes, depuis le début de la journée.

— Quand vous irez dormir, je te l'ai dit.

Elle leur avait fait un chausson de feutre rouge à chacun. Leurs cadeaux étaient simples, un jeu de construction en bois avec des outils pour Georgi, une petite pelleteuse pour Theo, quelques crayons de couleur, de la peinture, des livres et des bonbons. Ils n'étaient pas riches en jouets et leur attente vorace de ce qu'ils auraient au matin de Noël était presque incontrôlable. Il lui faudrait encore faire les paquets-cadeaux une fois qu'ils seraient enfin endormis.

Olivia alla chercher Xan qui avait battu en retraite pour lire sur la table de la cuisine.

— Viens voir. On a fini.

Il posa son livre et la suivit. Le dallage de pierre rendait le vestibule quasi polaire alors que la cuisine n'était que froide. Olivia se rapprocha de lui, s'efforçant d'oublier sa migraine et il lui entoura les épaules du bras.

— Joli.

Elle attendait davantage de lui, plus que ça. C'était un sentiment qu'elle ressentait souvent ces temps-ci.

— Passons-nous bientôt à table ? demanda Xan.

Elle se dégagea.

— Oui. Dès l'arrivée de Meroula.

Xan souleva Theo et le balança en l'air.

— Noël arrive ! hurlait l'enfant.

Il donna un coup de pied qui manqua de peu les branches du sapin.

— Attention. Tu vas le renverser, observa sèchement sa mère.

Tous trois se tournèrent vers elle. Ils avaient l'air absurdement semblables, avec leurs sourcils noirs identiques en accent circonflexe. Un fossé semblait s'être ouvert entre elle et eux trois et elle ignorait comment le retraverser ou même quelle était sa largeur. Xan reposa doucement son fils sur le sol.

— Tes cheveux différents te rendent différente. Et ton visage aussi, lui dit l'enfant.

— Mais non, ce n'est pas vrai. Pas vrai du tout.

Elle tendit les bras et le reprit à Xan. Il enserra sa taille entre ses petites jambes et se balança tandis qu'elle enfouissait le visage dans ses cheveux. Elle humait son odeur de bébé, de foin et de peau, et sentit des larmes d'amour protecteur lui picoter les yeux.

Georgi ne voulait pas rester en dehors. Il lui entoura la taille et la serra.

— Tu es toujours exactement la même, l'assura-t-il en posant la tête contre son ventre.

Theo lui paraissait incroyablement lourd mais elle ne pouvait imaginer de le reposer par terre. La chaleur de ses fils, leur énergie et leur vulnérabilité, la profondeur de son amour pour eux lui donnaient envie de pleurer et elle ne pouvait dissimuler ses larmes. Elle renifla tandis qu'elles dévalaient ses joues.

— Hé ! dit Xan, en lui adressant un sourire mal assuré.

Ils entendirent des pas sur le seuil et le coup de heurtoir de Meroula. Comme sa belle-mère pénétrait dans le vestibule, Olivia laissa Theo se tortiller par terre et s'essuya hâtivement les yeux. Elle embrassa la nouvelle venue, non sans remarquer la tension du corps sous les habits austères, l'ondulation stricte des cheveux gris fer, le regard méfiant.

— Entrez, Mère, lui dit-elle.

Car Meroula était une mère. Elle éprouvait pour Xan ce qu'Olivia éprouvait pour ses fils, ce qui aurait dû les unir davantage que leur âge ou leur culture différente ne les séparaient.

C'est Noël, se dit Olivia. Il fallait oublier sa fatigue, écarter la migraine, rassembler la famille. Le grec ou l'anglais n'avaient pas d'importance, pas plus que la jalousie à cause de Xan ou les disputes muettes sur la bonne manière d'élever les enfants. La famille elle-même, voilà ce qui était important.

Meroula lui décocha un regard étonné en réponse.

— Regardez ! dit-elle en montrant l'arbre.

— Noël arrive, l'oie engraisse, chantaient les enfants.

Olivia leur avait appris les chants et les comptines de Noël. Mais il n'y avait pas d'oies sur Halemni. Le volailler misanthrope engraissait quelques dindes et Olivia lui en achetait une chaque année.

— Ça a belle allure, commenta Meroula, les lèvres pincées.

— Entrez vous mettre au chaud. Laissez-moi vous donner un verre, dit Olivia.

Ce serait une soirée familiale. Ils se mettraient à table dès que Max arriverait ; il était allé à la taverne pour une bonne heure avec Yannis. Quant à Christopher, il avait prétendu, avec tact, être occupé ce soir-là, et Kitty était à la boutique. Les deux femmes s'étaient peu vues au cours des quelques jours qui avaient suivi l'escapade au château de Max et Kitty. Mais elles se verraient demain. Christopher comme Kitty étaient invités à passer le jour de Noël à la maison du potier.

Meroula s'assit dans le fauteuil confortable et prit le verre de vin que lui avait versé Olivia.

— Juste une gorgée, insista-t-elle comme d'habitude.

Olivia se mit à dresser la table et Xan rangea son livre.

Le claquement de la porte d'entrée et un courant d'air froid encore plus perçant les avertirent du retour de Max. Ils entendirent son cri de surprise.

— L'arbre. Il aime l'arbre, fit Georgi.

Il entra, gelé et apportant avec lui une odeur de fumée de cigarette et d'air confiné. Il avait aux yeux de sa sœur l'expression même du petit garçon de jadis, en retard pour le dîner, débordant d'excitation et de secrets. Il venait sans doute de quitter Kitty, pas Yannis et les autres. L'amour et la jalousie mêlés lui comprimaient douloureusement la poitrine.

Qu'est-ce qui *m'arrive* donc ? se dit-elle.

— Ovvy, ce doit être notre vieille guirlande électrique du temps jadis. La voir me ramène instantanément à Pelham Road.

C'était là, dans cette maison ordinaire, qu'ils avaient vécu leur enfance banlieusarde. L'arbre de Noël y occupait un coin de la pièce de devant, près du poste de télévision. D'ordinaire, ils mangeaient à la cuisine, sur une table en formica à rabats, mais pour Noël, les anniversaires et les célébrations ils utilisaient la salle à manger. Elle sentait la cire et le renfermé des pièces peu utilisées et Olivia se rappela soudain les intervalles de silence dans la conversation hachée, silence que le cliquetis des couverts ne comblait certainement pas.

Max fit le tour de la pièce. Il ne s'était absenté que deux heures mais il savait l'importance des formules de politesse sur Halemni. Il embrassa Meroula en donnant à son baiser un accent séducteur, ce qui incita la vieille femme à lui tapoter les cheveux. Il embrassa Olivia aussi, échangea de faux coups de poing avec les garçons et serra la main de Xan en souriant largement. Les deux hommes s'aimaient bien, semblant parfois partager une complicité virile, voire plus, une complicité familiale. Tout le monde prit place à table et Olivia commença à servir le repas. La conversation crépitait autour d'elle, en anglais par politesse à l'égard de Max. Xan et Max taquinaient les enfants : avaient-ils été assez sages pour mériter de manger ?

Olivia repoussa les aliments sur les bords de son assiette.

Où se trouvait Kitty, à cette heure ? Elle n'avait ni enfants ni famille autour d'elle. La jalousie était quelque chose de laid.

Malgré sa détermination à créer l'harmonie, la pièce se scindait, se subdivisait follement en clans qu'elle avait vus sans jamais vraiment les analyser jusqu'ici. Les mères et les non-mères. Les Grecs et les Anglais. Les enfants et les adultes, les hommes et les femmes, les frères et les amants, les mariés et les célibataires. Elle-même et Kitty. Kitty et elle-même.

Elle essayait de comprendre pourquoi Kitty la touchait tant. C'était une inconnue ici, elle était sortie du néant sans rien apporter avec elle. Pourtant, elle semblait avoir glissé une fine lame de menace au cœur de tout ce qu'Olivia chérissait le plus. Elle est trop proche. Nos moi séparés semblent se heurter, songeait-elle. Tout se passe comme si elle était moi ou voulait être moi, comme si nous nous battions pour occuper le même espace.

Je suis fiévreuse, se dit-elle. Je dois avoir la fièvre.

Tout était devenu si compliqué. La tension accentuait sa migraine, la transformait en une brèche irrégulière qui lui traversait le crâne et vibrait au-dessus d'un œil. Elle déposa son couteau et sa fourchette.

— Où est Kitty ?

Max se tourna vers elle. Il riait encore d'un mot de Xan sur Panagiotis.

— Avec Hélène, je crois.

Au moins, elle n'était pas toute seule dans son studio glacé.

Tout s'arrangerait. Elle arrangerait tout à nouveau. Elle finirait d'emballer les cadeaux et préparerait le déjeuner du lendemain.

Pour la première fois de sa vie, Olivia se sentit effrayée par la tâche qui l'attendait.

Meroula avait dévoré une grande platée. Elle considéra l'assiette intacte de sa belle-fille.

— Il faut manger, ma fille. Tu finiras par ressembler à Kitty.

Les garçons gloussèrent, les sourcils noirs de Xan s'arrondirent.

— Je ne crois pas, répliqua-t-elle avant de porter à sa bouche avec énergie un morceau de viande hachée. Elle mastiqua dur les bouts de nerf et parvint à les avaler. La nourriture avait un goût de caoutchouc sale.

Hélène et moi avons rangé la boutique. Du moins m'a-t-elle donné des instructions, assise derrière sa caisse rutilante.

Elle est énorme, comme un fruit qui va exploser. Le bébé doit naître dans deux semaines et dans quelques jours son mari et elle prendront le bateau pour Rhodes afin d'y attendre la naissance. C'est ce que font la plupart des jeunes femmes de l'île depuis que le médecin en est parti. Très rares de nos jours sont celles qui choisissent d'accoucher chez elles assistées par une sage-femme, même si c'était autrefois la tradition. Meroula a donné naissance à Xan dans la vieille maison de pierre, là-haut, à Arhea Chorio, veillée par la sage-femme du village et deux voisines. Elle m'a raconté l'histoire, avec volupté : « Nous n'avions nul besoin d'un médecin. De nombreuses heures de travail, mais un beau garçon au bout. »

Olivia, elle, a eu le médecin pour ses garçons, puisqu'il était sur l'île, mais sa belle-mère semble y voir une faiblesse coupable.

On ne me laissera pas seule responsable de la boutique, bien sûr. Une cousine de Panagiotis de l'autre côté de l'île – et donc heureusement ignorante des subtilités des jeux de pouvoir de Megalo Chorio – s'installera ici pour surveiller les affaires dans l'intérêt de la famille. Mais Hélène veut que tout soit en ordre avant son départ et nous avons passé des heures après la fermeture de la boutique à réarranger soigneusement les étagères, à entreposer des marchandises dans la réserve, à dépoussiérer chaque bocal. J'adore tout cela. J'adore mettre de l'ordre, tout autant qu'Hélène, et nous travaillons bien ensemble même si nous pouvons à peine échanger trois mots dans nos langues respectives.

C'est très tranquille, derrière les fenêtres, avec la pluie sur les carreaux et le bourdonnement du gros congélateur. L'odeur des herbes et du fromage ressort à la nuit, mêlée à celle du chanvre des sacs de toile remplis de farine et de riz.

Hélène semble fatiguée ce soir. Elle a les yeux cernés. Il doit être difficile de dormir quand on a un ventre aussi énorme que le sien.

Je soulève la petite cafetière pour lui demander si elle souhaite une dernière tasse avant que nous ne fermions, mais elle secoue la tête. Je pose la main sur son épaule.

— Vous devriez rentrer chez vous et vous reposer. Il n'y a plus rien à faire ici. Tout est parfait. Et je prendrai soin de tout pour vous, vous le savez.

Elle comprend la substance de mes paroles, sinon leur sens précis, et me décoche son doux sourire. Puis elle ôte soudain ma main de son épaule pour la poser sur son ventre. Sous mes doigts, précisément, je sens les coups agités d'un minuscule talon. Le bébé est là, sous les minces enveloppes de peau et de muscle ; sa présence est aussi sensible que s'il y avait une troisième personne dans la pièce. Une tendresse stupéfaite m'inonde tandis que je contemple le visage d'Hélène.

Elle hoche la tête d'un air las puis son sourire se transforme en grimace tandis qu'elle change de position.

— L'heure de rentrer à la maison, dis-je à nouveau.

Nous entendons le klaxon du camion de Panagiotis dans la rue.

Après son départ, je vérifie encore les congélateurs, les persiennes, et éteins les lumières. Je verrouille la porte du magasin et me dirige vers la mer. C'est une nuit calme, parfaite, et le ciel est balayé d'étoiles. J'entends les vagues se briser, bruit qui m'attire au bas de la rue, devant les maisons endormies et les vestiges des arbres arrachés sur la plage. Je me tiens au bord de l'eau, fixe la mer, aussi calme et sereine que l'île elle-même.

On ne se croirait pas à la veille de Noël. Mais il est vrai que je ne suis pas une experte. Nous ne fêtions guère Noël quand j'étais enfant. Nous nous rappelions les six Noëls qui étaient les seuls que Marcus avait connus et j'avais le sentiment de n'avoir pas le droit de jouir de ceux qui suivirent.

Une plus grande vague se brise et je recule en hâte, trop tard car l'eau noire a brièvement envahi mes chaussures. Je ris de ma distraction et prends le chemin du retour avec mes pieds mouillés sur la plage et le long de la grand-rue. Une lampe est encore allumée dans la maison du potier, mais je me glisse sans bruit devant et dans le silence de mon studio. Je dormirai ce soir aussi profondément et benoîtement que toutes les nuits.

Xan était endormi, lui aussi, dans son fauteuil au coin du feu, son livre ouvert sur la poitrine. Olivia disposa un carré de mousseline beurrée sur la poitrine de la dinde. Cela serait plus efficace qu'une feuille d'aluminium au moment de la rôtir. Elle avait préparé la farce, un mélange de sauge et d'oignon à l'anglaise et de riz et d'olives à la grecque puis en avait rempli le bréchet et recousu grossièrement la peau avec un fil noir. Ses ongles étaient noircis d'oignon et d'herbes hachées et elle se dirigea en bâillant vers l'évier pour les laver. Elle s'aperçut que son bras l'élançait encore tandis qu'elle plaçait les poignets sous l'eau. Elle était épuisée, à présent, mais elle allait peut-être refaire son pansement avant de se coucher. Elle n'avait pas eu le temps, cette semaine, de montrer la blessure à Anna Efemia.

Elle tint l'épingle de nourrice entre ses dents tout en dénouant rapidement le vieux bandage. Elle inspecta la blessure d'un œil critique.

Elle cicatrisait, au moins. Les bords surélevés de la longue blessure irrégulière étaient brillants et pourpres mais la blessure elle-même semblait sécher. La cicatrice formait une croûte qui fronçait la peau tendue autour. Elle versa un peu de désinfectant sur un linge et tamponna toute la zone avant de refaire rapidement le bandage.

Xan soupira et étira les jambes, récupérant son livre qui était tombé.

— Quelle heure est-il ?

— Près d'une heure.

— Joyeux Noël.

Il sourit.

Olivia jeta un coup d'œil autour de la pièce pour voir ce qui restait à faire. Rien qui ne pût attendre le lendemain matin, sauf les deux petites piles de cadeaux à sortir de leur cachette, les chaussons de feutre rouge à aller chercher au bout des lits pour les remplir. Xan monta les chercher.

Ils s'installèrent l'un à côté de l'autre à table et bourrèrent un chausson après l'autre. L'année passée, elle s'en souvenait, ils avaient trop bu et la difficulté d'enfoncer des paquets aux angles aigus dans le feutre les avait beaucoup fait rire. Cette année, ils firent vite, sans guère parler. Puis ils transportèrent les chaussons déformés et noueux au pied des lits des petits. La pièce fleurait bon l'innocence.

Une fois dans leur propre chambre, Xan enlaça sa femme en tentant de l'entraîner vers le lit. Olivia sentait ses genoux se dérober – elle s'abattit de côté sur la couverture. Dans sa tête, elle luttait pour retrouver le souvenir du désir et de sa feinte, mais ils s'en étaient allés comme s'ils n'avaient jamais existé. Tout ce qu'elle voulait, c'était dormir. N'être rien et nulle part.

— Je suis si fatiguée, chuchota-t-elle.

14.

Au lever du jour, le matin de Noël, la mer étale passa d'un gris d'étain à un blanc laiteux. Puis le soleil surgit d'une couche de nuages bas à l'horizon turc et darda sur Halemni un épais rayon de vermeil à la surface de l'eau.

Olivia le vit car les enfants étaient réveillés. Ils avaient fait irruption dans sa chambre avec les chaussons de feutre rouge. Ils déchirèrent les emballages, laissant un sillage brillant sur le palier et le plancher. Xan les regardait de sous ses draps avec une indulgence somnolente ; la porte de la chambre noire, où dormait Max, restait hermétiquement close. Les persiennes du studio de Kitty aussi.

— Non, bien sûr que non, chuchota Olivia quand les garçons dirent qu'ils voulaient traverser la cour et lui montrer leurs jouets. Attendez le matin.

— Mais c'est le matin !

— Non, pas encore.

En effet, ce n'était pas le cas sur l'île même si ailleurs, sur une grande partie du monde, cette même scène se répétait. Elle imaginait l'effervescence en Angleterre, le long de cent mille avenues de banlieue, de sentiers de campagne et de rues des villes. Elle se représentait les rideaux gris d'une aube septentrionale et humide, les centres-ville vides, les églises paroissiales décorées de plantes persistantes. Pendant une minute elle s'abandonna tristement à ces images.

Je ne peux être nostalgique, se disait-elle. Pas de l'Angleterre, quand je suis sur cette île avec ma famille, quand tout ce que j'ai jamais voulu ou dont je me suis souciée est à ma disposition.

— Allons, venez au lit. Chatouillons-nous et réchauffons-nous.

— Je n'ai pas froid. Je veux jouer.

Elle attrapa ses enfants et les attira sous les couvertures avec elle. La pelleteuse rouge et jaune que tenait Theo lui égratigna la peau tandis qu'elle l'enlaçait. Les deux garçons rampèrent pour s'installer dans le creux chaud entre les corps de leurs parents puis s'immobilisèrent peu à peu. À l'extérieur, la lumière grandissait.

Olivia pensait à la dinde et au temps nécessaire pour la rôtir. Le pied de Georgi lui comprimait le mollet et elle songea qu'il avait beaucoup grossi et forci. Il avait exactement la même forme que celui de Xan, jusqu'aux ongles. Il lui faudrait de nouvelles chaussures.

Theo suçait son pouce, avidement, comme un bébé. Max avait sucé son pouce des années durant et, en grande sœur, elle s'en était moquée.

Quant à Xan, il s'était rallongé sur le côté, aussitôt rendormi, placide.

Être seule éveillée lui faisait sentir sa solitude, même avec les dos de ses enfants arrondis contre son ventre. Combien de Noëls partageraient-ils encore comme cela ? Et si quelque tragédie se produisait, aussi inattendue et plus dévastatrice que le raz de marée et qu'elle tentait de tout emporter ? Comment les garderait-elle tous sains et saufs ?

Ces pensées douloureuses s'accélérèrent jusqu'à se brouiller en un magma nauséeux. Quelque chose de creux, de glissant, s'insérait dans sa poitrine et se gonflait, comprimant ses poumons, lui coupant la respiration. Sa nuque la démangeait. Elle tourna la tête sur l'oreiller et fixa le mur comme si son regard pouvait le traverser et pénétrer dans le studio où dormait Kitty.

Ce qu'elle ressentait, elle le comprenait bien, c'était la peur. Elle n'avait jamais eu peur avant, ou seulement de choses clairement menaçantes comme la violence ou les serpents venimeux. Là, un terrible souffle de peur l'asphyxiait. Elle n'arrivait plus à respirer, elle avait la chair de poule, une lueur aveuglante lui vrillait les orbites.

Elle s'obligea à rester immobile. Elle se concentra sur sa respiration et attendit que la panique se dissipe.

Étendue sur le côté, je regarde Max. Il émerge peu à peu de son sommeil profond comme un poisson qui remonte à la surface de l'eau. Ses yeux tressaillent sous la courbure des paupières et je suis jalouse du paysage de son rêve, quel qu'il soit, puisque je ne peux le partager avec lui. Le lit de mon studio est étroit mais je me presse encore plus contre lui : il se pousse obligeamment pour me faire de la place, son bras m'entourant les épaules.

Il paraît si solide quand je glisse la main sur ses hanches et remonte vers les côtes, on le dirait fait de bois ou de pierre lourde et polie plutôt que d'os et de muscles. Bien qu'endormi, il murmure quelque chose en souriant et je le sens qui bouge contre moi. À la clarté de la lumière qui transperce les persiennes, je vois que le matin est là. Nous devons nous lever de bonne heure quand il couche avec moi afin qu'il puisse se glisser chez sa sœur sans que personne se doute de son escapade. Il va de soi que Xan et Olivia ne sont pas dupes, mais il vaut mieux ne pas rendre nos rendez-vous trop évidents, surtout dans l'intérêt des enfants.

En ce matin de Noël, nous avons dormi trop longtemps mais je m'accorde encore deux minutes de flottement heureux dans notre chaleur, notre odeur. Je détaille l'épaisseur de ses cils et la minuscule ligne incolore qui sépare la peau bronzée du menton de la texture soyeuse de la lèvre inférieure, et ma respiration se règle automatiquement sur la sienne. Il serait facile de se laisser glisser dans le sommeil. Mais je me force à rouvrir les yeux.

— Réveille-toi. Joyeux Noël !

Aussitôt, il s'ébroue et s'étire, puis me regarde. L'une des choses – l'une des nombreuses choses – que j'aime chez lui, c'est sa manière de se réveiller dans le bonheur. Avant que la conscience prenne le pas, avant qu'il sache ce que la journée lui réserve, son premier état naturel est le bonheur. Ce n'est qu'après, quand la mémoire revient dans l'eau claire et qu'il se rappelle où il est – qu'il triche avec moi dans mon lit au lieu d'être où il devrait être, à côté de sa femme, ou au moins de dormir vertueusement seul – que sa culpabilité vient la troubler. Puis il la règle avec un effort de volonté et jouit du plaisir de ma compagnie, de la perspective d'un autre jour sur Halemni. Je lis tout cela dans ses yeux avant qu'il ait dit un mot. Voilà comment nous semblons bien nous comprendre.

Ses bras m'enserrent comme s'il voulait me forcer à rester couchée. J'aime ça, bien que je ne sois plus la petite chose d'autrefois qui risquait d'être emportée par le vent. Sa bouche sourit paresseusement contre la mienne.

— Salut. Joyeux Noël.

— Hmmm.

— Quelle heure est-il ?

Je n'ai pas de montre, bien sûr, mais j'en ai une idée grâce à la lumière et à mon horloge intérieure. Max scrute déjà sa montre, une grosse chose en caoutchouc sous-marine et sportive, bourrée de cadrans et de boutons.

— Sept heures et demie.

— Plus tard, me corrige-t-il : huit heures moins vingt, et il sourit en repoussant les couvertures de nos corps nus.

L'air glacé du studio nous fait frissonner tous les deux.

— Allez, il vaut mieux se lever.

Mais il est déjà trop tard. Alors que je m'assieds sur le lit en croisant les bras pour essayer de conserver un peu de la chaleur de mon corps, on entend frapper à la porte.

— Kitty, Kitty, réveille-toi, regarde ce que nous avons !

Max et moi nous regardons en mimant l'effroi. Il se tortille dans son jean et ses épaisseurs de pulls tandis que je roule hors du lit en agrippant un ou deux vêtements.

— À l'aide !

Je m'habille et retape le lit pendant qu'il ouvre la porte et les persiennes. Un soleil pâle se déverse dans la pièce, en nous faisant cligner les yeux.

— Je vous ai battus, dit Max aux enfants d'un ton dégagé.

Ils se précipitent sur moi, trop obnubilés pour poser des questions et se cognent à mes jambes, brandissant leurs cadeaux.

— J'ai fait un camion, comme Panagiotis, dit Georgi.

Il nous montre à tous deux une structure de petites tiges de bois reliées par des écrous de couleur vive. Theo est déjà par terre, à conduire une pelleteuse rouge et jaune entre les pieds de la table. Max s'agenouille près de lui tandis que j'examine le camion de son frère. Nous sommes si captivés, tous les quatre, que nous ne réalisons pas qu'Olivia a suivi ses enfants. La première chose que je vois, ce sont ses pieds, dans ses bottines aux lacets défaits ; je m'assieds sur mes talons pour la voir en entier.

Elle s'appuie au chambranle, en croisant les bras, et nous observe. Elle a le visage empourpré et la coupe en épis que je lui ai faite le soir du maquillage lui entoure la tête comme une couronne d'épines.

— Joyeux Noël, dit-elle sèchement.

— À toi aussi, dis-je.

Max se relève, vient l'embrasser.

— Le petit déjeuner est prêt, me dit-elle. Veux-tu te joindre à nous ?

— Je viendrai un peu plus tard, dis-je en levant la main pour indiquer mon capharnaüm de vêtements. Merci, en tout cas.

Je veux leur permettre de se retrouver en famille. Je veux aussi tirer les cadeaux des enfants de leurs cachettes pour les glisser sous le sapin de la maison du potier.

— Couinie ! crient les enfants.

L'aîné a commencé à la chercher méthodiquement, dans mes chaussures, sous les tasses, dans tous nos endroits favoris. Quant à son cadet, il file droit vers le lit et commence à glisser la main sous les oreillers, entre les draps. Je n'ai que le temps de lui crier « Tu gèles ! »

Olivia n'en perd pas une miette. Je me sens prise sur le fait et la volonté de la défier m'envahit pour contrer sa jalousie. Nos regards se croisent et se jaugent ; Max est en dehors.

Il n'y a pas de chaleur dans ce regard. C'est notre affaire, celle de Max et la mienne, suis-je en train de penser. Tu ne peux pas régner sur tout, même si tu juges en avoir le droit.

— Allons, les gars, dit calmement Max à ses neveux. Allons prendre notre petit déjeuner.

— Couinie, Couinie ! s'exclame Theo.

Il a trouvé la souris glissée dans le dos d'un gros livre d'histoire de la Grèce emprunté à Christopher et posé ouvert, à l'envers sur la table. Le dos constitue un bon terrier dont dépasse la queue de la souris. Mais c'est une cachette que j'ai déjà utilisée et cela les déçoit tous les deux. J'aurais dû trouver un endroit spécial pour le jour de Noël.

— Je viens, dit Georgi.

Il est ravi d'ignorer la chasse à la souris puisque ce n'est pas lui qui l'a trouvée. Theo laisse tomber Couinie sans façons et saisit sa nouvelle pelleteuse. Olivia part la première, la tête haute et les épaules décidées, suivie des trois autres. Max jette un rapide regard en arrière. Son visage est sérieux mais ses sourcils en accent circonflexe expriment avec drôlerie sa gratitude inquiète. Je lui retourne un sourire de défi.

C'est une belle matinée. Le ciel est dégagé, sans un souffle de vent. Je me prépare du café et emporte ma tasse à l'extérieur. Assise dos au mur, je regarde distraitement un matou chasser dans les fourrés, un peu plus haut sur la colline. Il se déplace furtivement, rasant le sol et, une fois à portée de la musaraigne ou de la souris, il bondit. Il ressemble à une volute de fumée grise. Je perçois à peine un minuscule piaillement suraigu de chauve-souris.

J'appuie la tête sur la pierre et ferme les yeux en soupirant.

Le temps et le lieu sont trop parfaits pour que des conflits les gâtent, fût-ce avec Olivia. Surtout pas avec elle. Je sais qu'elle est jalouse au sujet de son frère, qu'elle veut protéger son royaume idyllique de mes atteintes car je pourrais en perturber l'équilibre rien qu'à la façon dont je me lie à Xan, à

Christopher ou à ses enfants. Je crois la comprendre, même si cette compréhension semble seulement désigner Max. Mais je ne vais pas reculer et m'effacer, comme j'ai fini par le faire à Dunollie Mansions. Je suis Kitty, aujourd'hui, plus Cary. Je veux goûter et toucher, tourner le visage vers le soleil, comme je le fais en cet instant. La chaleur inattendue du milieu de l'hiver me caresse les joues et fait danser des disques jaunes sous mes paupières.

Ma propre détermination m'étonne.

Et je me laisse rêver, dans son corset de fer.

Max et moi pourrons peut-être nous échapper, nous enfuir ensemble quelque part. Nous pourrons peut-être trouver notre propre île et construire notre idylle à nous. Comme celle d'Olivia, mais la nôtre.

Peut-être.

En attendant, aujourd'hui, j'étire les jambes contre les blocs de pierre qui forment la terrasse. Mon pantalon est étriqué et me serre les cuisses et la taille mais peu m'importe. J'ai faim et je vais manger.

Après le petit déjeuner, je me lave les cheveux et sélectionne soigneusement mes vêtements malgré mon choix très limité. J'hésite à nouer une écharpe de coton autour de mon cou puis y renonce. Froidement, j'étudie mon visage dans le petit miroir de la douche. La chair s'est à l'évidence arrondie sous le menton, mes sourcils ont épaissi, mes cheveux tombent en désordre sur mon cou. Et quand je souris en songeant que tout cela a vraiment peu d'importance, je reconnais des rides de rire autour de ma bouche. *Les rides du rire.*

Je finis par sortir de leur cachette les cadeaux de Georgi et Theo et franchis le rectangle de lumière matinale qui me sépare de la maison du potier. Il est près de midi.

Des lumignons brillent sur l'arbre dans le vestibule sombre si bien que j'ai presque l'impression d'être chez moi, en Angleterre. J'hésite une minute à le regarder, après que Xan a ouvert la porte. Des vagues de souvenirs m'inondent. Les Noëls que ma mère et moi avons passés seules et, avant – c'est plus une sensation de contraste qu'un souvenir –, le sentiment rassurant des années qui ont précédé la mort de Marcus. Je sais que c'est pareil pour tout le monde. Les arbres de Noël sont l'un de ces interrupteurs qui rallument le passé pour chacun de nous.

Dans la cuisine, le soleil fait irruption par les portes ouvertes de la terrasse. Un gros feu brûle dans l'âtre mais la lumière éclatante l'atténue et rend la chaleur superflue. Il flotte dans l'air une forte odeur de dinde en train de rôtir et d'écorce de mandarine mêlée à la senteur des herbes aromatiques de la flore halemniote. Olivia s'active au four mais se retourne à mon entrée. Elle porte un chandail tricoté mauve pâle que je ne lui ai jamais vu, échancré autour du cou pour révéler une fragile clavicule. Ses yeux scintillent et ses joues sont rehaussées de rouge.

— Tu es très jolie, dis-je sincèrement. Ce pull te va bien.

— C'est un cadeau de Max.

Je remarque la présence des deux hommes à la porte de la terrasse. Les enfants sont en train d'y jouer. Olivia et moi nous regardons puis détournons les yeux. La trêve est décrétée pour aujourd'hui, au moins, dans cette subtile lutte qui nous oppose.

Nous échangeons nos cadeaux. Pour les garçons, grâce à un nécessaire de couture trouvé sur une étagère de la boutique, j'ai confectionné une famille de souris de feutre grises et roses aux moustaches extravagantes et aux minuscules yeux de perle. Elles les enchantent. Pour Xan et Olivia, j'ai acheté, aussi chez Hélène, deux jeux de cartes car je sais que les leurs sont cornées et poisseuses.

On m'a fait des cadeaux, à moi aussi. Des chocolats, trouvés à Rhodes, dans une boîte rutilante, et des gobelets de papier plissé doré et brun. Tous deux savent combien j'aime et désire les douceurs. Mais le cadeau des enfants me fait encore plus plaisir. Ils ont réuni une collection de bijoux de plage – des morceaux de verre de bouteille blancs, verts ou ambrés, parfaitement polis par la mer – et en ont rempli un petit bocal à saumure.

Je n'ai pas tenté de trouver un cadeau à Max. Nous sommes, je pense, un vrai cadeau l'un pour l'autre. Mais lui a préparé quelque chose et une fois Olivia retournée à son fourneau, il me le tend discrètement. C'est un bouquet, version halemniote. Il a rassemblé des rameaux séchés, des chardons, des brins d'herbe et des houppes drues de pimprenelle qu'il a attachés avec un bout de ruban rouge. L'effet est d'une beauté spectaculaire, sculpturale.

On a sorti les chaises sur l'*avli*, sous les branches nues de la vigne, mais nous sommes à peine assis qu'arrive Christopher.

Lui aussi apporte ses présents – il a dessiné une caricature de chacun de nous et les a soigneusement mises sous verre dans un mince cadre de bois coloré. Il a du talent et ses dessins sont très bons. La spirale de cheveux bouclés de Theo est si surdimensionnée, telle une volute écumeuse, qu'elle menace de le submerger. Les sourcils de Xan sont de grandes chenilles agrippant son front et Max est vêtu d'un short, une bière à la main et un sourire de requin sur les lèvres. Quand je découvre ma caricature, je me demande si Christopher ne m'a pas donné celle d'Olivia, par erreur. Je domine une table et une chaise minuscules, les jambes écartées, les mains sur les hanches, le visage à moitié mangé par un sourire. Ma taille, la confiance que j'exsude m'évoquent mon premier aperçu d'Olivia, sur le pas de sa porte, comme j'arrivais de la mer, trempée et frissonnante.

Olivia examine son portrait.

— Montre, Maman, dit Georgi.

Elle le prend dans ses bras pour qu'il voie. Christopher en a fait une créature allongée aux jambes interminables avec un corps d'oiseau. Elle est plus fragile et son visage est plus délicat qu'en réalité, mais un nouveau regard porté sur l'original me fait penser que non : il l'a saisie exactement comme elle est à présent.

— Tu me flattes, Christopher, dit-elle en retournant à sa cuisine.

Il la suit des yeux puis se ressaisit. Xan s'est déjà détourné pour remettre des bûches dans le feu.

— Et il y a encore autre chose, dit Christopher.

D'un vieux sac en papier, il exhibe trois citrons, deux grandes bouteilles de Schweppes et un demi-litre de gin Gordon.

— Talalala !

— Du gin-tonic ! s'exclame Max, médusé. Permets-moi de faire le maître de cérémonie.

Nous emportons tous nos verres sous la pergola. Je lève fugitivement les yeux avant de tremper les lèvres dans le mien et vois quelques feuilles mortes se détacher nettement sur le ciel. Il fait si calme qu'on entend de minuscules vagues se briser sur la grève.

Le goût du gin me rappelle Londres et les murs jaunes de notre salon à Dunollie Mansions. L'an dernier, nos vieux amis Clive et Sally Marr étaient venus dîner le soir de Noël. Je me demande ce que Peter et Lisa Kirk font en ce moment, mais ne ressens aucun élancement de chagrin. Je lève mon verre et bois silencieusement à leur santé et à la mienne. Je ne reviendrai pas : qu'y a-t-il à déplorer ?

Meroula arrive à son tour. En l'honneur de cette fête, elle a substitué à son austère cardigan bleu marine un autre bleu pâle, presque aguicheur. Nous échangeons une nouvelle série de cadeaux. J'adore la frugalité imaginative des écharpes tricotées et des napperons au crochet.

Max passe à l'intérieur et met un disque de chants de Noël. Sur fond de « *The Holly and the Ivy* », nous décidons de déjeuner dehors, il fait assez chaud. Les hommes transportent la table au soleil. Deux gins bien tassés m'obscurcissent un peu l'esprit et me rendent pataude, mais je dresse la table en empilant au centre les crackers que Xan a réussi à trouver à Rhodes. Christopher et Max s'occupent des légumes et Xan débouche des bouteilles de vin qu'il dispose sur la desserte. Olivia vient se poster au bord de la terrasse : elle regarde le large en s'appuyant sur l'un des piliers de la pergola. Même de dos, je devine soudain toute sa lassitude. Je suis sur le point d'aller lui demander ce que je peux faire pour l'aider, mais Christopher me devance. Il lui ressert un verre de gin et lui apporte une chaise pour qu'elle puisse s'asseoir.

La dinde, les pommes de terre rôties, les légumes ne sont plus qu'un souvenir. Le pudding, arrosé de cognac grec, a magnifiquement flambé et Olivia nous a photographiés, affublés des chapeaux de papier tirés des crackers. Il n'y a plus de gin et les cadavres de bouteilles de vin ne se comptent plus. Nous avons percé à jour les énigmes contenues dans les pétards et Max et Xan ont joué à Racing Demon avec les enfants ; Meroula s'est endormie dans son fauteuil devant le feu, non sans avoir remarqué qu'il faisait trop chaud pour une telle flambée. Christopher et moi faisons la vaisselle, et les assiettes mouillées passent en mesure de l'évier à l'égouttoir. Olivia est ressortie s'asseoir sur la chaise disposée par Christopher. À deux ou trois reprises, durant ce repas, j'ai surpris son regard posé sur tel ou tel, et elle fronçait les sourcils comme si elle essayait de jauger la personne regardée. Jamais je ne l'ai vue si calme, même si tout le monde faisait largement assez de bruit pour compenser.

Xan abat soudain son jeu de cartes.

— Venez, allons tous nous promener.

Le soleil est bas, mais la chaleur perdure. Christopher drape un torchon sur la dernière casserole tandis que les enfants se détournent des cartes pour bondir vers leur mère. Je vois qu'ils la tirent par la main.

Meroula se réveille et rajuste son cardigan.

— Je reste ici à surveiller le feu, dit-elle.

Chacun se dirige vers la porte. Olivia se lève maladroitement, en se tenant au dos de sa chaise. Je ne m'en étais pas rendu compte mais elle a dû boire autant que nous. Je me sens un peu titubante, moi aussi, mais c'est agréable.

— Je viens !

Elle enfile un pull sur son chandail mauve et tire sur ses bottes, en soufflant un peu sous l'effort.

Seuls des chats se prélassant peuplent la rue. Nous partons dans un brouhaha de paroles et de rires. Xan et Max portent chacun un garçon sur les épaules, et Christopher, Olivia et moi marchons sur leurs talons, en direction du croissant argenté de mer au-delà des maisons. La plage est un ruban incurvé de galets polis ; après les vapeurs de la nourriture et du vin, l'air marin si pur envahit ma tête comme une nouvelle drogue. Je veux chanter et courir.

— Je vous bats ! dis-je aux enfants.

Ils se laissent aussitôt glisser à terre et, une seconde plus tard, nous sommes tous en train de courir en riant à perdre haleine le long de la plage où les vagues viennent mourir sur nos chaussures. Max, à côté de moi, s'empare de ma main et la balance au rythme de notre course. Pendant tout ce déjeuner de Noël, j'ai été traitée comme l'un des membres de la famille et j'en ai conçu un grand plaisir, mais cette démonstration d'affection spontanée fait bondir mon cœur. Je jette un coup d'œil, machinalement, par-dessus mon épaule pour voir ce que fait Olivia.

Elle court en serrant les coudes. Ses yeux sont rivés sur les galets et les taches rouges de ses joues se sont étendues jusqu'à l'empourprer totalement. Il y a dans cette expression de concentration aveugle une familiarité qui me trouble. Je comprends tout à coup que c'est la mienne ! Je l'ai souvent saisie sur mon propre visage, et elle signifie : je tiendrai bon, je ferai ce qu'on attend de moi. Si je m'arrêtais, tout s'écroulerait.

Tous, nous haletons et tous, sauf Olivia, nous rions de bonheur en atteignant le bout de la plage. La course nous a réchauffés et nous nous débarrassons de vêtements d'hiver, engonçants.

— Je pense que nous devrions tenter un bain de Noël, dit Max, comme en Australie.

Songe-t-il à sa femme et à ses filles, sur une plage de Sydney, mais sans lui ?

Mais pas question de dire à Xan ce qu'il doit faire sur ses terres ! Il est déjà en train d'ôter ses bottes et son jean et les enfants sautillent autour de lui pour l'encourager.

— Le premier dedans ! hurle-t-il.

— Xan..., commence sa femme.

— Ce n'est qu'un bain. C'est Noël. Réjouis-toi.

La mer est si claire qu'on voit le grain de chaque galet, tout le long de la pente qui file vers les bas-fonds. Près de la surface un banc de minuscules poissons oscille au rythme des vagues miniatures.

Olivia regarde Christopher, dans l'espoir qu'il la soutiendra, mais lui aussi enlève déjà ses vêtements. J'hésite un instant, puis me déshabille à mon tour, ne conservant que mon soutien-gorge d'occasion et la petite culotte de coton que j'ai trouvée au rayon de mercerie d'Hélène. Max et Xan font un grand *oups* et un splash en touchant simultanément l'eau. Des gouttes d'écume fixent la lumière, scintillant comme des diamants. Les deux garçons dansent sur les hauts-fonds, anguilles brunes et maigrelettes, avant de plonger eux aussi. Le silence de la baie est percé de hurlements quand ils prennent conscience du froid.

Christopher glisse à côté de moi, telle une pâle statue, et plonge dans les vagues. Il remonte aussitôt et nage vigoureusement. Avec ses traits pointus et ses cheveux aplatis ramenés en arrière, il évoque un rat d'eau intelligent. C'est au tour d'Olivia de s'avancer, les épaules raides, un bras arrondi pour retenir ses cheveux. Elle a dû juger inconcevable d'être laissée sur la touche. Une fois à mi-cuisse, elle se penche et s'immerge en silence. Je suis la dernière à entrer dans l'eau.

— Kitty, froussarde ! me crie Georgi.

Les galets me râpent la plante des pieds et j'arrondis les orteils en m'enfonçant plus profondément. Les vagues me lèchent les genoux, je pousse des petits cris de peur, prends une grande bolée d'air et plonge.

Le froid me frappe de plein fouet, comme si j'étais entrée en collision avec l'eau. Je halète, couine, bats frénétiquement des bras dans une pluie argentée. L'eau glacée glisse sur ma peau, le sel me pique les yeux et les lèvres. Mais quel bonheur ! Je plonge sous la surface, de plus en plus bas jusqu'à ce que mes cuisses frôlent les galets puis remonte à l'air libre pour soulager mes poumons brûlants. Les bras bruns du promontoire sont très loin et je pense à Andreas.

Où est-il ? Je sens sa proximité en ce moment, comme s'il nous regardait. Je n'ai jamais parlé de lui à personne sur l'île, ni jamais essayé de m'enquérir de lui. *Maintenant, tu sais.* Je ne sais toujours pas, pas pleinement, mais je comprends qu'il ne fait pas partie de cet endroit. Je ne voudrais pas me heurter à un haussement d'épaules ou à un regard d'incompréhension si je mentionnais son nom. Son altérité est mon secret, même à l'égard de Max.

Je file vers le large, à grandes brasses régulières. Je ne sens pas le froid pour l'instant, rien que l'euphorie parfaite de l'air, de l'eau et du sel. La somnolence causée par une nourriture riche et l'alcool est entièrement lavée.

Quand je cesse enfin de nager et m'arrête pour sonder l'eau, je suis loin des autres qui se pourchassent avec force éclaboussures près du rivage. Je leur fais signe pour leur montrer que tout va bien et me laisse flotter. Le ciel est une coquille de nacre sans défaut. L'eau m'emplit les oreilles, le sel me tord la langue, le froid commence à me brûler à nouveau la peau, et je sais que je n'ai jamais été aussi heureuse ni aussi libre.

Je roule sur moi-même comme un marsouin, prête à regagner la plage. Mais avant de m'élancer, je jette un coup d'œil sur Megalo Chorio, qui s'enfonce déjà dans la brune pourpre, même si le soleil baigne encore le vieux village et les hauteurs qui le surplombent. Sur la route, derrière la plage et les tamaris tronqués, il y a un vieil homme avec un âne. Il nous regarde nous ébattre dans l'eau. Puis je remarque que des enfants se trouvent derrière lui, sur l'esplanade, qui courent entre les ébauches des vilaines constructions d'été. J'étends les bras pour esquisser un V paresseux devant moi et me mets à nager.

Tout le monde sautille sur la plage quand j'émerge de l'eau. Chacun lutte contre la chair de poule en se frictionnant avec son pull dont la laine gratte et s'efforce d'enfiler ses chaussettes sur des pieds blancs et trempés. Les lèvres de Theo sont bleues mais nous sommes tous euphoriques.

— Le bain de Noël ! s'exclame Xan, triomphant : il faudra en faire une tradition.

— Donnez-moi du cognac, s'exclame Max.

— Du cognac, un grand cognac pour un noyé, gémit Christopher.

Olivia s'occupe de ses enfants, les frotte chacun avec un T-shirt. Ce n'est que lorsqu'ils sont rhabillés qu'elle commence à enfiler ses propres vêtements.

Mon épaisse chemise en laine est alourdie par l'eau. Je l'ôte et la laisse choir à mes pieds si bien que je me retrouve seins nus quelques secondes, le temps de renfiler mon premier pull. Si les deux garçonnets n'y prêtent pas attention, je sens les regards des trois hommes braqués sur moi. Aussitôt, je regrette cet instant d'impudeur.

Nous rebroussons chemin dans le village. Le vieil homme s'en est allé, de même que les enfants. Olivia est à nouveau à la traîne et je remarque qu'elle frissonne convulsivement. Je m'approche d'elle et l'enlace, afin de la réchauffer un peu. Mais elle me repousse, furieuse.

— Arrête ! dit-elle seulement.

Nous nous séparons devant la maison du potier. Je veux regagner mon studio tranquille et suppose que les Georgiadis souhaitent une soirée paisible. Mais Xan me sourit en faisant un clin d'œil.

— Revenez dans un moment. On va faire une soirée.

Olivia est déjà rentrée dans la maison avec Christopher. Max me souffle un baiser et les suit.

Je répète bêtement :

— Une soirée ?

— Vous n'avez encore jamais vu de vraie soirée sur Halemni.

— D'accord. Non, je veux dire… bien sûr, merci. Et quelle journée merveilleuse !

— Le bain de Noël, hein ?

Xan en est à l'évidence émoustillé.

Je ris avec lui.

— L'ânier a dû nous juger totalement maboules !

— L'ânier ?

— Sur la route de la plage. Pendant que nous étions dans l'eau.

Xan secoue la tête.

— Non. Pas sur Halemni, il n'y en a plus. Tout ce qu'il y a, ce sont les camions de Panagiotis.

Je suis sur le point de le contredire puis j'y renonce. Je ne mentionne pas les enfants non plus.

La cuisine était encore jonchée de cartes à jouer, de débris de pétards, de verres et de tasses à demi pleins. Olivia nettoyait avec des gestes d'automate en s'efforçant d'oublier sa migraine. Elle n'aspirait qu'à une chose : se coucher et dormir, pour se réveiller libérée de la terreur d'être repoussée à la périphérie de sa propre vie.

Tout ça, c'était la faute de Kitty. Elle ne voulait plus de Kitty ici, se vautrant dans le désir de son frère, ôtant ses habits sous leur nez à tous, riant avec Xan et Christopher, jouant avec ses propres enfants. Entendre une fois de plus Georgi et Theo la supplier d'aller voir Kitty lui était insupportable.

Elle allait devoir lui dire de partir. Simplement. Point final.

Laisse-nous tranquilles. Retourne là d'où tu viens.

— Regardez-moi toutes ces bouteilles vides !

C'était Meroula, qui marmonnait en grec avec sa moue de désapprobation.

— Nous étions nombreux, observa Olivia en tâchant de sourire, s'abstenant de remarquer que le verre de Meroula avait été rempli plus d'une fois. Et puis c'est Noël, conclut-elle.

— Noël, grimaça Meroula en réussissant à donner à ce nom l'apparence d'une dépravation païenne.

Christopher était rentré chez lui et Kitty avait débarrassé le plancher, pour une fois. Max évoluait dans la pièce, avec le même air de chien battu qu'il avait durant leur enfance lorsqu'il avait fait quelque chose qu'elle n'aimait pas et qu'il voulait se réconcilier avec elle. Elle l'ignora et s'attacha à remettre la cuisine en ordre. Xan s'activait au-dehors, aidé par les garçons. Elle ne savait pas ce qu'ils manigançaient.

— Où range-t-on ça ? demanda Max en montrant les casseroles propres empilées près de l'égouttoir.

— Le placard à droite de l'évier.

Elle se déplaça pour le lui montrer et vit à travers les portes de la terrasse ce qui mobilisait Xan dans le crépuscule piquant. Il était en train d'allumer le barbecue, comme il faisait à la veille du départ des résidents, chaque quinzaine tout au long de l'été. Georgi et Theo transportaient des bûches de la réserve particulière à laquelle ils ne touchaient pas eux-mêmes, fût-ce par le plus froid des hivers. Elle fronça les sourcils, désemparée. Le grand barbecue, ce soir ?

— Que fais-tu ?

Xan s'interrompit. Son sourire étincela dans la lumière faiblissante.

— Est-ce que ça a bonne allure ?

— Pourquoi fais-tu ça ?

— Ah, j'ai demandé à quelques amis de venir. C'est une surprise.

Olivia se sentit flageoler.

— C'en est une, assurément. Qui ?

— Je pensais que ce serait sympa, non ? Une soirée grecque pour clôturer la journée en beauté.

Xan avait l'impression d'être sur la touche, voilà ce qui se passait. Il lui fallait démontrer qu'il restait le patriarche grec sous son toit.

— Qui ? insista-t-elle.

Il haussa les épaules.

— Mais qui veux-tu que ce soit ? Yannis, Stefania, Michaelis et Nikos, Evgenia…

— Non, l'interrompit-elle.

— Je vais griller de la viande, des saucisses, pas beaucoup. Tu peux peut-être ouvrir deux trois conserves, des haricots, couper quelques tomates. Peut-être pourrons-nous mettre de la musique et danser un peu.

— Xan, j'ai dit non.

L'idée lui était odieuse. Sa migraine lui donnait l'impression qu'un pic à glace lui martelait le crâne et elle grelottait sans cesse depuis leur bain de mer. Sa mâchoire et ses épaules étaient raides à force de réprimer ses frissons. Elle n'avait envie que d'une chose, s'étendre et laisser l'obscurité l'ensevelir.

— Non ? répéta-t-il comme si le mot lui était inconnu.

— Je suis fatiguée, je veux me coucher tôt. Je ne veux pas que la maison soit pleine de gens et de bruit.

Sa voix enflait, pleine de sanglots. Max posa les casseroles et s'approcha d'elle mais elle leva la main pour le tenir à l'écart.

Il y avait trop de gens. Qu'était-il donc arrivé qui compliquait tout ce qui avait paru jadis si simple ?

— J'ai déjà demandé à tout le monde de venir. Je pensais que tu apprécierais la surprise.

— Je… je l'aurais aimée, tout autre soir. Mais je suis trop fatiguée et ne me sens pas très bien.

C'était la première fois qu'elle admettait, y compris vis-à-vis d'elle-même, qu'elle pouvait être malade. Mais cela ne lui apportait aucun soulagement.

— Dis-leur à tous qu'on fera ça une autre fois. Je t'en prie, Xan.

Le visage de son mari se ferma complètement : elle connaissait cette expression obstinée. Il n'entendait même pas ce qu'elle disait.

— Tu veux – tu attends de moi – que je dise à nos amis qu'ils ne peuvent venir sous notre toit ?

C'était là un grave reproche. L'hospitalité était une règle d'or. Olivia fit deux pas pour s'appuyer au dossier d'une chaise. Sans ce soutien, elle serait tombée. Georgi et Theo continuaient à transporter des bûches et Meroula s'activait autour de l'évier. Elle ne perdait pas un mot de la conversation, évidemment.

— Pas ce soir, chuchota la maîtresse de maison.

— Je vais te préparer deux trois choses à manger pour tes amis et toi, intervint Meroula en grec à l'adresse de son fils.

Puis, dans un anglais distant, elle dit à sa belle-fille :

— Tu devrais peut-être faire un petit somme. Tu te sentiras mieux.

Olivia n'arrivait plus à réprimer ses frissons. Son corps entier en était parcouru. Elle avait attrapé la grippe, voilà tout.

Si Xan voulait inviter ce soir tous les habitants de l'île jusqu'au dernier, il devrait s'en occuper tout seul. Elle n'avait plus la force de se disputer avec lui ou avec sa mère.

Une heure, se dit-elle. Si je vais m'allonger maintenant, je pourrai me lever et faire au moins une apparition.

— Merci, Mère. Si les enfants…

— Je m'en occupe, grommela Meroula avec une satisfaction mal dissimulée.

Elle monta l'escalier avec peine. Les marches semblaient la narguer et se dérobaient sous ses pieds. Elle gagna son lit en titubant et rampa sous les couvertures. Son visage la brûlait mais elle avait l'impression qu'elle ne se réchaufferait jamais. Qu'est-ce qui lui avait pris, d'aller nager dans la mer ?

On frappa discrètement à la porte ; c'était Max, avec une tasse de thé. Il la déposa sur la chaise près du lit.

— Merci, parvint-elle à dire.

La simple idée du tanin et du lait lui donnait envie de vomir.

— Xan pensait sincèrement que le projet de fête te plairait.

De quoi se mêlait son frère, à vouloir lui expliquer ce que pensait son propre mari ? C'était sa vie, merde ! Pourquoi tout le monde essayait-il de l'en écarter ? La colère l'envahit soudain avant de refluer, la laissant muette et épuisée.

— Bon, dors un peu. À tout à l'heure.

Presque aussitôt, sembla-t-il, elle sombra dans les rêves. Kitty trônait au milieu, seins nus, cheveux mouillés, dirigeant les mouvements de personnes minuscules et méconnaissables qui grouillaient autour d'elle.

Lorsque Olivia se réveilla, elle ne savait plus où elle était. Sa bouche était tendue et sèche, son visage bouffi. Elle fit un effort pour se rappeler quel jour on était et pourquoi elle était seule dans son lit à cette heure de la journée. Quelque chose d'autre clochait aussi dans la maison qu'elle fut d'abord incapable d'identifier. Après une minute de perplexité, elle comprit qu'il y avait un bruit inhabituel.

Aussitôt, elle se redressa et voulut se lever. Ses jambes ne semblaient pas vraiment lui obéir mais elle parvint à se mettre debout. Elle chancela aussitôt mais se rattrapa à temps à la tête de lit. Ses genoux capricieux vinrent heurter la chaise du chevet où la tasse de thé froid se renversa sur ses chevilles. Elle épongea distraitement le liquide brun avec une chaussette sale et se dirigea vers la porte.

Le bruit venant du bas était plus fort, une fois la porte ouverte. Il y avait des voix, des rires et de la musique.

On avait dégagé la cuisine pour y danser. La table était poussée contre le mur, un tonneau de vin maison posé dessus, et les chaises étaient entreposées dans le vestibule. Il lui sembla qu'il y avait un monde fou lorsqu'elle se glissa parmi les invités. Elle se rendait à peine compte que ses vêtements étaient froissés après avoir dormi dedans, que ses cheveux se dressaient d'un côté, déformés par l'oreiller, mais personne ne remarqua rien. Ils dansaient des *ballos*, les danses insulaires, avec exubérance. Il y avait même un orchestre. Michaelis jouait de la flûte, accompagné par Nikos au violon. Christopher Cruickshank, des bongos entre les cuisses, marquait le rythme, extatique, les yeux clos, le visage luisant de sueur.

Au cœur de la mêlée, Xan dansait avec Kitty.

Mais dès qu'il vit sa femme, il poussa un cri de joie et plongea pour lui prendre la main.

— Danse avec moi.

Ses bras l'attirèrent dans le rythme. Elle le laissa arrondir ses mains sur sa nuque, faire onduler ses hanches sur la musique. Kitty était à présent menée par Max. Ses cheveux volaient dans tous les sens en larges mèches, que Max écartait de sa bouche. Ils s'efforçaient de se comporter en danseurs que seule la musique aurait associés, mais il y avait assez d'électricité entre eux pour illuminer toute la pièce, sans nul besoin de bougies.

Xan était un danseur plein d'énergie. Sa femme essayait de le suivre. La musique résonnait dans sa tête, de plus en plus vite, et les autres corps la heurtaient. Elle avait le sentiment qu'elle allait décoller du sol, échapper à l'étreinte de Xan, pour suivre quelque trajectoire fatale et personnelle. Elle ne pouvait se dégager ni même ralentir, pas avec une musique aussi forte et insistante. Elle allait s'écrouler quand la musique faiblit puis s'arrêta, pour permettre au flûtiste de boire une longue gorgée de vin et de s'essuyer le visage avec un mouchoir jaune.

La scène n'avait rien perdu de son caractère hallucinatoire. Mais elle se rendait compte qu'il n'y avait pas plus de vingt personnes dans la pièce. Assises dans un coin, Meroula et la mère de Manolis regardaient les danseurs, Theo endormi entre elles. Georgi avait dansé timidement au bout de la pièce, en tenant la main d'Anna Efemia. Il se glissa entre les groupes hilares et rejoignit sa mère.

— Pourquoi t'as pas dîné avec nous quand tout le monde était là ?

— Je dormais.

— Eh ben moi j'ai pas dormi.

— Tu as plus d'énergie que moi.

— Je crois que oui, dit-il en hochant sérieusement la tête.

— Jolie soirée, hein ? triompha Xan.

Maintenant qu'elle était là, il lui avait pardonné son manque d'hospitalité.

Kitty claquait des mains pour que la musique reprenne et Yannis arrondit les mains en porte-voix pour réclamer un bis. Olivia se faufila vers la table : sa bouche et sa gorge brûlaient de soif. Elle trouva un verre et but une gorgée de vin. Une longue note de violon, hésitante, plongea la pièce dans l'expectative, puis la musique bondit et tout le monde se remit à danser. Le sol semblait se déformer et tanguer sous les pas trébuchants d'Olivia mais elle s'y soumit.

Je n'ai jamais beaucoup aimé danser, mais ceci est plus que de la danse. Les rythmes sauvages et les mouvements compliqués collent à la peau et brûlent les os. Et ce n'est pas seulement à cause du vin, bien qu'il coule à flots dans mes veines, à cette heure. C'est la lourdeur de l'air dans la pièce, les visages à la lueur des bougies, Max et la musique elle-même. Olivia danse avec Xan, elle chancelle plus qu'elle ne suit la musique, mais il lui prend les mains et la guide. Elle ferme les yeux et s'incline comme si elle avait le vertige ou était ivre.

Je remarque cela, et autre chose. L'amie de Meroula s'est levée et rendue à la porte, d'où elle ramène un nouveau venu. C'est Panagiotis. Il regarde autour de lui, joue des coudes entre les danseurs, cherche quelqu'un. Anna Efemia, l'infirmière de l'île, fait toujours tournoyer Georgi à l'autre bout de la pièce. Dès qu'il l'a repérée, Panagiotis file droit vers elle.

Anna écoute ce qu'il lui dit. Il la tire par le bras, elle hoche la tête, pose une question en approchant la bouche de son oreille pour se faire entendre. Panagiotis hurle sa réponse, Anna lâche Georgi et entreprend de le suivre. Je les observe et commence à penser à Hélène quand on entend un bruit sourd, des meubles qui tombent et quelques exclamations confuses. La musique se disloque durant quelques mesures avant de cesser tout à fait.

Au début je ne vois qu'un cercle de gens penchés sur quelque chose. Dans le silence qui s'est fait, j'entends Xan appeler en grec, la voix profondément teintée d'angoisse.

Puis j'aperçois Olivia prostrée sur le sol. Stefania s'agenouille près d'elle, Xan essaie de dégager l'espace autour des deux femmes, j'esquisse le geste de me rapprocher et le retiens simultanément. Georgi s'insinue entre les groupes, pour atteindre sa mère.

Panagiotis a déjà entraîné Anna Efemia jusqu'à la porte mais celle-ci s'est arrêtée en entendant le bruit de la chute. Elle se précipite en sens inverse et on lui ouvre le chemin. Je découvre alors les yeux fermés d'Olivia, ses jambes et ses bras tordus par la chute. Elle paraît énorme, sans défense, terriblement inerte. Les invités voudraient s'approcher mais Xan les en empêche sauf Anna Efemia qui s'agenouille à l'endroit libéré par Stefania. Du coin de l'œil, j'aperçois Panagiotis qui fait de petites gestes frénétiques dans l'embrasure de la porte. Theo s'est réveillé, il donne des coups de pied et pleure, maintenu par Meroula.

Olivia s'est évanouie. Anna Efemia contrôle calmement ses signes vitaux quand les yeux de sa patiente se rouvrent et qu'elle roule la tête.

Xan s'agenouille, lui prend la main, murmure quelques mots. L'émotion s'apaise un peu dans la pièce et les spectateurs se tournent les uns vers les autres et se mettent à parler à voix basse. J'entends Christopher dire à Max qu'elle ne se sentait pas bien, évidemment, et Stefania console Georgi. Anna Efemia aide Olivia à se rasseoir, soutenue par Xan. On lui passe un verre d'eau et elle y trempe des lèvres pâles. Les marbrures rouges sont toujours visibles sur ses pommettes.

Panagiotis se tord les mains. Il s'avance, recule, puis m'aperçoit.

— Vous venez, dit-il en pointant la tête vers la porte.

— Quoi ?

Je comprends juste assez de mots grecs pour comprendre sa réponse. Le bébé d'Hélène va arriver, plus tôt que prévu, sans médecin sur l'île, et il faut qu'Anna Efemia le suive tout de suite. Hélène m'a réclamée moi aussi. La mère d'Hélène est morte et ses sœurs, mariées, ne vivent plus sur l'île.

— Moi ?

Panagiotis hausse les sourcils en signe d'affirmation et me tire par la manche. J'hésite, plus de surprise que de mauvaise grâce, il serre les poings et se martèle les tempes. L'infirmière lève les yeux sur lui et lui parle un peu vivement. Sans doute pour lui dire qu'elle viendra dès que possible.

Je prends Panagiotis par le bras.

— Je viens, lui dis-je. Je ferai tout ce que je pourrai.

Max hoche la tête par-dessus les visages qui nous séparent. Panagiotis me pilote hors de la pièce.

Il fait froid à l'extérieur et les galets tintent comme du métal sous nos pieds tandis que nous nous hâtons de descendre la colline.

15.

Je pénètre pour la première fois chez Panagiotis. Le sol est dallé de marbre moucheté et couvert de petits tapis glissants, le mobilier très imposant, brun et rutilant. Chaque surface horizontale est couverte de napperons ou de fanfreluches, de bibelots de porcelaine entassés, de tableaux encadrés et de colifichets ahurissants. Tout est impeccablement propre et il règne une odeur chimique de pot-pourri et de désodorisant.

Panagiotis m'entraîne rapidement à travers le vestibule éclairé par une ampoule brillante sous un abat-jour de dentelle verte et ouvre la porte d'une pièce au rez-de-chaussée. Hélène est étendue sur le dos dans un grand lit au haut dosseret, couvert de piles de coussins au crochet. Je perçois sa peur dès que je m'assieds au bord du lit. Je lui souris avec le plus d'assurance possible, m'empare de sa main et lui demande comment elle se sent.

Il y a une autre femme avec elle, que je reconnais comme l'épouse d'un cousin de Panagiotis. Elle me dévisage d'un air surpris, ce qui n'a rien d'étonnant, dans la mesure où en place de l'infirmière attendue elle voit arriver l'étrange vendeuse anglaise dégingandée ! Mais Hélène m'accueille par son doux sourire et je suis touchée de voir que ma présence paraît la soulager. Le fin duvet sombre de sa lèvre supérieure luit de sueur et des cercles foncés marquent les aisselles de son peignoir en coton. Une épaisse couverture à longs poils repose sur l'énorme montagne de son ventre.

— Tout va bien, lui dis-je sans aucune raison particulièrement valable.

J'ignore tout de l'accouchement, à l'évidence, sauf ce que j'en ai vu dans les films et les feuilletons médicaux.

— Anna Efemia sera là dans une minute. Olivia n'allait pas très bien et elle est restée pour…

Ce flot d'informations, de toute façon incompréhensible pour Hélène, est interrompu. Ses yeux s'exorbitent au point que je vois leur marge blanche tout autour des iris brun foncé puis ils se referment hermétiquement. Elle serre les dents, ses bras se mettent à fouetter l'air bien qu'elle me serre très fort la main. Ses ongles s'enfoncent si dur dans ma chair que je me mets à grimacer moi aussi. Alors sa bouche s'ouvre et elle pousse un long hurlement qui dure au moins dix secondes avant de se muer en une plainte haletante. Panagiotis émet comme un écho terrifié qui tient du couinement et du pleur.

— Premières douleurs, annonce la femme du cousin d'un ton lugubre.

Sans blague ! suis-je tentée de répondre, mais je trouve une serviette sur le chevet ; je lui en tamponne le visage et le cou.

— Tout va bien, c'est une contraction.

D'après ma connaissance anecdotique du processus obstétrique, il me semble vaguement qu'il faut chronométrer les intervalles entre les contractions. Je jette un coup d'œil à mon poignet mais n'ai toujours pas de montre. Un réveil en émail orné de fleurs et de papillons trône sur la table de chevet et je note qu'il est l'heure passée de sept minutes – quant à l'heure, peu m'importe.

La contraction s'en est allée : Hélène rouvre ses yeux humides. Elle regarde Panagiotis derrière moi et fait signe qu'elle veut lui parler. Il se penche en avant et elle lui murmure à l'oreille. Quoi qu'elle lui ait dit, cela semble le rendre encore plus anxieux et ses yeux courent de moi à la femme du cousin.

— *Parakalo,* l'implore Hélène.

Il échange quelques chuchotements avec sa parente tandis que je reste assise près d'Hélène et m'attache à lui caresser les mains et à l'apaiser. Puis je les entends se lever et sortir. Dès que la porte s'est refermée derrière eux, Hélène pousse un long soupir de soulagement et braque des yeux implorants sur les miens. L'idée commence à germer dans mon esprit qu'elle a fait de moi sa sage-femme. La stupeur, un effroi nauséeux et un sentiment de grand honneur m'envahissent, en parts à peu près égales.

Je déglutis avec peine.

— Je suis là. Si c'est vraiment ce que tu veux.

À l'heure passée de treize minutes une nouvelle contraction survient. Le hurlement paraît encore plus sonore cette fois, plus long, elle donne des coups de pied et s'efforce faiblement de rouler sur elle-même. Une fois que c'est terminé, tandis que j'éponge son visage, je me rappelle avoir lu quelque part – sans doute au cours d'une de mes éphémères gestations – qu'une femme en travail doit pouvoir se déplacer si elle le veut, pour trouver toute seule la meilleure position. Le seul autre point dont je me souvienne – souvenir qui doit remonter à une époque légèrement antérieure – c'est l'importance d'avoir beaucoup d'eau chaude et des journaux. Je devrais peut-être demander à Panagiotis de remplir des casseroles.

— Essaie de te redresser.

Je glisse le bras sous ses épaules et l'aide à s'appuyer contre les oreillers. Elle respire plus facilement et rejette la lourde couverture : je l'écarte totalement. Ses jambes nues et dodues sont douces et très blanches, veinées de bleu au-dessus des genoux écartés. Je n'ai guère à me raisonner pour m'abstenir de regarder plus haut. Comment pourrais-je réagir à ce que je découvrirais ?

La contraction suivante arrive beaucoup plus vite, après quatre minutes environ. Hélène pousse un cri strident en grec, profère des mots inconnus de moi mais dont je devine facilement le sens. Que *fout* Anna Efemia ? me dis-je.

Au terme de cette troisième contraction, Hélène est encore plus agitée, elle se tortille sur le lit comme un scarabée renversé essayant de se remettre sur ses pattes.

— Veux-tu essayer de bouger un peu ?

C'est sans espoir. On dirait que j'ai oublié mon peu de vocabulaire grec. Ses bras s'accrochent autour de mon cou et manquent me faire tomber sur elle.

— Viens, tu peux t'appuyer sur moi.

Nous semblons avoir la même idée, malgré la barrière linguistique, aussi je déplace ses fesses au bord du lit puis la soulève et la traîne à moitié sur ses pieds. Elle halète, sue à grosses gouttes, mais je suppose que se concentrer là-dessus détourne une partie de son attention de la prochaine contraction. Nous tanguons du lit à la porte, de la porte au pied du lit tel un couple d'ivrognes. Elle agrippe le pied du lit, grogne, voûte les épaules. Elle s'affaisse sur ses talons, soutenue par mon bras, en hurlant une série d'imprécations. Je place ma main libre sur son ventre et tente de le masser, mais aussitôt elle redresse la tête et gronde.

— Très bien, dis-je. Pas de massage.

Elle semble mieux s'accommoder de cette contraction que des précédentes, lorsqu'elle hoquette de surprise. Un liquide inonde nos pieds et dévale le sol. Elle n'est pas en train d'uriner. Elle vient de perdre les eaux. Oh mon Dieu ! Il va falloir que j'accouche ce bébé toute seule si personne n'arrive. Elle recommence à se déplacer, en gémissant, en criant ; je laisse tomber la couverture à poils longs sur la mare de liquide amniotique tout en l'accompagnant à petits pas. À la contraction suivante, elle se retrouve à quatre pattes, halète, hurle et je lui crie sottement de rester calme en souhaitant que Panagiotis, si terrifié, et sa cousine reviennent tout de suite et m'épargnent d'avoir à l'accoucher en catastrophe.

— Ahahahaha, grogne-t-elle.

— Tiens bon, maintenant !

C'est alors que, par miracle, la porte s'ouvre et qu'Anna Efemia se matérialise. Panagiotis et la femme du cousin jettent un coup d'œil par-dessus son épaule. Elle leur ferme la porte au nez, pose une mallette de métal blanc et se dirige vers Hélène. Les contractions paraissent se succéder presque en continu, à présent, mais l'infirmière est arrivée au moment où il s'en produit une. Elle secoue vivement Hélène par l'épaule et lui donne ses instructions. Remets-toi au lit tout de suite, tel paraît en être le sens principal. Hélène hoche la tête avec une docilité épuisée et l'infirmière m'adresse un claquement de doigts. Ensemble, nous la remettons sur ses jambes et la poussons vers le lit, moi à la tête et l'infirmière aux pieds. Je crois comprendre que c'est la seule position d'accouchement qu'Anna Efemia est prête à autoriser. À l'arrivée de la contraction suivante, Hélène est à nouveau étendue sur le dos, les genoux écartés. Cette fois, en poussant, elle devient violacée, les veines de son cou saillent comme des cordes épaisses. J'essaie de m'écarter pour indiquer que mon rôle est terminé, mais sa main refuse de lâcher mon poignet.

L'infirmière a ouvert sa mallette et enfilé une paire de gants en plastique mince et un masque en papier. Elle procède à l'examen pendant que j'éponge le visage d'Hélène et murmure des encouragements. Cela ne saurait tarder, visiblement.

Toutes les deux, nous étendons une mince toile plastique et quelques serviettes en papier. Nous aidons Hélène à se redresser sur les coudes, et je lui sers de soutien supplémentaire avec quelques oreillers. Sa bouche s'étire en une large grimace. Anna Efemia compte et donne des instructions – Dieu merci ! Obéissante, la parturiente pousse et reprend son souffle, puis pousse encore tandis que je lui masse les épaules, jette un regard furtif vers le bas de son ventre avant de détourner prestement les yeux. Est-ce toujours comme ça ? Comment arrive-t-on à naître ?

Pousse. C'est bien, pousse encore. Maintenant, repos, respire. Soudain, je comprends le grec, à nouveau. En fait, je pourrais sans doute comprendre le mandarin ou le swahili, dans ces circonstances. Hélène recommence à hurler, mais elle est rabrouée par l'infirmière qui lui enjoint de se concentrer sur ses efforts pour pousser : à mon vif étonnement, Hélène obtempère. Le réveil fleuri produit un petit clic et je vois que l'aiguille des heures a passé minuit. Nous ne sommes plus à Noël. Cela ne m'étonne pas. La journée semble avoir déjà duré une semaine.

Mais le bouquet final, lorsqu'il se produit, semble presque facile comparé à ce qui l'a préparé. La bouche d'Hélène s'arrondit en un cercle parfait de surprise. Entre ses genoux dressés, je vois Anna Efemia palper une tête ronde, luisante, humide, noire et écarlate. Il y a un silence pendant lequel nous attendons toutes trois, muettes, le souffle court, puis l'infirmière ordonne de pousser à nouveau : Hélène tord le visage dans un dernier sursaut de volonté. Deux petites épaules rouges et voûtées, un entrelacs de cordon ombilical rouge-mauve et deux paires de membres miniatures et recroquevillés échouent dans les mains d'Anna Efemia.

Le bébé gît entre les jambes de sa mère sur les serviettes en papier détrempées et sanguinolentes ; l'infirmière se penche sur la minuscule créature et lui dégage les voies respiratoires : un faible vagissement lui répond. Hélène crie, elle aussi, le visage parcouru de larmes, et tend les bras pour la prendre. Très doucement, l'infirmière dépose le bébé sur la poitrine maternelle et Hélène arrondit la main autour de la tête mouillée.

— C'est une fille, confirme Anna Efemia.

J'embrasse le front en sueur de la jeune mère et regarde son bébé. Son visage est aplati, souillé de sang et d'une matière blanchâtre et cireuse, ses yeux clignent, minuscules fentes de noirceur sans fond.

— Elle est si belle !

Je tremble comme une feuille. Je n'ai jamais rien vu d'aussi stupéfiant. Un nouvel être est parmi nous qui n'y était pas avant : la prestidigitation de la création.

Anna Efemia reprend la direction des opérations. Il faut nettoyer et envelopper le bébé et je sais qu'il y a d'autres besognes peu ragoûtantes à effectuer. Elle me jette un regard rapide.

— Informez Panagiotis, s'il vous plaît.

Bien sûr. Ce n'est pas notre bébé, le mien et celui d'Hélène, même si j'en ai à cet instant l'impression.

— Bravo, lui dis-je doucement en me retirant tandis qu'elle me décoche un sourire de joie pure, d'où toute timidité s'est évaporée.

Je ne veux pas quitter la pièce. On s'y sent au centre de la Terre, mais je n'y ai pas ma place. À la porte, je me rappelle que cette naissance n'est pas le seul événement qui se soit produit dans le monde aujourd'hui.

— Olivia va-t-elle bien ?

Anna Efemia hoche rapidement la tête.

— Je crois.

Je retrouve Panagiotis et l'épouse de son cousin assis à la table de la cuisine, autour de deux tasses de café et d'un cendrier débordant de mégots. Apparemment, Panagiotis a réussi à fumer tout un paquet de cigarettes dans l'heure qui vient de s'écouler. Leurs têtes pivotent dans ma direction et ils se lèvent.

— Félicitations. Vous avez une fille splendide.

Je prononce cette formule d'usage avec un vrai plaisir et Panagiotis bondit pour me tordre les mains avec autant de gratitude que si j'en étais responsable.

— Merci à vous, Dieu merci ! bafouille-t-il. Je peux entrer ? s'enquiert-il quand nous avons fini de nous congratuler.

— Attendez juste quelques minutes, lui dis-je en imaginant ce que peut faire l'infirmière en ce moment.

La femme de son cousin me propose une tasse de café avec des gestes polis, mais je la décline. Je veux retrouver ma solitude, à présent.

Une fois dehors, je sais que je n'ai pas envie de m'enfermer dans mon studio. Je suis si excitée, si stupéfaite par ce que je viens de voir que le dôme noir du ciel lui-même semble trop limité. Je dérive entre les maisons du village, remontant de petites allées pavées qui ne mènent nulle part sauf vers des terrains vagues broussailleux, aussi à l'aise dans l'obscurité que l'un des chats de l'île.

Je pense aux liens physiques, à la manière dont un corps sort d'un autre – poussé au-dehors, avec tout ce sang et ces cris, pour commencer une nouvelle vie. Y assister pour de bon m'a permis de le comprendre comme je n'avais jamais pu le faire avant, même quand j'ai porté, si peu, mes propres enfants. La mère d'Hélène lui a donné la vie puis celle-ci à sa fille cette nuit et ce petit bout d'humanité cramoisi aura un jour un bébé et ainsi de suite, créant une chaîne ininterrompue de mères et de filles tout au long des générations, bien au-delà de notre champ limité de vision ou de compréhension.

C'est à peine surprenant, en soi, je le sais, même si cette perspective est nouvelle pour moi. Ce qui m'étonne, c'est la paix absolue qui m'envahit quand je réfléchis à cette chaîne infinie. Cela replace le drame de l'individualité dans un flux paisible et continu. Le processus implacablement répétitif de la naissance elle-même, naissance après naissance, se déroule et déferle sur moi, sur Olivia, sur Max et tous les autres comme la mer sur les galets. Je suis réconfortée de me sentir un simple maillon de la chaîne.

Je traverse la place du village et dépasse l'église, la maison du potier et la taverne. J'ai parcouru ce chemin si souvent que je gravis la colline machinalement. Peu à peu, l'adrénaline retombe : mon esprit s'éclaircit et s'ouvre en conséquence.

Je trie le magasin de mes souvenirs, les réexamine à la lumière des événements du soir. C'est comme regarder à travers l'eau cristalline où nous nagions cet après-midi, jusqu'aux jardins du lit de la mer.

Ma mère m'a donné le jour mais cette chaîne – ce minuscule chaînon – s'arrête ici avec moi. J'aurais aimé avoir une fille, si j'avais eu le choix. Mais je suis sans enfants.

Je ne pense pas souvent à ma mère et me demande maintenant pourquoi. Pour avoir vu Hélène arrondir les mains autour de la tête de son bébé ce soir, je sais qu'elle a dû me toucher tout nouveau-né de la même façon. Cette idée déclenche en moi une vague de tendresse inversée, comme si elle était l'enfant et moi la mère. J'aimerais qu'elle soit encore vivante, pour commencer les conversations que nous n'avons pas eues même si je l'ai veillée tout au long de son ultime maladie.

Même alors, quand elle savait qu'elle n'avait plus longtemps à vivre, nous n'avons guère parlé. Nous étions trop attentives l'une à l'autre.

Je me rappelle la couleur exacte de sa liseuse, sens le sillage de son parfum, Arpège, vois les plis de ses jupes Burberry et le fermoir de son sac à main, antique mais d'excellente qualité. Mais c'est à peine si je la revois, elle.

Je connaissais la profondeur de son chagrin et j'ai honte de m'avouer à moi-même que je ne l'acceptais pas. Je n'en suis pas absolument certaine mais mon père non plus, c'est probable, ni son omniprésence dans les moindres recoins de notre maison trop calme. À la fin, il renonça et partit avec l'exubérante Lesley et sa meute d'enfants, pour recommencer à neuf. Le fait que j'aurais bien voulu partir, moi aussi, ne fit que renforcer ma détermination – mon obligation – de prendre soin de ma mère. Je marchais sur la pointe des pieds autour d'elle, redoutant presque de parler de peur d'éveiller un souvenir douloureux. Et cette attention scrupuleuse m'aidait par ailleurs à refouler ma culpabilité.

Je suis si lasse de la culpabilité.

Elle m'a étranglée si longtemps, je crois être morte au même moment que mon frère.

S'il avait vécu, j'aurais été une personne très différente.

Le sentier passe devant le cimetière et l'endroit où Olivia est tombée le soir de la fête avant de serpenter parmi l'herbe nue et les rochers vers Arhea Chorio. Au sommet, le château des chevaliers se découpe juste en un noir plus dense sur le ciel noir et la pensée de Max volette dans mon esprit.

Je ne tiens pas à grimper davantage cette nuit – pas même jusqu'au vieux village, alors je m'assieds sur un rocher et serre les genoux entre mes bras à cause du froid. C'est si dépouillé et beau ici : ce à quoi je viens d'assister semble m'ancrer encore plus fermement à la pierre de cette île. Cette naissance m'appartient vraiment si je le souhaite. C'est l'antidote à tant de morts.

Je suis si heureuse d'être ici. Si reconnaissante de la liberté que j'ai trouvée et de la nouvelle personne que je suis devenue.

Je n'entends pas y renoncer. Andreas m'y a amenée, pourquoi et comment, je l'ignore encore, mais c'est ici que je dois être.

Je me sens plus déterminée que jamais. Je suis sans liens, sans responsabilités ni parents ni histoire. Je n'ai même pas de passeport, pas le moindre objet de mon ancienne existence. Et rien de tout cela n'importe parce que je suis ici. Ma langue glisse derrière la double barrière de mes dents, en sondant les limites de la douleur. L'extrémité en est toujours enflée et douloureuse bien que la coupure elle-même, cicatrisée, ne soit plus qu'un pâle croissant.

Je vais rester où je suis et être heureuse, quoi qu'il arrive. Je n'ai pas d'enfant, pas de fille, et en cela je romps la chaîne. Mais elle se poursuit, indifférente et magnifique, et je peux prendre mon essor toute seule.

Penser à tout cela m'enivre : j'ai des étoiles plein la tête, une irrépressible envie de rire, je ne maîtrise plus mon corps. Je peux prendre mon essor, à l'évidence, parce que je le fais déjà !

Aucune lumière en bas, à Megalo Chorio. Tout le monde dort, y compris Anna Efemia, Hélène, Panagiotis et le bébé. Je ne sais depuis combien de temps je suis ici, à errer dans l'obscurité. Depuis longtemps, peut-être. Olivia dort, comme Max, Xan et les enfants.

Olivia n'a pas de fille, ce qui l'empêche d'être parfaitement intégrée à la chaîne, elle aussi. Il faudra lui demander si elle aurait aimé en avoir une ou si des garçons à l'image de leur père lui suffisent.

J'ai vu qu'elle s'était évanouie au moment précis où Panagiotis m'implorait de rejoindre Hélène. Anna Efemia m'a dit qu'elle allait bien aussi n'ai-je plus pensé à elle jusqu'à maintenant. La zone où mes dents m'ont coupé la langue est irritée par l'incisive inférieure tandis que je poursuis l'exploration de ma bouche. Olivia ne veut pas de moi ici. Je perçois son hostilité grandissante partout : dans la maison du potier, quand je joue avec les garçons, quand Max se glisse dans mon studio pour me retrouver.

S'il doit y avoir un affrontement ouvert pour la possession du royaume de Halemni, je me demande qui gagnera. J'étais faible naguère mais maintenant je suis forte. Et au fur et à mesure que je prends des forces, elle semble s'effacer.

C'est une pensée absurde, évidemment.

Le vent ne me semble même plus froid. Le premier scintillement de lumière gris argent apparaît tout juste à l'est et l'île est si calme que je sens presque la Terre rouler en direction du Soleil.

La cuisine n'avait jamais eu pareil aspect. Des verres sales traînaient sur le sol et les étagères, de la nourriture était renversée sur la table, mêlée à de la cire fondue. Theo et Georgi descendirent au petit matin, en pyjama, et contemplèrent le spectacle, tout à la fois fascinés et dégoûtés. Après son évanouissement, Olivia avait été ranimée par Anna Efemia et Stefania puis couchée par Xan et Meroula. Tous les invités étaient rentrés chez eux et la maison avait retrouvé son calme. Xan était venu s'assurer que les enfants étaient bien couchés en leur disant de dormir et que leur mère irait bien le matin.

Mais tout n'était pas arrangé, ce désordre l'illustrait.

Theo allait remonter chez leur mère quand son frère l'arrêta.

— On peut manger ce qu'on veut au petit déjeuner.

— Tout ce qu'on veut ?

— Mais oui, bien sûr.

Ils sentaient tous deux que la matinée était suffisamment bizarre pour prendre des libertés. Georgi se dirigea le premier vers le garde-manger et ils examinèrent les rangées de conserves et de pots. Georgi choisit un pot de crème au chocolat et Theo une boîte de soupe à la tomate. Cela leur parut un choix raisonnable ; ils y ajoutèrent un paquet de biscuits et les bonbons qu'Olivia réservait aux récompenses particulières. Ils rapportèrent le tout à la cuisine et dégagèrent un espace au milieu de la vaisselle sale sur la table. Georgi trouva l'ouvre-boîte et parvint à percer le couvercle de la boîte pour que son frère puisse verser la soupe froide dans une tasse. Ils se mirent à manger.

Ce fut d'abord amusant, de tremper des biscuits dans le pot de chocolat et d'alterner les cuillerées de soupe avec les bonbons, mais finalement ce petit déjeuner ne fut pas aussi plaisant qu'ils l'auraient espéré parce que la pièce était froide et ne sentait pas bon. En outre, le silence de la maison était inquiétant.

Au bout de quelques minutes, Theo laissa retomber sa cuiller.

— Je veux Maman.

— Tu es un bébé. De toute façon, ils dorment encore.
— Kitty doit être réveillée, elle.
Ils descendirent de leurs chaises sans discuter davantage. Dehors il faisait gris, une brume morose pesait sur la mer, mais peu importait le temps. Georgi tapait déjà à la porte. Pas de réponse, il pressa la poignée et la porte s'ouvrit. Le lit de Kitty était impeccable, sans un pli. Personne ne se trouvait dans la pièce nue ni dans la salle d'eau. Ils se dévisagèrent, la bouche bordée de chocolat et de croûte de soupe orange.
— J'ai peur, dit Theo.
Ils allaient ressortir quand une ombre haute dans l'embrasure de la porte les fit sursauter.
— Bonjour, fit Kitty.
Puis elle se mit à rire.
— Qu'avez-vous donc mangé ?
— Le petit déjeuner.
— Où étais-tu ? s'enquit l'aîné.
La table le séparait de Kitty mais celle-ci la contourna, s'accroupit et l'enlaça en enfouissant le visage dans ses cheveux qu'elle huma.
— Tu sens le biscuit.
— Où étais-tu donc ?
— Vous ne devinerez jamais ce qui s'est passé. Le bébé d'Hélène est né dans la nuit. C'est une fille.
— Est-ce qu'on peut la voir ?
— Mais oui, bien sûr.
Pas de réclamations pour chasser la souris ce matin-là, plus de questions sur le bébé non plus.
— Maman et Papa dorment encore, comme Max.
— Je vais venir vous faire un vrai petit déjeuner.
Une fois dans la cuisine de la maison du potier, Kitty regarda autour d'elle.
— Mon Dieu ! Il est temps de débarrasser. Mais je vais d'abord vous faire à manger, d'accord ?
— Je ne veux rien, marmonna Theo. Je n'ai plus faim.
Ils s'assirent quand même derrière la table, la regardèrent revisser le couvercle du pot de crème au chocolat et ramasser les emballages des bonbons, et acceptèrent le yaourt, le miel et le pain grillé qu'elle plaça devant eux.

Olivia était encore couchée, réveillée, et elle écoutait. L'odeur du pain grillé et du café venait jusqu'à elle, comme le bruit de l'eau courante et le cliquetis des assiettes. C'était perturbant d'entendre les sons de sa propre activité – ses tâches à elle, que personne ne pouvait accomplir à sa place – tout en s'y sentant étrangère. Elle voulait absolument se lever, mais ses bras et ses jambes pesaient trop lourd, l'effort lui semblait insurmontable. Étendu à côté d'elle, le visage enfoui dans l'oreiller, Xan dormait, ses lèvres entrouvertes laissant échapper un petit ronflement. Elle tendit à nouveau l'oreille, au-delà des bruits de la cuisine et de ceux de son mari. Max dormait encore lui aussi, elle en était sûre, sur le divan bas de sa chambre noire.

C'était Kitty, qui en bas s'affairait dans sa cuisine.

— Ma cuisine ! s'exclama-t-elle à voix haute.

Un filet glacé de peur lui remonta l'échine jusqu'à la racine des cheveux.

Xan ouvrit les yeux. Ils étaient injectés de sang.

— Ouh ! ma tête. Comment ça va ?

— Ça va.

Elle réussit à se redresser et à s'asseoir. Elle repoussa ses cheveux, posa les pieds sur le sol et se mit debout. Quelqu'un lui avait enlevé son jean mais elle portait toujours le petit tricot offert par Max, couleur de violette. Elle se souvint qu'elle s'était évanouie la veille au milieu des danseurs. On avait dû la coucher, en lui laissant son pull pour qu'elle ait plus chaud. Elle se sentait sale et poisseuse, les aisselles et l'aine collées de sueur. Mais elle trouva le jean sur sa chaise et l'enfila.

— J'y vais, marmonna Xan sans bouger.

— Non.

Les garçons étaient assis côte à côte devant la table nue. Elle avait été fraîchement nettoyée. Des tasses et des bols étaient posés devant eux, comme en temps normal, lorsqu'elle s'en occupait. Ils levèrent sur elle des yeux écarquillés et inquiets.

— Maman ?

— Ça va.

On avait roulé la veille les tapis pour danser et Kitty était occupée à balayer les dalles de pierre. Elle s'interrompit, en s'appuyant sur le manche.

— Veux-tu un peu de café ? Comment ça va ?

Olivia porta les mains à son visage, pour en vérifier les contours.

— Pas de café. Je veux te parler.

Kitty eut l'air surprise dans ses paisibles tâches de femme au foyer.

— Oui ?

— Nous pourrions aller… (Elle fit un signe de tête vers la terrasse, refusant de dire *chez toi*)… dans le studio.

— Est-ce que tu te sens bien ?

Les regards des enfants allaient de l'une à l'autre. La cuiller de Theo restait suspendue entre le bol et sa bouche, dégoulinante de yaourt et de miel.

— Restez ici et finissez votre déjeuner, leur ordonna Olivia en ignorant la question.

En fait, elle se sentait presque irréelle.

— Ou montez rejoindre Papa.

Elle précéda Kitty dans le matin glacé et pénétra dans la pièce où cette dernière avait vécu. Elle remarqua les livres sur la table, les quelques vêtements bien rangés sur leurs cintres. La caricature de Christopher était posée à côté du lit, Kitty debout, franche, souriant largement. C'était un vrai chez-soi, qui se créait insidieusement, parallèlement au sien, à celui de Xan. Le bouquet de fleurs séchées offert par Max avait la place d'honneur, près de l'oreiller. Olivia s'interdit de regarder le lit lui-même.

— Veux-tu t'asseoir ? s'enquit doucement Kitty. Hélène a eu une petite fille, juste après minuit. Je n'avais jamais vu de naissance. C'était un miracle.

— Je veux que tu partes, déclara brutalement Olivia, interrompant sèchement l'aimable entrée en matière (même à ses propres oreilles, sa voix semblait éraillée).

Kitty fit un pas en arrière.

— Quoi ?

— Tu ne comprends pas ? Tu ne peux pas rester davantage. Il est temps de retourner là d'où tu viens, où que ce soit.

Kitty resta muette. Elle se détourna à demi pour regarder, à travers la porte, la mer sous son dais de brume.

Le silence perdurait. Olivia songea qu'elles pourraient rester ici à jamais, de part et d'autre de leur bulle d'hostilité, sans la crever. Elle n'aurait pu préciser, même maintenant, ce qui gonflait cette bulle d'une tension écœurante. Elles étaient semblables, elles avaient bien des choses en commun – au moins autant que de différences. Elles auraient facilement pu devenir amies, comme l'avait montré le début de leur relation. Mais ce n'était pas arrivé. Un frisson de dégoût lui parcourut la peau.

Kitty avait assisté à la naissance du bébé d'Hélène. Elle avait versé du lait à ses propres enfants. Elle s'insinuait entre Christopher, Max, et même Xan, compliquant ce qui avait jadis été simple. C'était une *intrusion.* La présence de Kitty transformait l'île, autrefois symbole de sécurité, en zone minée.

Ça avait commencé avec le raz de marée. L'eau était venue, s'était retirée, rejetant Kitty sur leur plage comme un morceau d'épave. À présent, il leur fallait une autre marée, une marée purificatrice.

Kitty soupira, finalement, et se retourna vers la pièce.

— Pourquoi ?

Olivia pensa : Je pourrais dire que je suis jalouse de toi. C'est assez vrai. Que je ne veux pas de toi chez moi, et que tu prennes ma place. Que tu essaies de le faire. Ces réponses étaient fondées, non ?

— Tu n'es pas chez toi, ici, fut ce qu'elle finit par dire.

Kitty réfléchit.

— Comment le sais-tu ?

— C'est chez moi.

Il n'y a pas de place pour nous deux.

Elles se faisaient face, à présent. Leurs regards étaient rivés l'un à l'autre car elles avaient la même taille. Elles n'en étaient pas encore venues aux mains, mais cela pouvait arriver. Olivia croisa les bras pour se défendre, et tâta la douce matière du pull mauve sous ses paumes.

— Ton île, dit rêveusement Kitty.

Elle n'avait pas besoin d'ajouter quelque chose comme : *Et le fait que ce soit la tienne empêche qu'elle puisse être la mienne ?* C'était assez clair. Nous nous comprenons très bien, pensait Olivia, même si nous nous repoussons. Comme deux aimants.

— Et si je suis heureuse ici ? demanda Kitty toujours sur la même voix douce. Si je veux en faire la mienne aussi ?

— Tu ne peux pas. C'est chez moi, répéta Olivia.

J'étais là avant toi, comme pourrait plastronner un enfant, comme Georgi et Theo entre eux.

Kitty s'approcha du petit évier et prit un verre sur l'étagère. Elle le remplit au robinet et en essuya la base avec une serviette en papier pliée car l'eau avait débordé. Puis elle vint le déposer sur la table, non loin d'Olivia qui l'ignora. Sa gorge était en feu, son crâne brûlant sous ses cheveux, mais elle refusait d'accepter un tel geste, preuve de possession, d'appropriation.

— En ce qui me concerne, je m'assois, dit Kitty. Fais ce que tu veux.

Elle tira l'une des deux chaises poussées sous la table et s'installa. Au bout d'un certain temps, Olivia s'assit aussi. Elle ne voulait pas que Kitty fût à un autre niveau qu'elle, pas maintenant qu'elle estimait l'avoir épinglée. Elle fut soudain persuadée de penser avec une grande clarté, d'agir avec une efficacité absolue. Tout ce qu'elle avait à faire était de dire « pars » et Kitty partirait.

— Est-ce à cause de Max ?

Olivia sourit. Elle pouvait sans doute se permettre d'être généreuse, à présent, mais elle s'y refusait.

— Tu ne sais rien de Max.

— Qu'est-ce que ça veut dire ? Je pense que si.

— Au bout de deux semaines ?

— Deux heures m'ont suffi.

Olivia se mit à rire.

Kitty tendit le bras pour s'emparer du bouquet de fleurs séchées. Elle le mit sur la table entre elles, posa le bout des doigts sur les épis des cardères, souligna lentement les épines géométriques de la sanguisorbe. Une feuille de sauge tomba qu'elle pressa entre le pouce et l'index pour en humer délicatement l'odeur de sang séché.

— Il sait comment séduire, lui dit Olivia. Il l'a toujours su.

Kitty leva la tête. Elle semblait écouter intensément, comme si elle pouvait entendre au-delà de ce qui est audible, le moindre changement de pression dans la pièce.

— Je l'ai si souvent vu faire. Adolescent puis après. Combien de fois ? Des centaines. Quand nous voyagions chacun de notre côté, il me racontait. Il m'écrivait, me parlait de la dernière Ingrid ou Lisa. Les femmes l'ont toujours aimé. Notre mère a été sa première conquête – il était le chouchou, le fils. Et j'étais la seule qui lui échappait. Sa sœur. Tu ne trouves pas ça intéressant ? Il me suivait toujours parce que j'étais plus grande, plus forte, je faisais tout la première et il adorait ça.

Elle savait qu'elle babillait comme une gamine qui fait son intéressante mais les mots sortaient avant qu'elle puisse les retenir.

— Oui, sourit Kitty. Je suis certaine qu'il était comme ça.

En la regardant, en voyant combien elle s'était étoffée et avait forci durant ces semaines sur l'île, Olivia sentit la peur familière l'envahir. Elle voulait l'évincer par la force. Elle fixa les mains de Kitty, posées, détendues, de part et d'autre du bouquet. Elles étaient rustaudes, les ongles courts, les cuticules abîmées, comme les siennes. Il y avait là quelque chose d'enfoui, de fétide qu'elle ne pouvait s'expliquer, mais son subsconscient le flairait avec un mouvement de recul. Elle serra les poings sous la table. Elle transpirait.

— J'avais un frère, dit doucement Kitty. Il est mort à l'âge de Theo. Une statue que j'escaladais s'est renversée sur lui et l'a écrasé. Max te l'a-t-il raconté ?

Un autre silence. Kitty écoutait à nouveau.

— Non.

Max ne le lui avait pas raconté. Il avait dû y voir un secret, entre Kitty et lui, mais cela n'empêcha pas la mince lame de la jalousie de s'enfoncer d'un millimètre de plus dans l'âme d'Olivia. Et en même temps, elle se dit que c'était la première chose véritable qu'elle connût de Kitty Fisher – les guillemets autour de son nom continuaient de s'imposer – et de son histoire. Sur son milieu, son mariage, ses parents divorcés, l'enfance anglaise assez peu différente de la sienne, elle avait appris ou deviné l'essentiel, mais la mort de son frère était la première et l'unique vérité qui la définît vraiment.

— Tu as dû penser que c'était ta faute, dit Olivia.

Elle était trop mal à l'aise pour contrôler ses mots.

— Les faits indiquent que c'était ma faute.

Les mains de Kitty restaient immobiles sur la table. Tandis qu'Olivia la regardait, la lumière changea, le jaune chassa le gris opalescent comme un pinceau lourd sur la toile. Le soleil déchirait la brume hivernale et marine. On allait avoir une nouvelle journée de chaleur et de soleil hors saison. Kitty renversa la tête et soupira avec satisfaction devant ce calme, cette promesse de chaleur. Le contraste entre l'aveu lugubre qu'elle venait de faire et ce plaisir voluptueux poignarda à nouveau sa rivale. Kitty était calme et heureuse et semblait y être parvenue en s'insinuant ici, en érodant la terre halemniote, en rendant équivoque ce qui avait toujours été sûr. Elle était arrivée comme un oiselet à moitié noyé pour se transformer en un énorme coucou. Olivia en avait la nausée, et de la fièvre.

— Tu ne peux pas rester ici. La saison va commencer, j'ai besoin de la pièce pour les vacanciers.

— Nous sommes le 26 décembre.

Olivia se pencha et se coucha presque sur la table. Elle emprisonna dans ses mains bouillantes celles de Kitty dont le contact la fit brièvement sursauter, puis les repoussa hors de la table.

— Je veux que tu partes sur le prochain bateau.

Les yeux de sa rivale scintillèrent.

— Ce n'est pas très hospitalier.

— Je veux que tu partes. L'hospitalité n'est pas sans limites.

Si elle attend de moi que je détourne les yeux la première, se disait Olivia, elle va être déçue.

Kitty finit par baisser la tête.

— Tu crois cela acquis, n'est-ce pas ? Qui tu es ?

Olivia se remit debout, un rictus de triomphe sur les lèvres. Elle ne voulait plus rien entendre, ni parler davantage du passé.

— Non, répliqua-t-elle.

— Je pense que si. Tu crois le bonheur acquis. T'en es-tu rendu compte ?

— Tout cela ne te regarde en rien, hurla Olivia.

La violence de son ton les choqua toutes les deux.

Elle abandonna Kitty dans le studio et regagna la maison du potier.

Xan était levé, pas rasé, habillé n'importe comment.

— Allons-nous avoir quelque chose à manger ? demanda-t-il.

— Si tu t'en occupes.

Max était à la cuisine, lui aussi. Elle ne leur accorda pas plus d'un regard, à l'un comme à l'autre. Les enfants jouaient rêveusement avec leurs cadeaux de Noël devant le foyer couvert de cendres et elle remarqua que Theo était d'une pâleur inquiétante. Il avait l'estomac fragile et tendance à vomir dès qu'il mangeait trop. Qu'ils se débrouillent ! Elle traversa directement la cuisine pour gravir l'escalier avec la sensation qu'en agissant ainsi elle sortait encore un peu plus d'elle-même. Qu'ils se débrouillent, que Kitty dégage, on pourrait peut-être repartir tant bien que mal.

Elle passa dans la salle de bains et ouvrit leur armoire à pharmacie. En se regardant dans le miroir, tout en avalant un antalgique contre la migraine, elle perçut tout ce que son aspect avait de bizarre. Les joues empourprées, les yeux trop brillants, la bouche serrée et tordue.

J'ai la grippe, se dit-elle. Je n'ai qu'à me mettre au lit pour quelques jours.

L'idée du lit chaud et chiffonné tout juste libéré par son mari ne la séduisait guère. Elle s'aspergea le visage d'eau froide, et ce contact brutal sur sa peau brûlante lui coupa le souffle. Elle entra ensuite dans la chambre noire. Le lit de Max était fait, sa couverture soigneusement tirée et pliée aux coins. Ses habits étaient pliés, eux aussi, et formaient une pile bien nette. Il avait toujours été ordonné, même petit garçon. C'était elle l'intrépide, l'improvisatrice, l'agitée.

La chambre noire était sa retraite, en temps normal, lorsqu'elle avait besoin d'un sanctuaire. Même si, l'idée lui vint en refermant la porte derrière elle, elle n'y avait guère passé plus de quelques heures au total durant toutes ces années, depuis que son mari l'avait repeinte en noir pour elle. Regarder en arrière, *avant,* depuis cette perspective, c'était comme regarder d'une fenêtre élevée un panorama tout à fait hors d'atteinte. Elle saisit le loquet extérieur et ferma le volet, tira le store intérieur pour oblitérer toute trace de lumière diurne puis, dans le noir de poix, elle chercha à tâtons l'interrupteur de la lampe rouge. Sa faible lueur la rassurait. Ses yeux accommodèrent rapidement et cessèrent de la brûler.

Elle farfouilla dans les étagères où elle rangeait son matériel photographique. Certains des produits chimiques venaient de Rhodes, d'autres étaient commandés à Athènes, mais elle disposait maintenant de tout le nécessaire. Elle n'était pas experte mais d'habitude développait elle-même parce qu'elle y prenait plaisir et que cela lui paraissait plus rapide et meilleur marché que d'expédier les films. Aujourd'hui, se concentrer sur cette besogne mécanique était un soulagement. Les capsules de film de 24 × 36 attendaient sur la grande étagère qui formait à la fois une planche de travail et un banc. Tout en maniant les solutions et les fixateurs, elle écoutait son souffle dans l'obscurité quasi totale.

Quinze minutes plus tard, elle suspendait la première bande de celluloïd pour la faire sécher. Il s'agissait d'une demi-douzaine de photos de famille. À première vue, il y avait une belle photo de Georgi, perché sur un rocher comme un oiseau, le visage face au vent et les plumes de ses cheveux tout ébouriffées en arrière. Il y en avait une autre de Meroula, assise sur l'*avli* – une photo volée qui l'avait saisie les genoux écartés, le visage détendu. Et puis il y en avait quelques-unes de Kitty. Elle portait le pull rayé breton de l'assistance humanitaire, une casquette et les cheveux ramenés en dessous. Olivia, d'un coup de pinceau, lui avait fabriqué une moustache. Sur le négatif, elle faisait une fioriture pâle sur l'ombre du visage.

On se déguise, avaient-elles dit à Xan et Christopher lorsqu'ils les avaient surprises. Elles s'étaient souvenues de Jeanne Moreau dans *Jules et Jim*, ce qui avait paru éveiller un souvenir chez Kitty. Mais en réalité elles essayaient des rôles. Mannequin et photographe étaient ceux, familiers, qui s'imposaient naturellement, mais elles avaient aussi joué à celui d'amie et de confidente.

Olivia regarda encore une fois sa montre. Elles n'étaient pas devenues amies.

Elle développa et fixa un nouveau rouleau. Elle se sentait presque dédoublée à présent, comme si elle avait regardé quelqu'un d'autre en train de développer les photos. C'est peut-être les antalgiques, se dit-elle. Elle finirait ce film puis irait se coucher.

Elle ôtait le deuxième ruban de la bobine quand elle entendit que Xan l'appelait. Sans le regarder, elle le mit à sécher à côté du premier et sortit pour voir ce qu'il voulait.

Theo avait vomi. Il était sur sa chaise, à côté des cendres du feu de la veille tandis que Xan maniait d'un air lugubre chiffons et désinfectants. Georgi semblait content de lui. Max s'était évaporé.

— Où étais-tu ? demanda Xan.

— Dans la chambre noire.

Elle s'assit et prit Theo sur ses genoux, lui tâta le front. Il était froid.

— Qu'as-tu mangé ?

Theo le lui dit, avec quelque fierté, en se nichant contre elle. Son odeur lui donna un haut-le-cœur.

— Ça ne m'étonne pas que tu aies été malade, alors.

Elle aurait aimé le poser par terre sur-le-champ et retrouver la solitude de sa chambre noire. L'intensité du besoin qu'avaient d'elle ses enfants – et son mari – semblait lui sucer la moelle des os. Mais elle le garda sur les genoux jusqu'à ce qu'il paraisse improbable qu'il rende de nouveau ; ensuite elle le baigna et lui trouva des vêtements propres. Une fois rhabillé, il avait retrouvé ses couleurs.

Lorsqu'ils redescendirent, Xan jouait aux cartes avec son fils aîné.

— Tu sais pour le bébé ?

— Kitty m'en a parlé.

— J'ai pensé que je pourrais rendre visite à Panagiotis. Prendre un verre, pour leur souhaiter bonne chance.

Olivia croisa son regard.

— Je suis en train de développer des photos. Soit tu emmènes les enfants avec toi, soit tu restes ici.

Il la héla, une fois la surprise passée, mais elle l'ignora.

Dans la chambre noire, les négatifs étaient secs. Elle les décrocha, les coupa aux ciseaux et les inséra dans des étuis. Puis elle les présenta à la lumière pour mieux les examiner.

La deuxième série d'images la bouleversa.

Il y en avait toute une série, une douzaine.

À nouveau, c'étaient des photos de Kitty.

Mais c'était Kitty qui avait pris les photos. Comment avait-elle pu actionner le déclencheur et se trouver devant l'objectif au même instant ?

Olivia remplit deux bains, de révélateur et de fixateur, et un troisième d'eau propre. Ses mains tremblaient, ce qui lui compliquait le dévissage des flacons et leur maniement.

Quelques minutes plus tard, elle se pencha sur le plateau de développement et regarda les positifs sortir du vide. Il y avait deux planches-contacts, vingt-quatre clichés sur chacune. Les laver et les fixer de nouveau puis attendre qu'elles sèchent.

Elles étaient encore collantes quand elle les posa devant la fenêtre. Tant pis ! Elle fit remonter le store d'un coup sec et repoussa les volets pour laisser entrer le soleil.

Elle n'avait pas besoin de sa loupe pour les étudier. Bien que minuscules, les photos se gravèrent dans son esprit.

Kitty, les cheveux ramassés sous une casquette, une moustache arrogante peinte sur la bouche.

Kitty encore, les yeux très maquillés, une moue sur les lèvres peintes de plusieurs couches de rouge, les cheveux éclaircis et désépaissis. Mais il ne s'agissait pas de Kitty. Elles avaient échangé leurs rôles cette fois, elle s'en souvenait. C'était elle le mannequin ce soir-là, parce qu'elle avait accepté d'être maquillée. Un essai, avait dit Kitty. Elle avait joué à la photographe, tournant autour de sa cible avec l'appareil inquisiteur. C'étaient de bonnes prises de vue : à l'évidence, elle avait un certain talent pour ça.

Olivia se pencha encore une fois sur les clichés.

Nom de Dieu ! nous avons l'air identiques !

Je lui ressemble tellement, j'ai cru que c'était elle en regardant les négatifs.

Elle m'a maquillée ainsi pour me rendre comme elle. C'était un acte de possession.

Christopher était entré et avait été sidéré de les voir. Et puis Theo s'était réveillé, faisant un mauvais rêve. Elle se rappelait son hurlement si clairement qu'elle crut l'entendre, là, et se dirigea vers la porte, pensant qu'il était peut-être de nouveau malade. Mais non, c'était alors, ce fameux soir-là : elle se rappelait comment elle l'avait descendu dans ses bras, comment il l'avait regardée à la lumière et s'était remis à crier.

Kitty le lui avait retiré tandis que Christopher l'aidait à effacer toutes ces saletés de son visage. Cher Christopher, si placide. Kitty s'était chargée de Theo comme si elle avait le besoin, l'intention de le garder.

Olivia tremblait de peur, en pleine confusion. Elle voulait se ruer dans le studio, en chasser Kitty, entasser ses affaires et y mettre le feu pour en débarrasser à jamais la maison du potier.

Tu lui as dit de partir. Par le prochain bateau. Elle s'en va, car elle ne peut rester ici.

Elle s'obligea à respirer plus calmement et étudia à nouveau ses planches. Elle entoura deux clichés, l'un de Kitty dans son pull breton et l'un d'elle-même en Kitty, telle que Kitty l'avait faite. Elle y avait la tête un peu inclinée, le regard lointain, fuyant, éteint – celui de l'étrangère qui était arrivée sur Halemni.

Olivia referma le volet, rabaissa le store et ralluma la lampe rouge. Elle prit deux nouvelles feuilles de papier photo, les réchauffa entre ses mains, imaginant qu'en fabriquant les photos, en les tirant de leur réticence photographique, elle parviendrait à rendre visible le fantôme et donc à l'exorciser.

Elle observa les visages plongés dans le révélateur, la courbe d'une paupière sortant du néant, l'étincelle de lumière se concentrant pour former une minuscule étoile dans une large orbite. Elle les laissa dans leur bain jusqu'à ce que leur densité lui convienne puis les lava et les fixa. Elle suspendit les photos l'une à côté de l'autre.

Deux portraits de dix centimètre sur quinze, à la composition intéressante, bien mis au point, correctement développés. Deux femmes de haute taille, étonnamment semblables.

L'effort de concentration l'avait épuisée. Elle ne comprenait plus pourquoi elle s'y était tant investie. Ce n'étaient que des photos, Kitty posant en vêtements de fortune et elle méconnaissable sous des couches de maquillage pour obéir à un caprice de l'intruse et parce qu'elle-même s'était trouvée vieille et peu séduisante.

Elle se sentait malade.

Elle rouvrit le volet et éteignit la lumière.

En se soutenant d'une main au mur, elle passa de la chambre noire à sa chambre. La maison était tranquille. Elle ôta ses habits sales et les abandonna sur le plancher. Puis elle s'étendit dans son lit chiffonné et ferma les yeux.

16.

— Comment va-t-elle ?

Nous sommes sortis pour une nouvelle promenade – que pourrions-nous faire d'autre ? La maison du potier s'est refermée sur Olivia et mon studio lui-même ne me semble plus être le chez-moi qu'il était avant Noël. Max et moi avons pris la seule route empierrée qui sorte du village et l'avons suivie jusqu'à la crête de l'île. De là, on aperçoit l'autre hameau de Halemni – un simple groupe de maisons dans un pli de terrain. La lumière scintille sur un objet mobile – peut-être le rétroviseur d'un scooter ou une fenêtre qu'on ouvre. Ni l'un ni l'autre d'entre nous ne regarde Arhea Chorio ni le château des chevaliers.

— Pas très bien. Xan dit qu'elle a besoin de voir le médecin.

Nous sommes le matin du troisième jour suivant Noël. Il me faudra bientôt rebrousser chemin pour remplacer la cousine à la boutique.

— Il va venir, n'est-ce pas ? Demain ?

C'est son jour de visite et Panagiotis m'a dit qu'il passerait voir Hélène et le bébé ensuite. Tous deux se portent bien ; il s'agit d'une visite de contrôle.

Max hoche la tête.

— Oui.

Il détourne le visage vers l'est, en direction des créneaux bruns de la Turquie. Le vent emporte ses paroles loin de nous si bien que je me mets devant lui et l'oblige à me regarder.

— Elle a la grippe, n'est-ce pas ?

Il esquisse un hochement de tête. Son air évasif, non pas seulement à l'égard d'Olivia mais de tout ce que contiennent les dix centimètres d'espace entre nous, me glace davantage que la froideur du vent.

— Max ?

— Que se passe-t-il ?

— Je voudrais te poser la même question.

Nous sommes là, coincés sur l'arête rocheuse de l'île ; j'ai le sentiment que tout ce que j'ai trouvé de neuf, tout ce dont je me suis éprise volette autour de nous en lambeaux effilochés. Mes doigts agrippent ses poignets et s'y enfoncent. Je peux juger de l'effort qu'il lui faut faire pour rester immobile.

Il soupire.

— Écoute. Olivia est malade, je suis donc inquiet à son sujet. Il y a un problème que je n'arrive pas à identifier. J'ignore pourquoi, sa maladie n'en est pas la seule cause. Elle est malheureuse comme je ne l'ai jamais vue. J'ai décidé de prendre quelques jours de vacances ici pour voir ma sœur et tenter de remettre mes idées en ordre. Et maintenant, il y a ce problème avec Olivia, et toi. Je dois penser à Hattie et aux filles aussi, tu comprends ?

Je fais partie de la liste, au moins. Je voudrais resserrer mon étreinte, mais je m'oblige à la relâcher.

— Olivia ira mieux dans un ou deux jours. Le médecin lui donnera des antibiotiques ou quelque chose comme ça. Xan devrait l'aider davantage. Je ne sais rien de Hattie, d'Ellie et de Lucy, comment le pourrais-je ? Ce que je connais, c'est toi et moi.

Il a l'air gêné et triste, deux traits que j'ai souvent reconnus dans la physionomie complexe de Peter, à la fin.

— Kitty, je vais bientôt devoir rentrer en Australie.

Un « non » muet gronde en moi, aussitôt bâillonné.

— Est-ce ce que tu veux ?
— C'est ce que je dois faire.
— Je suppose que oui, dis-je.
C'est lui qui me fait pivoter à présent, en nous abritant tous deux contre le vent.
— Kitty, me dit-il d'une voix charmeuse. Tu sais ce que j'éprouve.
Il me regarde avec les yeux de sa sœur.
Nous dévalons la pente de la destruction, puis glissons vers l'autre, vers la promesse du bonheur, puis oscillons comme des funambules sur le fil qui les sépare. S'il reste, nous aurons tout cela. Autant qu'Olivia elle-même.
— Est-ce que je le sais ?
Pour toute réponse, il m'embrasse, mais distraitement. Par-dessus son épaule je regarde les plis chamois de la tourbe sous le soleil, les doigts gris sombre des ombres nues qui les peignent. La mer est bleu ciel dans la baie, ridée par la brise de pattes de chat bleu nuit et le bord de l'eau d'un incroyable turquoise pâle.
Je ne peux pas quitter tout cela. Pas plus Halemni que la personne que je suis ici.
— Est-ce que je le sais ? dis-je encore.
L'âpreté de ma voix le fait reculer mais j'ajoute encore :
— Qu'éprouves-tu ?
— Je me soucie de toi ; j'ai... aimé ces jours avec toi.
À présent, j'écarte les mèches de mes cheveux que le vent colle sur ma bouche, en tentant de gommer le goût amer sur mes lèvres.
— Est-ce tout ce que ça voulait dire pour toi ? Une baise de Noël ?
Il fait la grimace.
— Non, bien sûr que non.
Une expression d'incompréhension, d'impuissance s'empare de son visage et je voudrais le secouer pour lui faire comprendre. Mais une idée cruelle me vient : ce n'est qu'un homme. Olivia doit ressentir ça, parfois, à l'égard de Xan. Ma complicité avec elle enfle aussi vite qu'elle se dégonfle quand je me rappelle que nous sommes devenues en quelque sorte des adversaires. J'éprouve soudain une brusque envie de la voir.
— Veux-tu marcher encore un peu ? dis-je.
— Non, pas vraiment.

— Il faut que je retourne à la boutique, de toute façon.

Nous faisons demi-tour et il me prend la main. Son pouce caresse le mien : ce contact innocent m'enflamme à nouveau de désir. Je porte nos mains jointes à ma bouche et lui embrasse les doigts, rapprochant nos visages. Il me regarde droit dans les yeux et, peu à peu, inévitablement, succombe. Ses mains glissent sous mes vêtements, froides sur ma peau tiède.

Un instant plus tard, nous sommes à genoux dans l'herbe bosselée, nous baisant à pleine bouche.

Un affleurement de rochers nous abrite.

C'est comme la première fois, dans les ruines du château. Sauf qu'après, Max ne me serre ni ne me caresse. Il s'éloigne de quelques centimètres et se redresse, mâchonnant une tige d'herbe, le regard perdu vers la mer.

Il y a autre chose. Quand je murmure son nom, il se retourne vers moi et je lis dans ses yeux qu'il commence à avoir peur de moi.

Pourquoi a-t-il peur de moi, entre toutes ? Les mots se déversent hors de moi. J'essaie d'éloigner sa peur par un flot de paroles.

— Je ne veux pas que tu retournes à Sydney. Je ne veux pas que tu retrouves Hattie – l'idée m'en est insupportable. Je veux bien que tu repartes un temps, pour lui apprendre ce qui est arrivé. Mais tu reviendras. Et nous pourrons vivre ensemble. Nous pouvons vivre ici. Ou bien, d'accord, pas ici à cause d'Olivia. Mais nous pouvons trouver un endroit comme celui-ci. Peut-être, peut-être pourrons-nous même avoir un enfant. Il est tard, mais ce n'est pas inimaginable…

— Non, dit-il tranquillement.

Avec cette douce protestation, tout s'éclaircit ; nous avons fait cette promenade pour qu'il puisse me révéler précisément cela. J'étais et suis désirable. Peut-être même m'aime-t-il. Mais nous n'avons pas d'avenir. Et il redoute que je ne l'accepte pas. Que je ne pose des exigences qu'il ne pourrait satisfaire.

Maintenant, que sais-je ?

L'incrédulité puis l'angoisse se mettent à tourbillonner en moi. Je ne pleure pas. Les larmes sont encore loin. À la place, je me dresse sur les genoux car je veux me contrôler au mieux. Si je bouge trop, je vais me répandre, suinter sur la terre sèche et disparaître.

— Ne prends pas cet air, chuchote-t-il.

Il me semble me rappeler que Peter a employé les mêmes mots, un jour, avant de partir avec Lisa Kirk.

Quel air suis-je supposée prendre ?

J'ai oublié. Ce n'est pas moi, c'est une autre, entièrement différente.

Où suis-je ?

Un frisson de colère vibre au-dedans de moi, à présent, aussi violent que le tremblement de terre. Pendant un moment de volupté, je pense à y céder. Elle me mettrait en pièces. Ma lèvre supérieure se redresse, découvre mes dents et j'entends mon propre gémissement de quasi-soumission tandis que mes yeux menacent de se fermer. Je vois rouge derrière mes paupières, oui. Je regarde à nouveau le visage effrayé de Max.

Je n'y cède pas, pas encore.

Au lieu de cela, je rajuste mes vêtements, reboutonne ce qu'il a déboutonné, resserre ma ceinture. Puis je me remets lentement debout, raide comme une vieille femme.

— Je comprends, dis-je enfin.

— Je n'ai pas le droit d'espérer...

— Olivia me l'avait dit. Que tu étais – quel est le mot ? – une sorte de joueur. Avec les femmes. C'est exact ?

Il hésite, assez longtemps pour que je pense que je l'aime et le veux – avec toujours ce sentiment de le connaître mieux que personne et qu'il est insupportable que nous ne soyons pas une même chair. C'est un deuil.

— J'ai tenté de ne pas l'être, répond-il humblement. Depuis que j'ai épousé Hattie. Mais dès que... je t'ai vue... en bas sur le quai, ta bouche dégoulinante de sang. Une fois que... C'était fini. Je suis désolé. Je suis désolé pour moi aussi, parce que j'ai mal.

— Oui.

Au bout d'une minute, je m'enquiers :

— Quelle heure est-il ?

Il me le dit. Je suis déjà en retard pour la boutique.

Nous entamons la descente, dans notre cadre familier. Je songe : je veux être heureuse ici. Peut-on choisir le bonheur, après tout ?

Cette vague de colère comprimée en moi rend la question incongrue, je le sais.

Nous nous quittons au virage de la route, non loin de la maison du potier. Max se dirige déjà vers elle quand je le hèle :

— Dis à Olivia que j'ai demandé de ses nouvelles. Que j'aimerais venir la voir si elle est assez bien.

Puis je descends la rue vers la boutique de Panagiotis. Yannis traverse devant moi et me salue. En bas, sur la digue du port, parmi un petit groupe d'hommes, je distingue Christopher Cruickshank qui attend paresseusement le grand ferry.

La boutique a son odeur habituelle, de toile de jute, de fromage, d'anchois secs. La cousine de Panagiotis regarde sa montre à mon entrée : je murmure en grec que je suis confuse. Il y a des vides sur certaines des étagères du devant. Je note ce qui manque et file à la réserve. Je ne suis que la femme anglaise, ici. Ce quasi-anonymat réducteur me réconforte brièvement.

Max trouva Xan à la cuisine, en train de dresser la table. Il y avait une casserole sur le gaz et les garçons attendaient avec impatience leur repas de midi.

— Comment va-t-elle ?

— Elle est descendue une heure. Mais elle ne se sentait pas bien et elle est remontée se coucher. Je crois qu'elle dort, à présent.

— Kitty a demandé de ses nouvelles.

Xan lui décocha un regard auquel son beau-frère répondit par un petit haussement d'épaules non moins éloquent. Le défi, la haute taille de leurs femmes les avaient rapprochés. Max se trouva une bière dans le réfrigérateur.

Xan répartit la nourriture sur les assiettes.

— Papa, qu'est-ce que c'est ? soupira l'aîné.

— Des haricots et des tomates. Très bon.

Ils goûtèrent, portant chacun une cuillerée à leur bouche.

— Je ne crois pas que ce soit très bon.

— Tu as tort, tout comme moi. En fait, c'est excellent.

— Quand Maman va-t-elle aller mieux ?

— Dans un ou deux jours, à mon avis.

Theo avait l'air malheureux.

— J'aimerais qu'elle aille déjà mieux.

— Moi aussi, renchérit son père.

Étendue sur le côté, Olivia regardait la lumière au-delà de l'angle fait par les persiennes. La pièce elle-même était plongée dans la pénombre car trop de luminosité lui blessait les yeux, mais elle redoutait l'obscurité complète. La lumière du jour ou sa suggestion, c'était la réalité ; le noir permettait trop facilement de glisser dans les rêves.

Et ces rêves étaient terribles. Ils la faisaient lutter pour se redresser, se cramponner à ses draps pour les repousser d'autour de sa gorge, ils la noyaient de sueur, emplissant la pièce de visages grotesques. Sans arrêt, elle perdait et reperdait ses enfants. Theo glissait sous la surface de l'eau claire, tendant une main implorante qu'elle n'arrivait pas à attraper. Georgi errait parmi les troncs noueux d'une forêt, s'égarant toujours plus loin d'elle qui l'appelait et tentait de courir après lui. À la fin, sa petite silhouette disparaissait dans la lumière verte. Un groupe de gens se tenait sur la plage et voyait le tsunami arriver sur eux, puis elle se retrouvait dans son lit, à suffoquer, et Xan, qui était dans la pièce, refusait de l'aider. Elle eut un grand mouvement des bras qui renversa une tasse posée sur la chaise près du lit. La tasse ne se cassa pas mais le choc sur le plancher nu ramena Olivia à la conscience.

Il y avait de la lumière derrière les persiennes et elle gisait dans un lacis de draps trempés de sueur.

Quelqu'un frappa à la porte de la chambre. Ce ne pouvait être Xan, bien sûr, et ni Georgi ni Theo ne prendraient la peine de frapper. Elle se rétracta sous les couvertures. Elle se savait faible ; c'est-à-dire vulnérable…

— Olivia ? Es-tu réveillée ?

Christopher, ce n'était que Christopher, Dieu merci.

— Oui.

Il se faufila dans la pièce.

— Bonjour, je t'ai apporté à boire.

— Merci.

Sa bouche était desséchée et le simple fait de prononcer quelques mots lui déchirait les lèvres.

— Comment ça va ?

Elle lui prit la tasse, tentant un petit haussement d'épaules et un sourire, mais elle voyait bien l'inquiétude qui dévorait son visage.

— Pas très bien.

— Tu devrais voir le médecin. Le ferry est arrivé. Nous pourrions t'y emmener maintenant.

— Vraiment ?

Elle ne pouvait concevoir d'avoir oublié le moment exact de l'arrivée du ferry mais elle n'en avait pas moins perdu la notion des jours.

Christopher toucha son épaule trempée de sueur :

— Bois ça pour moi.

Il redescendit. Max faisait la vaisselle, Xan remettait un peu d'ordre dans la pièce.

— Je pense que nous devrions l'embarquer sur le ferry maintenant. L'emmener à Rhodes, dit Christopher.

C'était une traversée de quatre heures, mais il y avait un hôpital au bout.

— Papa ? dit Georgi en levant la tête.

— Très bien. Ce n'est pas nécessaire. Le médecin sera là demain.

— Je pense qu'on ne devrait pas attendre demain.

— Laisse-moi réfléchir. Non, c'est trop compliqué.

Xan était désemparé. C'était toujours sa femme qui prenait ce genre de décisions ; il ignorait quoi faire quand il fallait les prendre pour elle.

Christopher se tourna vers Max qui essuyait une casserole. Il semblait hébété, comme s'il n'avait pas entendu la conversation clairement.

— Max ?

— Heu, je suppose... tu sais, plutôt qu'une longue traversée en bateau, il vaudrait mieux que le médecin vienne à domicile.

Les trois adultes formaient un triangle embarrassé que les enfants fixaient.

— Maman va guérir ? chuchota Theo.

— Bien sûr que oui, répondit son père en lançant à Christopher un regard destiné à le réduire au silence.

Celui-ci hésita, ne sachant s'il fallait insister. Il se souciait plus d'Olivia que de tout être au monde – c'était la seule personne qu'il aimât, mais c'était la femme de Xan, pas la sienne. Il céda.

— Je pense dans ce cas qu'il faudrait faire baisser sa température. L'asperger d'eau fraîche. Demander à Meroula ou à Kitty de le faire, peut-être.

Xan dit qu'il allait demander à sa mère.

— Je t'accompagne, dit Christopher.

Une fois dehors, Xan se gratta la tête à pleines mains.

— Putain ! Je ne sais pas ce qui se passe. Rien ne va plus. Olivia n'a jamais été malade, depuis que je la connais.

Xan n'était pas particulièrement à l'aise quand il s'agissait de parler de ses sentiments mais son ami comprenait ce qu'il voulait dire parce qu'il éprouvait la même chose. L'air était parcouru de menaces, dont les minuscules vibrations touchaient tout le monde dans la maison du potier. Il se souvint des lourdes et chaudes journées d'avant le tremblement de terre et le raz de marée.

— Assurons-nous qu'elle va se remettre vite, alors, dit-il devant la porte de Meroula.

Xan lui prit le bras.

— Merci !

Christopher poursuivit son chemin jusque chez lui. Xan n'aurait pas été aussi reconnaissant s'il avait su ce qu'il éprouvait pour sa femme. Combien il désirait sa femme. Mais ce n'était pas vraiment nouveau. Et n'était-ce pas typique de Xan, songea Christopher, qu'il ne remarque jamais les choses ? À l'arrivée de Kitty, il avait fait semblant de croire durant quelques jours qu'elle pourrait être son Olivia. Mais Kitty n'était que surface, illusion, voire mimétisme physique comme le soir du maquillage. Elle n'avait rien de l'intégrité et de la profondeur d'Olivia. Or, même à l'arrivée de Kitty, lorsque l'essence troublante, précieuse d'Olivia avait paru brièvement reflétée, doublée par sa présence, Xan n'avait rien vu. Il aimait sa femme, point final. C'était une simplicité enviable.

Meroula monta à l'étage avec une bassine remplie d'eau fraîche. Olivia était toujours étendue, en nage et très agitée. Elle laissa sa belle-mère la faire rouler sur une serviette disposée à la place de Xan, mais résista quand Meroula voulut ôter le T-shirt trempé dans lequel elle avait dormi. Il y eut une brève lutte, presque comique, quand Olivia se cramponna à l'ourlet tandis que Meroula s'efforçait de le lui tirer par-dessus la tête.

— Non, protestait Olivia. Non, non. Je veux garder mes vêtements. J'en ai besoin.

Meroula fit de son mieux en aspergeant ses bras, ses jambes, son visage et sa gorge. Olivia essaya d'abord de la repousser, mais ces gouttes fraîches étaient si délicieuses sur sa peau brûlante ! Elle finit par se laisser faire et Meroula put remonter par-dessus les genoux, sur les cuisses, des poignets au creux des coudes. C'était une sensation merveilleuse de rester immobile et de voir la tête grise de Meroula tressauter, la concentration de son visage pour accomplir sa tâche. Son expression était sévère mais on y lisait une mince ride d'affection qu'Olivia lui avait parfois vue quand elle regardait ses petits-enfants, mais jamais à son égard.

Elle se dit avec gratitude que c'était comme être soignée par sa propre mère. Elle se revit dans la baignoire à la maison, un soir d'été, avant le retour de son père. Il y avait des palombes des bois dans les arbres du jardin. Sa mère lui épongeait le visage et le cou tandis qu'elle était allongée dans l'eau. Elle lui pressait toujours une éponge sur les cheveux, c'était un jeu entre elles.

— Mes cheveux ! s'exclama-t-elle.

— Tu ne vas pas te coucher avec les cheveux mouillés, répondit sa belle-mère.

Olivia était sûre d'avoir compris cette phrase en grec parce qu'il était évidemment logique de ne pas se coucher avec les cheveux mouillés. Mais elle n'arrivait pas à se rappeler d'où lui venaient ces mots. Elle ouvrit grand les yeux et fixa Meroula.

— Que faites-vous ici ? demanda-t-elle, prise d'une peur panique.

Il y avait des persiennes à la fenêtre, et non des rideaux de salle de bains.

On entendit un long gémissement lugubre au-dehors. C'était la sirène du ferry qui levait l'ancre dans la baie.

— Tu as de la fièvre. Je te rafraîchis, répondit Meroula.

Une fois qu'elle fut sèche et apaisée, sa belle-mère la persuada d'enfiler un T-shirt propre. Olivia s'assit sur le lit, lui tourna le dos pour ôter l'ancien et parvint à passer un bras, puis la tête et l'autre bras dans le T-shirt propre.

Ses pensées battaient la campagne tandis qu'elle luttait pour rabaisser l'ourlet sur ses fesses amaigries. Son corps semblait friable.

Personne ne me voit nue. Xan est le seul.

— Veux-tu que je reste près de toi ? demanda sa belle-mère.

Olivia acquiesça et sombra à nouveau dans le sommeil.

Les deux hommes et les deux enfants sont à la cuisine quand je rentre de la boutique. Ils ont dû rester là tout le temps que j'ai travaillé. J'ai réassorti les étagères, épousseté les fenêtres, fait tout ce que je pouvais pour tuer le temps, mais même ainsi, l'après-midi assise à la place d'Hélène près de la caisse m'a paru interminable. Tout était tranquille. Panagiotis, ou sa cousine, a épinglé un polaroïd sur l'étagère la plus proche. On y voit Hélène assise son bébé dans les bras. Le petit visage écarlate est à peine visible dans le tricot de laine jaune citron mais je me rappelle bien, en tout cas, son aspect.

Être installée sur sa chaise me donne un sentiment bizarre, presque celui d'être Hélène. Je l'ai regardée si longtemps, à tricoter, à attendre. J'ai croisé mes doigts sur mon ventre, pour voir. Je suis grosse, je le sais, mais ça fait comme de la chair morte au toucher. Rien à voir avec une gestation.

Cette pensée m'a fait me contracter de douleur. Une douleur aussi violente qu'une des contractions d'Hélène. Pas d'avenir, a dit Max. Pas de vie comme celle de Halemni pour nous, vierge de passé. Rien.

La douleur m'envahit à nouveau tandis que j'embrasse du regard les hommes, les enfants et la cuisine de la maison du potier. Et puis la colère lui succède.

— Comment va-t-elle ?

— Meroula est restée auprès d'elle jusqu'à ce qu'elle s'endorme, répond Xan.

Max ne lève pas la tête. Il refuse de croiser mon regard. Il souffre et est mal à l'aise, bien sûr.

— Puis-je faire quelque chose ?

Xan hausse les épaules. Il a l'air perdu.

— Une sorte de dîner, peut-être.

J'enlève donc ma veste et me lave les mains dans l'évier de pierre. Je m'attaque aux oignons et aux tomates. Les garçons se faufilent de mon côté de la table et s'installent à ma gauche et à ma droite, comme si je ressemblais assez à leur mère pour les rassurer. Ils ne disent pas grand-chose. L'incertitude les a éteints.

Olivia s'éveilla quand sa belle-mère sortait à pas de loup. La lumière avait baissé derrière les persiennes – on devait être le soir. De quel jour ? Le jour du ferry, c'est ça, c'est ce que Christopher avait dit. Et elle avait entendu la sirène au moment où il s'éloignait.

On entendait des voix en bas. Elle discernait celle, basse et grondante, de Xan, les inflexions plus brèves de Max et les fins interrogatives de ses phrases, le pépiement occasionnel des enfants et puis la voix claire d'une femme qui parlait plus rarement que les autres.

Ce n'était pas Meroula, c'était Kitty.

En écoutant, elle eut l'impression d'avoir quitté son lit – s'il y avait quelqu'un sous les couvertures, ce n'était pas elle. Elle était à la cuisine, sans y être vraiment car elle ne pouvait voir Xan ni ses fils ni Max, ni comprendre ce qu'ils disaient, alors qu'ils se parlaient tous comme s'il s'agissait de n'importe quelle soirée agréable et paisible.

Penser qu'elle était là, mais isolée d'eux, la plongea dans une mélancolie infinie, une tristesse sombre comme une meurtrissure. L'ordinaire était devenu un absolu. Leur bonheur était fragile et elle ne s'en était jamais doutée.

Kitty dit quelque chose puis éclata de rire.

Olivia ouvrit les mains sur les draps et se souvint qu'elle était au lit, et malade. Elle serra les poings en entendant le rire de l'intruse, une vague de colère balaya sa tristesse. Kitty ne devrait pas être ici, pas en ce lieu qui lui appartenait. Elle s'assit sur son lit. Elle parvint à pivoter et à poser les jambes sur le plancher qu'elle se mit à marteler.

— Xan, hurla-t-elle, Xan !

Il accourut en quelques secondes. Il s'assit au bord du lit, la prit dans ses bras et tenta de la calmer.

— Ce n'est qu'un rêve, dit-il comme il l'avait souvent fait avec Theo.

Il lui caressa les cheveux et la berça comme une enfant.

— Je lui ai dit de partir, insista Olivia avec feu. Le ferry est bien venu aujourd'hui, n'est-ce pas ?

— Qui ? Oui, le ferry est venu.

— Pourquoi ne l'a-t-elle pas pris ? Je lui avais dit qu'elle ne pouvait rester davantage. Je le lui ai dit quand je suis allée la voir.

— Tu parles de Kitty ?

— Oui, acquiesça Olivia en frissonnant. Je veux qu'elle parte. Elle me fait peur.

Xan continuait à la caresser.

— Mais non, elle ne te fait pas peur. C'est parce que tu es malade. Elle est juste venue nous faire le dîner. Elle est arrivée droit de la boutique pour prendre de tes nouvelles.

— Non, hurla-t-elle en le repoussant, en tentant de lui faire comprendre la gravité de ses propos. Dis-le-lui. Elle doit *partir.* Tout de suite.

— Olivia. Ça suffit, maintenant. Il est huit heures du soir. Où irait-elle ? Nous ne pouvons tenir ce langage à quiconque, pas sous ce toit. Et écoute…

Ses mains étaient posées sur les siennes comme des griffes brûlantes. Elle avait les yeux dilatés, beaucoup trop brillants.

— Je pense que Max lui a dit qu'il rentrait auprès de Hattie. C'est déjà assez dur à digérer pour elle. Laissons-lui un ou deux jours de tranquillité, jusqu'à ce que tu sois remise. Nous pourrons tous en reparler. Je suis persuadé qu'elle comprend qu'elle ne peut pas rester ici définitivement. Et pourquoi le voudrait-elle ?

C'est précisément ce qu'elle veut, s'enfouir sous la surface, s'approprier tout ce qui ne lui a jamais appartenu…

Mais la voix de Xan l'apaisait. Elle cessa d'essayer de comprendre ce qu'il disait, de chercher à le convaincre qu'il se trompait et se contenta d'écouter. Sa colère se dispersa en frissons fiévreux.

Max retournait auprès de Hattie.

Kitty finirait par partir, elle y veillerait.

Tout s'arrangerait dans la maison du potier.

Le médecin de l'île vint le lendemain avec le ferry local. C'était un petit homme trapu, au menton creusé d'une profonde fossette. Olivia sentit le savon de ses mains quand il commença à l'ausculter. Ses avant-bras semblaient sombres par contraste avec sa chemise blanche à manches courtes. Il fronça les sourcils et hocha la tête tandis qu'elle observait son visage, remarquait les pores autour des ailes du nez. Il réchauffa le stéthoscope dans le creux de sa main avant de l'appliquer sur la poitrine d'Olivia, égard dont elle lui sut gré, dans sa faiblesse.

Xan attendait derrière la porte. Elle percevait même le petit grincement de plancher tandis qu'il dansait d'une jambe sur l'autre. Tous ses sens étaient décuplés ; les objets ordinaires eux-mêmes prenaient une dimension hallucinatoire. Les doigts du médecin sur son cou et sous ses bras étaient comme de l'acier, comme s'ils risquaient de s'enfoncer dans sa chair cotonneuse. Le tissu de l'oreiller lui grattait la joue. Il ôta le pansement de son bras, inspecta la blessure, la tamponna d'antiseptique et la recouvrit.

Lorsqu'il eut fini de l'examiner, le médecin lui tapota la main et la replaça sur sa poitrine. Il remonta le drap sous son menton et le lissa. On eût dit qu'il préparait son cadavre. Je ne suis pas morte, voulut-elle dire.

Xan entra dans la pièce. Il s'assit inconfortablement sur une chaise couverte de vêtements, en n'y posant que le bout des fesses pour ne rien déranger. Le médecin remit son manteau et ouvrit sa mallette.

Olivia saisit certains des mots échangés. C'était une mauvaise passe. Température. Quelques antibiotiques. Du repos et des nourritures liquides. Il reviendrait la semaine prochaine.

Xan hocha la tête et lui sourit. Le médecin comptait des pilules dans un flacon brun.

— Vous irez mieux dans un ou deux jours, la rassura-t-il.

— Très bien, dit son mari.

Quand il revint après avoir raccompagné le médecin, Olivia lui tendit la main ; il s'en saisit et s'assit sur le lit près d'elle. Il entrecroisa leurs doigts et se pencha pour écarter de l'autre main les cheveux sur son visage.

— Désolée.

Elle avait l'impression qu'une porte était en train de se refermer et qu'il fallait absolument parler tant qu'elle était encore entrouverte. « Désolée » correspondait au plus faible chuchotement de la perte et de l'obscurité qui enflaient du mauvais côté de la porte.

— Hum ? Il n'y a rien dont tu doives être désolée. Écoute. Tu te rappelles les Darby ?

Le nom lui disait quelque chose. Elle écouta son écho dans son esprit, sans avoir la force de réfléchir davantage.

— Tu sais, ce couple qui faisait partie du dernier groupe, à la fin de la saison. Yannis l'avait frappé sur le nez. Elle n'a pas paru trop s'en émouvoir. Tu dois t'en souvenir.

— Oui.

— Je me suis souvenu d'eux le soir de Noël quand tu étais fâchée avec moi. Je ne veux pas que nous leur ressemblions.

Sa main la serra plus fort, lui broyant les os.

— Je ne veux pas être enfermé de la sorte, jamais. Avec de la colère tout autour de nous et des visages durs plutôt que riants. Je t'aime trop. Si tu cesses de m'aimer, promets-moi de me le dire au lieu de faire semblant.

— Non, dit-elle avec peine. Je n'arrêterai pas, je veux dire.

Quand tout serait rentré en ordre dans la maison, sans Kitty, elle le lui prouverait.

— Prends tes médicaments.

Il sortit deux comprimés du flacon et les posa sur sa langue sèche. Elle but quelques gorgées de l'eau qu'il lui tendait et les avala en se raclant la gorge.

— Très bien, dit Xan en lui caressant à nouveau les cheveux.

Je croise le médecin devant la maison de Panagiotis. Je suppose du moins que c'est lui parce qu'il porte une trousse médicale, bien qu'il n'ait rien d'impressionnant. C'est un petit homme replet, à l'allure un peu furtive. Je remarque qu'il me fixe d'un air surpris, mais je lui murmure *kali mera* sans m'arrêter et disparais sous l'abri du porche de Panagiotis.

Celui-ci, je le sais, devra filer à la boutique dans une minute. J'ai choisi exprès mon heure car je veux voir Hélène et le bébé sans qu'il soit là.

Il ouvre la porte à mon coup de heurtoir et paraît heureux de me voir.

— Mère et enfant en pleine forme, lance-t-il avec un large sourire. Entrez, je vous prie.

La pièce qui fait face à la cuisine, la plus agréable, est remplie de meubles brillants et de lourdes tentures. Elle est encore rapetissée par l'irruption d'un landau énorme et rutilant. Hélène est coincée dans un angle, vêtue d'un corsage bleu à large col pour la visite du médecin, avec le bébé dans ses bras. Elle me sourit, nerveusement, et baisse aussitôt la tête vers le nourrisson.

— Nous sommes reconnaissants, Kyria Kitty, de votre aide la nuit de la naissance, dit Panagiotis.

Il m'offre cérémonieusement du café et du *kourabiethes*, un sablé sucré fait pour le nouvel an, mais je le prie de ne pas se donner tout ce mal. Nous échangeons encore quelques paroles, puis il nous laisse toutes les deux.

— Comment vas-tu ? dis-je.

La bouche d'Hélène paraît plus charnue et le sombre duvet qui ourle sa lèvre supérieure paraît avoir foncé. Son corsage est tendu sur sa poitrine et bâille entre les boutons. Ce passage vers la maternité l'a vieillie, mûrie.

— Merci, murmure-t-elle.

Efharisto. Elle est gênée de se rappeler ce que j'ai vu et entendu : sa pudeur a été blessée. Je réalise, trop tard, que cela pose problème.

Je m'assieds à côté d'elle sur le sofa glissant, bien qu'elle ne m'y ait pas invitée, et lui demande dans mon grec hésitant :

— As-tu choisi un nom ?

— Demetria. En souvenir de ma mère.

— C'est joli.

Nos conversations n'ont jamais dépassé quelques mots – la routine tranquille de la boutique remplissait les temps morts. Je veux lui dire que j'ai été heureuse et fière qu'elle m'ait demandé de l'assister, que je pense qu'elle a montré beaucoup de courage, que j'ai été bouleversée par la naissance comme jamais auparavant dans ma vie. Il va de soi que je peux rien exprimer de tout cela. Après avoir tenté une ou deux phrases, je constate qu'elle baisse la tête sans comprendre et garde les yeux fixés sur le visage du bébé. Ma voix chancelle et je m'interromps.

— Puis-je la tenir ?

Ça, au moins, elle le comprend. Elle hésite puis dépose le colis jaune citron dans mes mains tendues. Je vois bien qu'elle n'en a pas envie, mais elle le fait.

Je tiens le bébé contre moi, en soutenant la tête minuscule d'une main. Mes rondeurs me donnent l'illusion que j'ai les seins pleins, ce que paraît croire Demetria car elle tourne la tête en ouvrant la bouche, à la recherche de lait.

Le désir d'un lien me transperce comme une décharge électrique. Je la serre plus fort, comme si cette force seule pouvait faire une différence : le bébé ouvre ses yeux noirs, insondables, et me fixe.

La réalité s'y reflète : je suis une étrangère.

Je ne suis pas une mère et ne serai jamais un lien dans la chaîne des mères et des filles. Je ne suis pas de Halemni, rien qu'une invitée anglaise qu'on a bien voulu accueillir. L'embarras d'Hélène en me voyant aujourd'hui et le manque de mots entre nous ne le rendent que trop clair. Et surtout, Max m'a dit, avec ses regrets soigneusement équilibrés, qu'il rentrait chez lui. Il n'y a pas d'avenir insulaire pour nous deux. Et par conséquent aucun pour moi.

Olivia l'a exprimé clairement – *tu dois partir.*

Quel que soit mon désir du contraire, je ne suis pas d'ici, Kitty Fisher, Cary Stafford, qui que je sois.

Le bébé ne trouve pas l'odeur qui le rassure ni le lait qui le comblera. Il lève ses poings contre son visage et se met à vagir comme un petit chat.

Aussitôt, soulagée, Hélène tend les bras pour le reprendre.

Je sais qu'elle n'allaitera pas son bébé devant moi, qui suis une étrangère. Je me lève, trop grande pour ce lieu surchargé.

— Elle est si belle, dis-je à sa mère.

Les pleurs se font seulement plus forts et insistants. Je bats en retraite, quitte la pièce, le vestibule glacé, passe la porte d'entrée et me retrouve dans la lumière d'hiver blanchâtre, éblouissante, dont le scintillement sur les reflets de l'eau me fait cligner les yeux, en me demandant que faire maintenant et où aller.

Un autre jour s'écoule et l'on arrive au dernier de l'année.

La maison du potier est calme, tout comme moi. Je reste assise à lire dans mon studio, puis, dans l'après-midi, incapable de supporter davantage mes quatre murs, je sors marcher. Sans réfléchir, je prends le chemin en zigzag qui monte au vieux village.

Les toits en ruine sont ouverts sur le ciel et les choucas qui tournoient. Les portes et les fenêtres aveugles sont tournées vers l'intérieur, les sols de terre battue aride, les fours à pain délabrés et les éclats de céramique brisée. Je ramasse un vestige vernissé serti de poussière et me demande s'il a été fabriqué et cuit par le vieux potier qui occupait autrefois la maison de Xan. Cet après-midi, les ruines sont désertes.

Seules ou par couples, les vieilles gens qui avaient émigré à Arhea Chorio ont pour la plupart battu en retraite et regagné le niveau de la mer. Kyria Elena et une poignée d'autres vivent encore dans leurs maisons de bric et de broc mais aujourd'hui, veille du nouvel an oblige, ils sont redescendus auprès de leur famille à Megalo Chorio. Les épouses ont confectionné le *vasilopita,* gâteau traditionnel enfermant une pièce symbole d'une année de chance pour celui qui la trouvera, et les pères de famille trancheront la première part sur le coup de minuit. Ce sera une soirée de fête partout, avec du *kourabiethes* et des chants spéciaux ; les hommes miseront un peu d'argent aux cartes. Partout, sauf cette année dans la maison du potier.

Je remonte la grand-rue, ses dalles inégales, en direction de la vieille église et de la vue sur la baie. Je veux la contempler à la lumière déclinante de cette courte journée et l'imprimer dans mon esprit. Je marche tête baissée, en faisant attention à l'endroit où je mets les pieds, quand je perçois les chants.

Je m'arrête pour écouter. Ils viennent de là-haut, parmi les maisons qui dominent les terrasses jadis cultivées descendant vers la mer ; des chants bruyants, exubérants qui ressemblent presque à une psalmodie. À présent j'entends un bruit de course et des pas qui trébuchent, j'aperçois une tête au-dessus de la ligne des murs de pierre écroulés. Une autre tête pointe derrière, encore une autre.

C'est un groupe de garçons, qui chantent à tue-tête en dévalant la colline. Dès qu'ils me voient, ils bifurquent et enfilent la ruelle. Hilares, ils font un cercle autour de moi et se mettent à battre des mains et du pied au rythme de la chanson. Je n'en sais pas les paroles mais l'air me conquiert aussitôt. Je m'aperçois que je me mets à chanter moi aussi, et à rire quand le plus grand garçon passe son bras sous le mien et commence à se balancer avec moi à m'en faire perdre l'équilibre. Je connais presque tous les enfants du village, désormais, au moins de vue, mais ne reconnais aucun de ces garçons. L'un d'eux me prend l'autre bras et nous formons une chaîne qui virevolte pendant une minute, haletant de rire et déterminés à ne pas décoller du sol tout en galopant à flanc de colline.

Je veux courir avec eux et reconstituer les paroles de ce chant obsédant. Mais l'un de mes acolytes me lâche puis l'autre et tout le groupe m'échappe, s'éparpillant dans les ruines. J'entends leur chant pendant une ou deux minutes encore puis il est avalé par les vieilles pierres et je me retrouve seule.

Le silence retombe autour de moi en plis épais. Je lève mes mains et les regarde, comme si je pouvais trouver dans ces rides et ces volutes de peau la preuve de mon être physique.

Je reprends ma marche, rebrousse chemin vers le sommet de la colline entre les maisons désertes. Je débouche sur la place où nous avons dansé le soir de la fête d'Aghios Pandelios. *Je ne peux pas t'embrasser maintenant*, avait dit Max, *mais je le ferai.*

Je me sentais si pleine de vie, alors. À présent, je suis plus fragile et pâle que les feuilles mortes chassées contre le mur de l'église. Je longe silencieusement le mur en touchant du bout des doigts les croûtes de lichen. Je tourne l'angle est et arrive sur une corniche qui surplombe les terrasses et la baie.

Je ne suis pas seule, après tout. Un homme est assis à l'autre bout de la corniche.

Christopher tient un carnet de croquis sur les genoux et travaille ardemment à son dessin. Je le regarde pendant une bonne minute tracer d'épais traits de fusain. J'ignore ce qu'il dessine mais il ne jette pas un coup d'œil sur le paysage.

Puis il sursaute. Il m'aperçoit et en paraît si étonné que son carnet lui échappe et qu'il doit plonger pour le rattraper. Il manque presque de dégringoler de la corniche et dévaler la pente raide, mais, en se cramponnant à la roche d'une main, parvient de justesse à garder l'équilibre. Il s'adosse au mur, ferme brièvement les yeux pour reprendre son souffle. Il serre si violemment son carnet de l'autre main que tout le sang en a reflué.

— Je n'avais pas l'intention de vous effrayer, dis-je dans un murmure.

— C'est pourtant ce que vous avez fait.

— Je suis confuse.

J'avance sur la corniche et m'assieds contre le mur, en ramenant les genoux sous le menton, à son image. Délicatement, je m'empare de son carnet. Il dessinait une femme de trois quarts. Le travail de Christopher est d'ordinaire subtil, voire trop léché, mais voici une masse de lignes noires et d'ombres violentes.

— Est-ce Olivia ? Ou moi ?

Une blague à tabac est posée sur une pierre non loin de lui ; il l'ouvre, en tire une pincée qu'il étend sur un papier mince. Il en lèche le bord, referme sa cigarette puis l'allume en voûtant les épaules et en mettant ses mains en coupe. Il aspire longuement avant de me répondre.

— Un mélange de vous deux.

— Pourquoi ?

Il aspire une autre bouffée de tabac. Le vent fait rougeoyer l'extrémité irrégulière de sa cigarette.

— Vos ressemblances me troublent. Depuis ce soir où vous lui avez donné votre aspect. Depuis que vous avez pris du poids et vous êtes transformée.

Je détourne le regard.

— Ce sont les différences qui me troublent, en ce qui me concerne.

— Et donc vous avez décidé de les annuler ?

— C'était un jeu, Christopher. Un jeu de maquillage. (J'agite le carnet que je tiens toujours.) Vous êtes un artiste, vous savez ce qui concerne la surface et ce qui concerne la profondeur. On ne saurait effacer une vérité, quelle qu'elle soit, avec du rouge à lèvres et une coiffure différente.

— Non. Je n'ai pas dit qu'on le pouvait. Olivia est heureuse. Elle est – ou je devrais peut-être dire, elle était – la personne la plus heureuse et la plus parfaitement épanouie que j'aie jamais connue. Vous ne pouvez pas imiter cela.

Il se penche en avant, tire sur ses genoux, comme si ce geste pouvait la rapprocher de l'endroit où il est.

— J'aimerais en avoir un reflet. J'ai pensé que peut-être en la copiant..., dis-je humblement.

— En la copiant ? Le compliment le plus sincère ? Laissez-moi vous dire ce que je crois. Je crois que c'est beaucoup plus menaçant que cela.

Sa voix s'est faite froide, dure et j'y perçois une vibration de méfiance aussi bien qu'une condamnation. Comme si je regardais à travers un long tunnel un petit tableau brillant, je revois notre salle à manger de Londres, les gens bien nourris et sûrs d'eux autour de la table, et son frère parmi eux. C'est fort loin de cette corniche rocheuse ; si loin que j'en frissonne.

Je distingue les beaux tableaux de Peter, le scintillement des bougies sur le bois verni, les lignes bien nettes du lin repassé. Le voluptueux petit sac à main de Lisa Kirk.

Que s'est-il passé et que suis-je devenue ?

Et que dirait Christopher si je remarquais distraitement maintenant : « Au fait, je crois connaître votre frère Dan le portraitiste. Ou c'est peut-être votre cousin ? »

À cette idée, ma bouche esquisse un sourire. Mais j'ai rejeté Cary Stafford. J'ai voulu l'abandonner car je pensais pouvoir échapper à l'histoire.

— Non. Je ne suis une menace pour personne. Pas même pour Max.

— Vous êtes jalouse, Kitty. Vous êtes jalouse au point de vouloir être Olivia.

— Vous n'en savez rien. Vous ne voyez pas distinctement non plus à cause de votre amour pour elle.

Mon affirmation n'est pas contredite. Christopher se concentre sur le paysage et sur sa cigarette.

— Qu'allez-vous faire ? reprends-je pour le titiller.

— Rien.

La résignation de sa voix est profondément mélancolique. Elle m'évoque les pièces condamnées et la poussière ; la manière dont on s'arrange de la situation car il n'y a pas de meilleure solution.

Elle m'évoque aussi autre chose.

J'ai connu la passion – le chagrin lui-même est une sorte de passion. Peter et moi nous sommes aimés durant de nombreuses années et je lui aurais donné des enfants si mon corps avait fait ce que je désirais ardemment qu'il fît. Quand cela s'est achevé, comme tout le reste, Andreas m'a amenée à Halemni. Et c'est ici, en Max et Olivia, que j'ai vu combien le bonheur pouvait à la fois être ordinaire et intense.

J'en suis tombée amoureuse, et d'eux aussi.

Je ne me suis jamais sentie ordinaire après que nous avons été frappés par le sort lors de cet après-midi d'été il y a si longtemps ; l'odeur, la facilité et les occasions de l'être sur Halemni m'ont incitée à occuper la coquille de Kitty Fisher. Ma colère contre Max, contre le rejet qu'Olivia manifeste à mon égard, la déception que je ressens maintenant sont elles-mêmes profondément passionnées.

Je préfère avoir connu cela, la roche froide sous mon dos, le vent sur mon visage, le scintillement froid de la mer en contrebas, que continuer à vivre une version de la résignation blafarde de Christopher Cruickshank.

Je rejette la tête en arrière et me mets à rire. Un rire libérateur qui fait trembler mes épaules, se relâcher mes mains si bien que le carnet tombe et vient heurter mes genoux.

Il me regarde.

— Qu'y a-t-il de si drôle ?

— Comment pouvez-vous vivre et ne *rien* faire, malgré tout ?

Il me fixe et je sens mon rire se figer sur mes lèvres. Je vois bien qu'il me trouve bizarre, assez bizarre pour le décontenancer car la peur scintille dans ses yeux. Il me reprend le carnet d'esquisses, en arrache le portrait hybride, le chiffonne rageusement du poing et enfouit la boule de papier dans la poche de son manteau.

Soudain, je lui demande d'un ton pressant :

— Avez-vous croisé les enfants, les chanteurs ?

Cette question me paraît urgente.

— Où ?

— Juste en contrebas.

Je désigne l'endroit d'où je viens. La lumière faiblit, décolore les tons ocre, turquoise et ambrés du paysage en un monochrome glacé et argenté de soir d'hiver. Ma respiration se condense dans l'air.

Christopher hausse les épaules, fourre sa blague à tabac et ses fusains dans ses poches.

— Il y en avait environ neuf. Plus âgés que Georgi et Theo, peut-être onze ou douze ans. Ils chantaient, un chant très entraînant.

J'en fredonne quelques notes.

— C'est une coutume, je pense. Les garçons du village vont de maison en maison porter la chance, en chantant des mélodies du nouvel an.

— Je n'ai reconnu aucun d'eux. Je croyais pourtant connaître tous les enfants du village.

J'ai déjà vu des enfants là-haut en d'autres circonstances. Et un vieil homme avec un âne. Cela ne me dérange pas. Je m'accommode de l'idée des habitants passés et présents, de la manière dont Halemni s'étend à la lisière imprécise entre l'explicable et l'inexplicable.

— Ce sont les vacances. Ils sont peut-être venus en visite ou ce sont des enfants plus âgés qui vont à l'école à Rhodes.

Christopher est mal à l'aise. Je le déstabilise, il se méfie de moi et il a hâte de s'en aller. Il se remet maladroitement debout et la boîte de fusains s'échappe de sa poche. Je la récupère et la lui tends – il la rempoche à nouveau.

— Je m'en vais. Je m'inquiète pour Olivia, quelque chose est en train de se produire. Je le sens.

— Xan et Max sont auprès d'elle.

Christopher s'éloigne déjà. Sa respiration forme un petit nuage entre nous lorsqu'il me jette ces mots par-dessus l'épaule :

— Vous vous demandez comment je peux accepter de ne *rien* faire. Je peux au moins faire ça : m'assurer qu'on s'occupe d'elle. Elle est vraiment malade. Elle devrait être à l'hôpital.

Il veut s'éloigner de moi. Il contourne l'édifice mais je le suis, devant la masse sombre de l'église en ruine, à travers la place pavée vers la route qui descend.

Je hèle sa silhouette pressée.

— Je viens avec vous. Il doit bien y avoir quelque chose que je peux faire.

Il ralentit et se retourne vers moi. Il tend la main pour me repousser et crie :

— Laissez-la tranquille. Restez loin d'elle.

Les mots résonnent entre les maisons noires et mortes. Je reste immobile jusqu'à ce que le dernier chuchotement se soit évanoui, jusqu'à ce que je ne puisse plus entendre les pas précipités de Christopher qui s'éloigne.

Olivia sortit de ce qui semblait avoir été un long sommeil dans une galerie ombreuse pleine de gens qui la croisaient en un flot régulier sans la voir. Elle ne pouvait savoir quelle heure du jour ou de la nuit il était car les persiennes étaient fermées, une lampe posée près de son lit, l'abat-jour voilé d'une écharpe pour atténuer la lumière. Elle tourna la tête, la douleur du mouvement la fit grimacer, et elle vit qu'un homme se tenait assis sur la chaise dans un coin de la pièce.

Elle crut d'abord que c'était Max. Elle ouvrait la bouche pour dire *aide-moi* quand elle comprit que ce n'était pas lui du tout. Cet homme portait une chemise pâle, un ample pantalon en lin – elle ne l'avait jamais vu.

— Êtes-vous là ? demanda-t-il.

Il était décontracté, souriait comme un ami.

Olivia se recroquevilla devant lui.

— J'entends des chants, dit-il.

C'était une chanson traditionnelle de nouvel an dont elle se rappelait les paroles car les enfants l'avaient apprise l'année précédente.

Le nouvel an apporte des bénédictions, le nouvel an apporte la vie.
La vieille année s'en va. Nous honorons son âge.

L'air était obsédant. Il s'installait dans les cavités douloureuses de son crâne. Elle allait fermer les yeux quand elle entendit une porte claquer, des voix appeler. L'insistance chaleureuse, les inquiétudes et l'amour d'autrui l'inondèrent.

— … chercher Anna Efemia, disait une voix.

C'était Xan. Oui, bien sûr. Il avait quitté la pièce un instant, pour envoyer Max quelque part. Pourquoi cela lui semblait-il si ancien ?

Quelqu'un montait l'escalier.

La porte s'ouvrit et Christopher entra. Il s'approcha du lit, lui prit la main, lui sourit.

— Ça va aller, la rassura-t-il.

Elle se demandait pourquoi il lui fallait dire une chose pareille, mais la pensée s'évanouit presque aussitôt.

Quand Olivia regarda à nouveau, la chaise dans le coin de la pièce était vide.

17.

Il doit être près de minuit.

La maison du potier est une ruche de lumière, comme presque toutes les autres maisons du village en cette veille de nouvel an. J'ai choisi un poste d'observation dans l'ombre d'où je peux voir à travers les fenêtres de la terrasse. Il fait froid mais je ne sens rien.

La cuisine est déserte.

Max a allumé le feu il y a des heures, je l'ai vu faire, mais personne ne l'a alimenté si bien que le foyer est devenu un tas de cendres grises. Les enfants ont ingurgité un morne dîner et se sont laissé mettre au lit par leur oncle. Il y a des tasses et des assiettes sur la table, les reliefs d'un repas abandonné. J'ai vu Xan manger debout, engloutir un peu de nourriture d'un air absent pendant que Max le relayait à l'étage. Quelques minutes plus tard ils ont échangé leur place. J'ai vu Max enduire de beurre une tartine, y ajouter de la viande en boîte et des petits légumes macérés, s'asseoir à table et fixer la fenêtre. L'obscurité est un linceul. Je savais qu'il ne pouvait me voir, mais on eût dit qu'il me regardait dans les yeux. La tristesse envahissait son visage.

Christopher Cruickshank entra, ressortit et revint. Tout le monde était monté, à présent, et je ne voyais pas ce qui se passait là-haut.

Les dernières minutes de l'année s'échappent.

Tandis que j'attends l'inévitable, je me lève, vais et viens sous les berceaux nus de la pergola. Je pose le plat de la main contre l'un des carreaux de fenêtre et jette un coup d'œil dans la pièce. Le mobilier m'est familier, et les livres sur l'étagère, même les légères arêtes sur les dalles de pierre. Puis mon haleine embue la vitre et je ne vois plus rien.

Soudain je recule. Christopher et Xan entrent ensemble. Ils parlent précipitamment. Je pourrais entendre leurs paroles si je me rapprochais de la vitre embuée.

Le premier se rue vers le téléphone et saisit le combiné. Il cherche quelque chose parmi les papiers à côté du téléphone : un numéro. Xan s'approche de lui, l'écarte, trouve ce qu'il veut, attrape le combiné et compose rageusement une suite de chiffres. Ses lèvres bougent pendant qu'il attend, psalmodiant des prières ou des imprécations.

Quelqu'un doit lui répondre car Xan se met à déverser des flots de paroles, mais Christopher lui fait signe de ralentir. Côte à côte dans la lumière jaune, ils se regardent, aussi effrayés l'un que l'autre. Je lis l'incrédulité et la détresse sur leur visage.

Je pose la main sur la poignée de la porte et la presse lentement, très lentement, sans bruit.

La porte de la terrasse s'ouvre vers l'extérieur et l'air chaud de la pièce envahit mon visage. À leur façon de sursauter de peur quand je me glisse dans la cuisine, je vois qu'ils avaient tous deux oublié jusqu'à mon existence.

Christopher pose un doigt sévère sur sa bouche, me réduisant au silence ; Xan continue de parler dans l'appareil. Docile, je me replie dans un coin de la pièce, à nouveau oubliée.

Xan parle plus calmement, à présent. Il répond aux questions, puis donne des indications. Christopher est debout et le surveille en serrant les bras comme s'il avait froid.

Pour finir, Xan pose le combiné.

— Ils arrivent, dit-il à son ami.

— Dans combien de temps ?

— Une demi-heure, peut-être une heure.

— Dieu merci. Je vais chercher Anna Efemia en attendant. Et nous aurons besoin de Yannis et de Michaelis pour qu'ils fassent des signaux lumineux à l'hélicoptère.

Xan porte une main à son visage et de l'autre se cramponne au bord de la table comme s'il était ivre. Christopher a déjà quitté la pièce.

— Je l'accompagne, dit-il. À l'hôpital.

Son regard fait le tour de la pièce, recherchant désespérément de l'aide. Mais Olivia n'est pas là.

— Je vais rester ici avec les enfants, dis-je doucement.

— Non, répond-il dans un réflexe : *je ne suis pas d'ici.* Non, attendez, ils auront besoin de ma mère. Je vais la chercher.

Il est lui-même à moitié enfant et a besoin de la présence de sa mère dans cette crise.

— Je vais rester ici, dis-je à nouveau sans qu'il m'entende.

Il est parti chez Meroula.

Sur l'arbre de Noël les bougies électriques scintillent encore dans le vestibule. En passant, je frôle du bout des doigts les fausses aiguilles brillantes avant de gravir l'escalier.

Max est assis à son chevet. Ses yeux quittent le visage de sa sœur pour se poser sur le mien, fugitivement. Toute son attention va à Olivia ; je m'approche de lui, malgré tout, me penche et dépose un baiser sur sa nuque. Sa peau me semble chaude mais peut-être mes lèvres sont-elles froides comme la glace.

Je chuchote :

— Xan te demande d'aller chercher Yannis et les autres. Qu'ils se préparent à venir avec des lampes pour guider l'atterrissage de l'hélicoptère.

Ses doigts sont entrecroisés avec ceux de sa sœur, il a toujours la tête inclinée.

— Vas-y.

C'est un ordre. Il est mon petit frère. Il fait toujours ce que je lui dis de faire. Il hésite une seconde, peu désireux de la laisser, puis se lève, replaçant la main molle de la malade le long de son corps.

— Vite.

Il sort sans me regarder et j'écoute ses pas dans l'escalier. À présent nous sommes seules toutes les deux.

Olivia est couchée sur le dos. Elle offre un spectacle inquiétant. Son cou et son échine sont si raides que son corps semble former un arc sur le lit. On voit à peine ses yeux sous ses paupières gonflées et violacées. Sa peau est pâle et luisante de sueur, elle respire les lèvres entrouvertes en brefs et douloureux halètements. Le fin tissu de chair qui lui entoure la bouche est craquelé et son cou et ses épaules sont couverts de boutons. Très doucement, tendrement, je prends le drap du bout des doigts et le replie. Elle ne réagit pas. Elle dort ou elle est inconsciente.

Sous le drap, Olivia est nue.

Je la regarde et c'est comme si je me regardais moi, mon ancien moi. Celle que Peter Stafford trouva jadis si belle. Les os de ses hanches saillent telles deux courbes argentées et son ventre pâle forme un creux parfaitement tendu. Près de la hanche gauche, je vois la demi-lune blanchâtre d'une ancienne cicatrice de varicelle. Puis la touffe claire des poils pubiens et les os des cuisses, longs, anormalement longs. Je lui prends la main, entrelace mes doigts avec les siens, tout comme Max. Sa paume est sèche et brûlante.

Je sais que j'ai peu de temps. Je jette un coup d'œil à la porte par-dessus mon épaule, puis m'étends à côté d'elle. Nos épaules, nos hanches et nos mains se touchent. Nous sommes proches, presque au même endroit. Nos routes ont divergé ce soir-là, quand la statue est tombée, mais nos vies distinctes ont fini par se rejoindre, ici et maintenant. Seule une infime membrane nous sépare. Je m'aperçois que moi aussi, je respire en brefs et douloureux halètements.

Une cloche se met à sonner, tout près, juste derrière les persiennes fermées. Je sursaute, me rassieds presque et puis je me rappelle qu'il doit être minuit. La cloche annonce le changement d'année. Une seconde plus tard, j'entends le sifflement et le crachotement d'une fusée qui s'élance puis un très faible écho de cris.

Je m'étends à nouveau et nous voici face à face. La cloche l'a réveillée et elle s'est à moitié tournée sur le côté. Elle ouvre les yeux et me regarde fixement.

Je pourrais être toi.

Je n'ai pas dit les mots à voix haute, mais elle les a entendus. Ses yeux s'écarquillent. Je sens la chaleur de son souffle et son haleine devient ma propre haleine.

J'ignore quelle maladie s'est emparée d'elle, mais Olivia est assez malade pour mourir et je me sens plus qu'assez forte pour vivre à sa place. Cette possibilité me séduit.

La colère due à mon exclusion de Halemni, au rejet de mon amant, mon désir d'amour et d'un lieu qui soit à moi, une passion pour la vie – la vie d'Olivia, pas ma version personnelle et amputée de la vie –, tout s'associe dans un grand élan de force. Jamais je ne me suis sentie si forte, depuis la chute de la statue.

Je serai toi.

Olivia est allongée, à ma merci. Il serait si facile d'éteindre sa flamme vacillante. Sur cette pensée, mes mains remontent, obéissantes, vers sa gorge, se croisent comme une prière sur sa trachée, mes pouces compriment la vibration des artères. À chaque point où ils se touchent, nos corps se fondent l'un dans l'autre. Mes pouces recourbés s'enfoncent dans son cou et la chair cède sous mes mains de fer.

Maintenant, tu sais. La compréhension claire et précise de celle que je suis et de ce que je suis s'insère en moi, mortelle comme une lame de rapière.

Je sais que ce sera elle ou moi, pas nous deux.

Si elle mourait, et non moi, je pourrais vivre.

Le nœud qui m'a toujours serré la poitrine s'assouplit. Ses fils se défont, se libèrent, la douceur parcourt les muscles de mes bras, détend mes poignets, voile mes doigts et mes pouces jusqu'à ce qu'ils soient aussi mous que de la cire chaude.

Mes pouces se soulèvent et je vois les points de pression blancs sur le cou d'Olivia rougir sous l'afflux de sang. Le bout de sa langue glisse entre ses dents et vient humecter ses lèvres, avec gratitude. Elle aspire un peu d'air. Les côtes se dilatent et se contractent sous sa peau décolorée.

La compassion et la tendresse m'incitent à porter la main de son cou vers ses cheveux. Je repousse une mèche épaisse de sur son front où des gouttes de sueur pointent comme des semences de perles.

— Aide-moi, chuchote-t-elle.

Elle referme les yeux.

— Je vais le faire.

Je me redresse. Pivote pour poser les pieds par terre. Lâche sa main. Je réalise que je me tiens à son chevet et que c'est mon propre visage que je contemple. Debout, voici une autre partie de moi, merveilleusement libérée et allégée : je suis prête à m'envoler.

Olivia soupire et s'agite, ses yeux bougent sous les paupières closes comme si elle cauchemardait. Je dois me pencher pour saisir les mots qu'elle prononce.

— Je suis désolée pour toi. Merci.

Il y a tout un fouillis de fioles de médicaments, de tasses et de mouchoirs en papier sur la chaise qui lui sert de chevet mais aussi un mouchoir propre et plié. Tendrement, je trempe un coin de lin dans un verre d'eau propre et lui en humecte les lèvres.

J'entends la porte d'entrée de la maison s'ouvrir avec fracas. La cloche de l'église a cessé brusquement de sonner. Deux personnes se ruent dans la pièce et me trouvent en train d'essuyer la bouche de la malade. Ce sont Anna Efemia, massive et essoufflée dans une robe d'un bronze tape-à-l'œil et le fidèle Christopher. Je m'efface.

Anna Efemia se penche sur le lit. L'urgence de ce qu'il y a à faire et l'anxiété palpable des autres me repoussent aux frontières de la pièce.

Xan et Meroula entrent à leur tour. Meroula se place au bout du lit, exclue par l'infirmière qui prend la tension d'Olivia et vérifie son pouls, mais elle a besoin de la toucher. Elle soulève le drap et du bout des doigts caresse doucement la pâle cambrure du pied d'Olivia. Elle irradie l'affection et je me dis que les choses iront mieux de ce côté-là, au moins. Même si je devais rester ici, Meroula ne me favoriserait plus pour cette seule raison que je ne suis pas sa belle-fille.

L'infirmière interroge Xan qui trébuche jusqu'à un tiroir d'où il tire une chemise de nuit. L'infirmière la déplie et fait un signe de tête à Meroula tout en plaçant les bras sous les épaules d'Olivia. Le drap glisse, dévoilant son corps quand les deux femmes le redressent. Invisible dans mon coin, je lis la terreur et le désir sur le visage de Christopher Cruickshank avant qu'il ne tourne le dos. L'ayant revêtue de sa chemise, Meroula et l'infirmière emmitouflent Olivia dans une couverture. Xan se frotte toujours les joues, les yeux rivés sur le visage marbré de sa femme.

— Combien de temps vont-ils donc mettre ?

Personne ne répond. Nous restons debout à la regarder, à l'écouter haleter. Tout comme elle est désolée pour moi, je suis désolée pour elle. La seule chose que nous puissions faire, c'est attendre.

En bas, le téléphone se met à sonner.

Je me demande comment les enfants ont pu continuer à dormir au milieu de tout ce tohu-bohu quand Theo entre en trottinant dans la pièce. Il va droit au lit de sa mère mais sa grand-mère l'intercepte et le prend dans ses bras. Il comprend, d'une façon ou d'une autre, que ce qui se passe est grave et ne pleurniche pas.

Xan revient après avoir répondu au téléphone.

— Ils seront là dans un quart d'heure. Si nous pouvons la faire descendre tranquillement, on gagnera du temps.

Max est de retour, lui aussi. J'entends son pas derrière la porte. La pièce est bondée – il jette un coup d'œil à l'intérieur et dit à voix basse :

— Ils préparent les lampes pour l'aire d'atterrissage. Il y a dehors des gens qui sont venus aider.

— Nous sommes prêts, annonce l'infirmière.

Xan essaie de soulever Olivia dans ses bras. Sa tête roule contre son épaule, il titube sous son poids.

— Non, comme ça, intervient Christopher.

Il présente ses poignets croisés. En se serrant les mains, ils improvisent un siège ; Meroula dépose Theo sur le lit pour pouvoir soulever la malade avec l'infirmière et lui caler les bras autour du cou des deux hommes. Lentement, précautionneusement, ceux-ci quittent la pièce d'un pas lourd et la transportent au bas de l'escalier devant l'arbre de Noël illuminé. Anna Efemia les suit en rajustant la couverture.

Georgi est sorti de la chambre des enfants. Tous deux sont en haut de l'escalier et regardent emporter leur mère. Les larmes dévalent le visage de Theo et son grand frère lui tient la main.

Max s'accroupit pour leur parler.

— L'hôpital va la guérir. Papa part avec elle pour s'en assurer.

— Est-ce que Maman va mourir ? demande Georgi d'une petite voix tarie.

— Non, répond son oncle. Je te le promets.

Je me demande ce qui lui permet de promettre.

Meroula est là aussi. Ses bras lourds entourent les épaules des enfants au moment où Xan et Christopher atteignent la porte d'entrée de la maison du potier. Je contourne le petit groupe et descends les marches, invisible et insignifiante.

Dans la pénombre, la place pavée entre l'église et la Taverna Irini paraît envahie de gens. Les nouvelles vont vite. Tous sur l'île ont dû interrompre leurs festivités pour venir proposer leur aide aux Georgiadis.

Michaelis le pêcheur est là, le frère de Panagiotis, et debout à côté de lui l'un des pêcheurs du bateau qui m'a déposée sur l'île avec Andreas. Personne ne me regarde. Je me sens en sécurité, de toute façon. Qui pourrait me reconnaître ce soir ?

Yannis et Michaelis ont apporté un brancard léger, une toile adaptée sur des tubes d'aluminium. L'île a connu d'autres urgences, bien sûr. À la lueur de plusieurs lampes, on dépose le brancard pour que Xan et Max y installent doucement Olivia et l'emmitouflent dans ses couvertures. Elle a rouvert les yeux, mais la douleur et la perplexité les obscurcissent. Dès que les hommes ont serré les lanières qui la maintiennent, plusieurs mains se proposent pour la soulever. On l'emporte. Max suit mais les brancardiers vont si vite qu'il doit courir pour rester à leur niveau. Je leur emboîte moi aussi le pas, naturellement.

J'ai arpenté cet itinéraire si souvent. La pente de la rue du village, les contours gris des maisons me sont familiers ; seules les lumières installées sur tous les appuis de fenêtre sortent de l'ordinaire. Je me rappelle la première fois, quand j'étais trempée et glacée, qu'Andreas restait en retrait, et que j'ai vu Meroula au milieu des décombres du raz de marée avec ses albums de photos dans les bras. C'est elle qui m'a conduite en haut de la rue où se trouvait Olivia, mon autre moi-même, debout dans l'encadrement de la porte de la maison du potier.

La colonne se dirige vers le champ qui s'étend derrière la route de la plage. C'est une zone plate de terre nue et d'herbe haute, bordée d'une ligne de coquilles en béton, les anciennes résidences des vacanciers, pour la séparer du croissant de galets et des tamaris arrachés. Je vois qu'on a installé de puissants projecteurs pour marquer les angles du terrain d'atterrissage et qu'un autre petit groupe attend là. Au même moment, j'entends le bourdonnement de l'hélicoptère. Le souffle du vent, le déferlement des vagues en noient le son et je me demande si je ne l'ai pas imaginé, puis j'entends à nouveau la pulsation des pales, beaucoup plus forte. Je discerne une pointe de lumière dans le ciel à l'ouest, plus grosse et plus brillante que les étoiles poudreuses.

Les hommes qui portent le brancard s'immobilisent et tous les visages, sauf le mien, se tournent vers le ciel.

Je regarde la tête d'Olivia, la touffe de ses cheveux qui dépasse de la couverture, le scintillement pâle de son front.

Être entourée et portée par l'affection, être sauvée, recevoir une vie pleine de la bonté du destin, ç'aurait pu être mon histoire. Mais ce n'est pas mon histoire.

Ainsi un instant peut-il altérer tout ce qui doit arriver.

Un cône de lumière crue palpite, scrutant l'herbe et les rochers, quand l'hélicoptère décrit ses cercles au-dessus de la zone d'atterrissage. Nous nous regroupons sur un côté du carré, pour constituer une phalange protectrice autour du brancard. Le bruit des moteurs est assourdissant, la bourrasque, telle une faux, aplatit la végétation et nous envoie des volutes de poussière dans les yeux. La forme trapue reste suspendue dans l'air et descend lentement vers le sol. Elle le touche, y vacille légèrement puis les moteurs sont soudain coupés. Les lames du rotor tournent de moins en moins vite puis s'immobilisent. La portière se soulève et coulisse et deux infirmiers en blouse verte bondissent dans la lumière tandis qu'une douzaine de paires de mains propulsent vers eux Olivia et Xan.

Je cours en avant, moi aussi, et l'herbe chuchote sous mes pieds. L'un des ambulanciers s'est rué vers Olivia, l'autre attend de la réceptionner à la porte de l'appareil. Je regarde à l'intérieur. Il y a des bonbonnes d'oxygène, des armoires métalliques de tubes et de masques, un lit étroit avec des sangles.

Personne ne me voit m'approcher d'elle. Xan grimpe à l'intérieur et les ambulanciers se préparent à hisser le brancard. Je réussis à me glisser entre leurs bras affairés et appuie les doigts sur sa bouche molle. Je ne sais, même alors, s'il s'agit d'une bénédiction, d'un avertissement ou d'un adieu.

Je sais bien qu'Olivia vivra, contrairement à moi. Ma vie s'est achevée à Branc, dans l'hôtel de béton blanc. Tout ce qui est venu après fut le cadeau d'Andreas.

Les tressautements du brancard la font gémir de douleur. Des ordres secs sont échangés en grec et on la hisse loin de moi dans l'appareil. Adroitement, les hommes la transfèrent du brancard sur le lit, redisposent ses couvertures et l'attachent. L'un d'eux saisit un masque d'oxygène et l'applique sur son visage. Je vois le pilote sous son casque, les clignotants rouges et verts des instruments de contrôle.

La foule s'écarte et m'entraîne avec elle. La porte de l'hélicoptère se soulève et coulisse en sens inverse, se referme hermétiquement sur Olivia et Xan. Ceux qui comme nous sont abandonnés se replient plus loin, derrière les lumières ; l'aire une fois dégagée, le moteur se remet à crachoter et à tourner. Le vent nous fouette à nouveau tandis que la machine danse sur ses patins et quitte le sol. Quelques secondes plus tard, elle n'est plus qu'une empreinte noire se découpant dans le halo de sa propre lumière contre le ciel nocturne et une minute après elle a disparu. Le vent avale le bourdonnement d'insecte des moteurs.

Le groupe des hommes reste là, en silence, encore un moment, puis la tension s'apaise, ils fourrent les mains dans leurs poches, voûtent les épaules, parlent à voix basse en se détournant. Ils ont fait leur devoir auquel succède souvent une joie discrète, presque furtive. Je l'ai constaté après le tsunami, quand tout le monde au village travaillait ensemble. C'était l'une des raisons qui m'avaient fait souhaiter, moi l'étrangère, devenir partie prenante des choses ici. Ils traversent le terrain pour gagner la route de la plage par groupes de deux ou trois. Yannis a semblé sobre tant que ses amis avaient besoin de lui mais je me dis soudain qu'il a dû s'enivrer pour ce réveillon de nouvel an. L'ivresse redescend sur lui comme un rideau s'abat. Il se penche pour ramasser l'une des lampes mais la renverse ; et quelqu'un lui donne un coup sur l'épaule ce qui lui fait décrire de complexes embardées avant que Michaelis ne le rattrape. On entend de bruyants éclats de rire soulagés. Les Halemniotes longent les arbres amputés pour rejoindre leurs femmes ou leurs acharnées parties de cartes.

Max et Christopher, les deux étrangers, marchent plus lentement dans leur sillage. Je sais qu'ils se disent l'un à l'autre qu'Olivia sera soignée, qu'elle se remettra, qu'on a fait ce qu'il fallait même si on a trop tardé.

Et je les suis, invisible.

Nous longeons les petites maisons cubiques et débouchons sur la place où les entrailles crème et orange du figuier fracassé sont déjà argentées par le vent et les intempéries. La porte de l'église est fermée et la cloche de la tour muette. Meroula a dû procéder à l'extinction des feux dans la maison du potier. On ne discerne qu'une seule lueur, à la fenêtre du bas.

Max et Christopher pénètrent ensemble dans la maison et je reste dehors, la tête tournée vers la mer, à écouter et attendre que quelqu'un vienne.

18.

Il faut prendre congé.

Le premier jour de l'année est un autre de ces jours plats, sans relief ni couleur, où ciel et mer offrent un gris laiteux identique, où une brume basse gomme la limite entre les deux éléments. J'observe l'éclat diffus saigner abondamment depuis l'orient jusqu'à ce qu'il fasse enfin plein jour.

Dans mon studio, je m'habille soigneusement, puis repêche Couinie par la queue et l'insère dans ma poche de pantalon. Je longe le côté de la maison du potier, parcours la pergola et atteins les portes de la terrasse. Max est assis derrière la table, encore encombrée des restes de la veille. Je tapote la vitre et le fais sursauter.

J'ai l'habitude du froid et suis surprise par la chaleur confinée de la cuisine, qui gagnerait à être aérée. On ne s'y sent plus douillettement installé, mais enfermé.

— Comment va-t-elle ?

— Xan a appelé de l'hôpital. Elle a une septicémie, un empoisonnement du sang. Il a envahi tout son organisme, ce qui explique la détérioration soudaine de son état hier soir. Mais ils pensent être intervenus à temps.

Max n'est pas rasé, ses yeux sont rouges, il y a des dépôts gommeux aux coins de ses lèvres. Ses yeux glissent vers les miens puis se détournent à nouveau.

— Où étais-tu passée, la nuit dernière ?

Il ne se rappelle pas m'avoir vue près du brancard, sur l'aire d'atterrissage.

— J'ai pensé qu'il valait mieux rester à l'écart.

Il hoche la tête.

— Il faudra un ou deux jours, apparemment, pour être certains que ma sœur est tirée d'affaire. Une infection massive de ce genre met le cœur à rude épreuve. Mais une fois que nous serons rassurés je devrai rentrer à la maison. J'ai déjà dépassé la durée prévue de mon séjour.

Il est embarrassé, bien sûr, et redoute, tout en s'y attendant, que j'émette des exigences qu'il ne voudra pas satisfaire. La maladie soudaine d'Olivia a provoqué un brusque changement de perspective pour lui. Il se dit que la vie est une donnée bien plus fragile qu'il ne l'avait imaginée. Tout pourrait arriver à Hattie et à ses filles ; n'importe quelle tragédie hasardeuse pourrait déraciner l'ordinaire d'une vie qu'on croit acquise à jamais et la rendre rétrospectivement plus précieuse qu'il ne l'aurait cru.

Je sais cela. Il m'a parfois semblé que c'était la seule réalité que je sache.

— Évidemment, dis-je doucement. Au cas où.

— Es-tu fâchée contre moi ?

Il pose les mains, ses larges mains sur mes épaules. Je sais autre chose, aussi – il continue de me désirer, d'un désir inopportun et pressant qui le fait se mépriser.

— Non, je ne suis pas fâchée.

Le soulagement vient éclairer son regard fuyant et susciter un sourire bancal. Il est heureux de s'en tirer à si bon compte, avec le seul désagrément de la pulsion physique qui le taraude. Il hausse les épaules sous sa chemise à carreaux, en me regardant pour s'assurer que je dis bien la vérité et que ma mansuétude ne cache aucun traquenard. Sa transparence totale, son désengagement piteux, maladroit, adolescent, qui se voudrait charmant, me font sourire. C'est un sourire dédaigneux, je le sais, qui me différencie de sa sœur. Ses mains retombent le long de son corps.

— En veux-tu un peu ?

Il indique la cafetière posée sur le poêle.

— Oui. Merci.

Il s'affaire autour des tasses.

— Il est si tôt. Je n'ai guère dormi. Je ne veux pas réveiller Meroula et les enfants.

Moi, je n'ai pas du tout dormi. L'attente a paru longue, mais c'est presque fini.

— Je m'en vais, moi aussi, lui dis-je. Je sais que je ne peux pas rester ici.

— Quand ?

— Oh, bientôt.

Je ne lui demande pas si nous pouvons gagner l'aéroport ensemble. Je ne dis rien du tout et il se détend un peu. Il me passe la tasse de café et nous nous asseyons ensemble du même côté de la grande table, pour regarder sur la terrasse les branches nues de la vigne de la pergola, la pente de la colline et le coin pâle de la mer. Le silence s'insinue puis se dilate entre nous.

Je pense à Olivia la nuit dernière, étendue à l'étage, à la bataille que nous avons livrée qui ne concernait pas Max bien qu'il semblât que ce fût le cas.

Quand je le regarde de biais, il paraît avoir diminué de taille, les années semblent s'être enfuies de lui et je le vois tel qu'il est. Dans son silence, il a besoin que je le rassure ou le disculpe. Je suis la cheftaine et lui le lieutenant fidèle, à nouveau, depuis le début, et la mémoire inonde les cellules de mon esprit comme une hémorragie.

Je revois les pieds dans leurs sandales rouges, je sens l'herbe tondue, il y a des ombres pommelées, un griffon de pierre et le corps immobile de mon frère.

La nuit dernière, Olivia et moi avons combattu pour notre identité et je lui ai cédé.

Mais si j'avais pu être elle, et cela pour plus d'une fraction de seconde de l'histoire, Max et moi serions plus proches dans cette boucle d'espace et de temps que je l'ai pleinement imaginé. Il était, aurait pu être, *est* mon frère.

Maintenant, tu sais.

Je repose ma tasse d'une main malhabile.

Il attend encore que je lui donne un ordre.

Un frisson de révulsion et de désir mêlés me transperce la moelle. Je veux m'en aller et je veux en même temps me fondre en lui.

— Je suis désolé.

— Ne le sois pas. Tu n'as aucune raison de l'être. Je n'aurais pu rester ici ni t'offrir davantage que ce que tu peux m'offrir.

Nous nous levons ensemble et je prends appui, du bout des doigts, sur la table. Puis je referme l'espace qui nous sépare. Ma bouche trouve la sienne et nos langues se rencontrent. Ce baiser me brûle encore que je me suis déjà éloignée et regarde deux personnes s'embrasser dans une cuisine sale. C'est moi, en réalité, qui recule la première. Je halète, comme si j'avais couru.

Max soupire puis hausse encore les épaules, cette fois de résignation.

— Bien, dit-il.

Je sais que son âme est simple, à la différence de celle de sa sœur ou de la mienne. Il veut que cet épisode se termine et être disculpé et c'est bien ce qui va se passer. Il ressemble à Olivia à cet égard : la chance lui sourit.

— Au revoir, Max, dis-je tranquillement.

— Quoi ?

Il m'interroge sur le ferry, sur mon itinéraire à partir de l'île.

— Je vais me débrouiller.

Je repousse correctement ma chaise sous la table, me détourne et marche sans m'arrêter jusqu'à l'air libre. C'est beaucoup plus facile que je ne le prévoyais.

Christopher m'ouvre la porte, en arquant quatre doigts sur le bord, prêt à la refermer sur-le-champ. Le fragment de visage qui m'apparaît me demande sèchement :

— Y a-t-il d'autres nouvelles ?

Olivia est le premier objet de ses pensées, évidemment.

— Non, pas que je sache. Puis-je entrer ?

Il hésite, évalue sa mauvaise volonté. Puis la porte s'entrebâille juste assez pour que je m'y glisse. Quand j'avance, il recule précipitamment et dans sa gêne manque de tomber.

Christopher a peur de moi, je le comprends bien. Je m'étonne de ne pas l'avoir deviné plus tôt.

La pièce est mieux rangée que la seule fois où je l'ai vue. Ses dessins sont entreposés en liasses bien nettes, ses vêtements pliés et empilés. Il se tient au milieu de la pièce, les mains sur les hanches, sans un geste de bienvenue, aux aguets.

— Je suis venue prendre congé.

Il rejette ses cheveux en arrière, comme avant. Il est soulagé et ne tente pas de le cacher. Olivia sera plus en sécurité après mon départ – quoi que je sois ou qui que je sois, il sait que j'ai apporté la confusion et la menace dans l'univers paisible et ordonné de l'île.

— Je vois. Rentrez-vous en Angleterre ?

Sans répondre, je m'approche de la table pour examiner l'une des liasses de dessins. Tous représentent Olivia. Tous, à n'en pas douter. Nul soupçon de Kitty, ici.

— On dirait que vous allez partir vous aussi.

Il s'avance pour s'interposer entre moi et ses dessins.

Il y a eu un moment où j'aurais pu être sa remplaçante. Il aurait même pu soulager son désir pour elle en essayant de me désirer moi. Mais je n'ai jamais été vraiment à la hauteur, malgré tous ses efforts pour superposer mon image sur la sienne. De toute notre petite communauté, c'est lui qui nous a étudiées, Olivia et moi, le plus soigneusement, car il était amoureux. C'est lui qui a vu les différences le plus clairement.

Peut-être même sait-il ce qui ne va pas chez moi.

Dans ce cas, rien d'étonnant à ce qu'il ait peur.

Une petit brise froide balaie la pièce. Je suppose que c'est moi qui l'ai fait entrer.

— Il est temps de partir, admet-il enfin.

Il accepte sa défaite. La tristesse résignée de ses paroles m'emplit de compassion et j'ai envie de le consoler. Oubliant tout, je me dis que nous sommes deux amoureux transis. Je lève les mains, peut-être pour les poser sur ses épaules et l'embrasser sur le coin des lèvres, geste de camaraderie et d'adieu.

Ses mains se dressent, elles aussi. Il se protège, me repousse. Il recule si vite qu'il percute un tabouret qui se renverse avec son chargement de livres.

Je m'immobilise, glacée par ce geste impulsif : je ressens le froid mordant, vois les questions et la peur des réponses reflétées dans ses yeux. Christopher frissonne. Je laisse retomber mes bras et affirme :

— Olivia se remettra.

Il incline la tête, attentif, les mains toujours croisées sur sa poitrine.

— Je ne venais que pour prendre congé.

Il me fixe, dans l'attente de ce que je vais faire.

Je fais un pas en arrière, deux autres me ramènent à la porte où je tâtonne à la recherche du loquet, le soulève, ouvre le battant. Dès que je suis dehors, je l'entends déplacer une chaise et en coincer le dossier sous le loquet. Christopher se barricade contre moi, comme si je pouvais fracturer sa porte.

Je parcours la rue à pas vifs, passe entre les maisons d'en face et suis une petite ruelle bétonnée hantée par les chats. Elle me conduit derrière la boutique dont un soupirail porte à mes narines l'odeur de l'entrepôt, faite de saumure, d'huile et de toile de jute. Au bout d'une autre venelle, on aperçoit la digue du port et la mer, puis ce raccourci m'amène à la porte de la maison de Panagiotis. Je connais Megalo Chorio comme ma poche, à présent, jusqu'aux bouquets irréguliers des câbles de téléphone tracés sur le ciel, aux motifs dessinés par les fissures sur les murs blanchis à la chaux. L'endroit retient le bonheur, le mien aussi, comme les pierres la chaleur du soleil.

Hélène m'ouvre la porte. Elle porte des pantoufles fourrées et plates, des bas épais, un cardigan hâtivement boutonné. Elle n'est pas coiffée, elle paraît lasse et préoccupée, et me regarde en clignant les yeux comme si elle ne me reconnaissait pas.

— Je suis venue dire que je ne peux plus travailler à la boutique.

Nul signe de compréhension. Derrière elle, un petit cri se transforme en pleurs et elle rentre aussitôt dans la maison. Je suis ses larges hanches, ses pieds traînants dans le couloir vers la cuisine où le bébé repose sous une meringue de dentelles dans son landau étincelant. Hélène l'en tire et soutient la tête noire hirsute d'une main tout en l'installant contre son épaule. Elle va et vient, en chantonnant d'une voix de gorge et les vagissements s'apaisent doucement. Quand Hélène se retourne, elle semble surprise de me découvrir là.

Des vêtements de bébé sont suspendus sur un séchoir à poulies et un biberon est posé dans une casserole près de l'évier. La pièce sent le confiné et le lait.

J'ai été heureuse dans cette boutique, dans la compagnie paisible d'Hélène et suis pleine de reconnaissance pour le refuge que j'y ai trouvé. Et même si Hélène est gênée de s'en souvenir, la naissance de Demetria m'a intensément reliée à elles. Il serait impensable de disparaître de Halemni sans leur dire au revoir.

— Je suis confuse. Je ne veux pas vous faire faux bond. Peut-être que l'un des cousins de Panagiotis sera à même de vous aider et de me remplacer.

Elle me sourit à travers ses cils noirs et épais.

— OK, OK, dit-elle doucement.

De sa main libre, elle prend la mienne et la serre.

Elle comprend donc bien ce que je lui dis.

Je suis touchée et l'enlace avec son bébé. Leur odeur mêlée est celle d'une chevelure chaude, huileuse, de talc, entrelacée d'une légère âcreté. Je les tiens fort, regarde le sommet de leurs crânes sombres et l'espace d'un instant, moi qui ne peux donner la vie, je trouve ma place dans la chaîne des mères et des filles. Si j'étais fort loin d'avoir les larmes aux yeux avec Christopher, et même avec Max, il me faut les refouler maintenant.

— *Yia sou,* dis-je.

C'est le salut, à la fois bonjour et au revoir, des Grecs.

— *Yia sou.*

Hélène flatte la tête du bébé en se balançant doucement d'un pied sur l'autre. Elle est totalement refermée sur elle-même, repli maternel que je sais élémentaire, dépassant le bonheur.

J'aimerais, pour la dernière fois, l'avoir connu.

— Bonne chance, dis-je bizarrement.

Le destin, l'histoire, la chance. Donnez-lui le nom que vous voudrez.

La place pavée limitée par l'église, la Taverna Irini et la maison du potier est remplie d'enfants bruyants. Des buts ont été matérialisés par des pulls. Je reconnais Theo tout de suite, qui court près du figuier détruit, occupé à un jeu personnel. C'est Georgi qui maîtrise le ballon et le fils de Stavros, Petros, lui court après dans l'espoir de s'en emparer. Il y a six autres enfants, filles et garçons, qui courent et crient en agitant les bras. La couleur de leurs habits semble déteindre dans l'air pâle.

Je m'appuie contre les fenêtres couvertes de papier de la taverne pour les regarder. Il est midi et bien que l'angle du soleil soit fermé à l'horizon, il diffusera de la chaleur pendant une heure encore avant que la brume ne revienne.

Je connais tous ces enfants. Je peux les nommer, eux et leurs parents, je sais où ils habitent, ce que font leurs pères et leur position dans la subtile hiérarchie sociale de l'île. Je suis heureuse de m'en rendre compte. Si je ne suis qu'un corps rapporté, l'Anglaise recueillie après le raz de marée, je sais tout de même certaines choses.

Meroula et son amie Evangelina, l'infortunée mère de Manolis, sont assises sur le banc de pierre près de l'entrée de l'église. Les grilles peintes en bleu derrière leurs têtes sont écaillées, la rouille s'est mise sous les grumeaux comme la saleté sous des ongles rongés. Je suis trop loin pour le voir, mais je connais même ce détail. Meroula tricote et son amie reste simplement assise, les mains croisées sur le ventre. Elles ont tourné la tête dans ma direction mais je ne bouge pas. Je regarde toujours Georgi et Theo, en songeant à leur aspect lors de notre rencontre, combien ils ont grandi et se sont modifiés au cours des quelques mois qui nous séparent du tsunami. Je suis heureuse d'avoir assisté à cette évolution – c'est pour moi une autre minuscule connexion aux maillons actuels de la chaîne ininterrompue, qui n'est pas la mienne, mais celle d'Hélène, de Demetria, d'Olivia et de Xan.

Je me rends compte que je souris, au soleil de la place.

Les mains dans les poches, je flâne autour du figuier, des limites du terrain de football et atteins la porte de l'église. Mon ombre tombe sur les deux femmes assises sur le banc et Meroula lève sa tête solide pour croiser mon regard.

— Olivia va peut-être se rétablir, s'il plaît à Dieu, me dit-elle.

— Je sais. Je l'ai appris. C'est merveilleux.

Meroula poursuit son tricot en faisant cliqueter ses aiguilles d'acier. Ses lèvres sont sévères. Je suis devenue l'infortunée, à la place d'Olivia, et cela aussi est dans l'ordre des choses.

Je ne dirai pas au revoir, et me dirige vers les marges du jeu informel. Theo me voit et traverse l'écheveau de joueurs. Il pose la tête contre ma jambe.

— Maman est malade à l'hôpital.

Je m'accroupis pour me mettre à sa hauteur. Il a les sourcils bruns de son père, sa large mâchoire, mais les yeux d'Olivia, c'est-à-dire les miens aussi.

— Elle va bientôt se rétablir et alors elle reviendra à la maison.

Georgi quitte le jeu, lui aussi, et vient voir ce que fait son frère. Il s'empare de son bras, fait mine de le tordre mais en réalité il le tient simplement. Theo ne résiste pas. Je remarque qu'ils se rapprochent comme pour s'épauler l'un l'autre.

— Regardez !

J'exhibe la souris en feutre de ma poche et la tiens par la queue. Les garçons me regardent alors qu'ils auraient naguère tenté de l'attraper.

— Vous pourrez en prendre soin.

Quelqu'un a raté son coup de pied. Le ballon vole par-dessus nos têtes et atterrit de l'autre côté de la grille. Deux enfants s'élancent à grand bruit, escaladent la grille.

— À moi ! hurle Stavros.

Une partie de mon esprit se rend compte que je comprends beaucoup de mots grecs, à présent. Le ballon vole en sens contraire et rebondit sur les pavés.

— C'est vrai qu'elle va guérir ?

Theo n'a pas cessé de réfléchir à mes paroles réconfortantes.

— Oui.

Georgi s'empare de la souris et la pose au creux de sa main.

— Elle pourra rejoindre les autres, celles que tu nous as offertes à Noël.

Il a les doigts sales.

Tandis qu'ils regardent la souris, j'observe leurs cils, leurs oreilles sous les mèches de cheveux grossièrement taillées, la manière dont les incisives supérieures de Georgi paraissent trop grandes pour son visage alors que celles de Theo sont encore de petites dents de lait.

— Prenez soin d'elle, alors.

L'attention de l'aîné revient au jeu. Il tourne la tête pour voir ce que font Petros et les autres.

— Je la veux, dit Theo d'une petite voix flûtée.

Georgi la lui abandonne.

— Bien.

Je me relève et remets les mains dans mes poches. Les enfants repartent sur les pavés et je les regarde jusqu'à ce qu'ils soient absorbés par le jeu. À cinq mètres de là, Meroula est toujours en train de tricoter.

Je ne regarde pas derrière moi. Je passe devant les fenêtres de la maison du potier, illuminées de soleil. Dans quelques semaines, les fleurs envahiront les flancs de la colline et les premiers touristes de la nouvelle saison s'installeront dans les studios. Je prends la piste qui grimpe la colline, en marchant lentement, en jouissant du soleil sur ma tête et des cris éloignés des mouettes sur la baie.

Au-delà du cimetière, juste avant que la piste ne rétrécisse et ne devienne un raidillon en zigzag beaucoup plus pentu – à l'endroit où Olivia est tombée et s'est entaillé le bras la nuit de la fête de saint Pandelios –, une camionnette est arrêtée. Je glisse un œil à l'intérieur en passant, remarque la clef sur le tableau de bord et le journal jauni sur la banquette.

Les ailes blanches et repliées de minuscules fleurs de cyclamens sauvages s'offrent à ma vue dans des creux abrités, le parfum du thym s'élève, réveillé par mes chevilles qui frottent les buissons ponctuant le sentier. Sur la feuille velue et grise d'un autre buisson, je remarque un papillon jaune soufre étonnant. J'aurais adoré voir tout ça au printemps mais savoir que cela ne sera pas ne me cause pas de douleur particulière. L'île paraît désormais assez complète dans mon esprit et d'autres vents froids, chargés d'embruns viendront avant que la chaleur ne l'envahisse.

Sur la pente moins raide qui précède le vieux village, un couple de choucas fouille la terre. Ils lèvent la tête à mon passage, en me scrutant de leurs yeux noirs et durs, mais ne déploient pas leurs ailes.

Je traverse des touffes de chardons et d'orties, grimpe des marches brisées devant les premières maisons. Fenêtres et portes vides encadrent la pénombre. Mais voici que j'entends autre chose que le vent et m'arrête pour écouter plus attentivement.

Des pas arrivent, irréguliers sur les pierres, et des voix sonores. Le labyrinthe d'allées et d'angles aveugles m'empêche de savoir d'où : je penche la tête, tâchant d'attraper le son. Je suis pleine d'une attente soudaine, ardente, en arrêt, prête à m'élancer en signe de bienvenue.

C'est alors qu'apparaît un homme au coin qui me domine. Il porte une paire de sacs en plastique bourrés à craquer, un dans chaque main, et serre une pile de draps contre ses côtes. Un homme beaucoup plus âgé le suit à pas prudents, appuyé sur une canne. C'est Kyrie Yannis et l'homme qui porte les sacs est son fils. Une seconde plus tard, derrière son père et son grand-père, je vois pointer Yannis. Il porte un fauteuil capitonné renversé sur sa tête, un sac sur le dos, une poêle et deux casseroles à la ceinture.

Je m'efface devant eux, en riant devant ce cortège.

— *Kali mera, Kyria Kitty,* dit poliment le père de Yannis.

Le vieillard a la mâchoire pendante, trop essoufflé par l'effort de la marche pour parler. Il hoche la tête en faisant tressauter les plis de son cou. Il porte un petit bouquet de cyclamens à la boutonnière.

— Ouf, soupire Yannis de sous son fauteuil.

Il le fait glisser par terre tandis que les deux autres continuent leur descente, et le rétablit sur une dalle avant de s'y asseoir majestueusement.

— Olivia ? s'enquiert-il.

Je réponds par un geste optimiste. Les dents de Yannis paraissent très blanches, ses lèvres rouges dans un masque de barbe noire.

— Bien, très bien.

Il pointe le pouce par-dessus son épaule. Il n'y a plus personne, à présent.

Son grand-père doit être le dernier, près de trois mois après le tremblement de terre et le raz de marée, à renoncer à son installation dans le vieux village. Aucune des vieilles personnes ne reviendra, même les plus obstinées, après être redescendues vers la mer et leurs familles pour la nouvelle année. Il fallait seulement attendre, j'imagine, que la commodité et le confort triomphent de la peur et de la superstition. Penser au nouveau et lent reflux de la vie dans ce vieil endroit me rend triste, mais il est vrai qu'il y fait froid, qu'il est éloigné, mélancolique et rempli de fantômes. Qui préférerait rester ici maintenant que le souvenir du danger immédiat s'est effacé ?

— C'est drôlement lourd, soupire Yannis.

Il se relève, hisse de nouveau le fauteuil sur sa tête d'un mouvement de ses bras musclés, parcourt quelques pas puis me regarde de sous le coussin. Les casseroles de son grand-père s'entrechoquent.

— Salut ! dit-il.

Je lève un bras que je garde en l'air en guise de salut pendant qu'il reprend sa marche. *Yia sou.*

Je grimpe dans la direction opposée, longeant des jardins sauvages et des terrasses envahies de ronces. L'étroit passage de pierre ouvre sur la placette en dessous de l'église ; je donne des coups de pied dans les feuilles mortes poussées jusqu'ici par le vent. La vieille maison de Kyria Elena est vide et froide. Plus de chaises alignées contre le mur au soleil, plus de linge à sécher sur les cordes à linge de fortune, nulle fumée bleue se perdant au-dessus des toits effondrés.

Je passe devant l'église et la contourne vers le point de vue, la corniche où j'ai rencontré hier Christopher Cruickshank.

Un homme se tient là, qui regarde vers la mer.

J'avance sur la corniche et il lève la tête, serein, avant de me faire de la place à côté de lui.

Je suis si heureuse de le voir ! Je souris, d'un immense et large sourire qui menace de me déchirer le visage. Une fois que nous sommes assis tous les deux avec la baie scintillante et Megalo Chorio étalés en contrebas, il pose le bras sur mon épaule et je me laisse aller contre lui. Je suis fatiguée, je m'en rends compte.

— C'est à peu près ce qui aurait pu se passer, dis-je à Andreas.

— Oui.

— C'est pour cette raison que tu m'as amenée ici ?

Il incline doucement la tête.

Maintenant, tu sais. Voilà à quoi ressemble la vérité – la réponse à l'énigme que j'ai tenté d'élucider pendant presque toute ma vie.

Halemni renferme ce que j'aurais pu être et ce que Marcus aurait pu être, Olivia et Max au lieu de nous deux.

Andreas m'a empruntée au destin, si vous voulez, et m'a permis de voir le côté pile d'une pièce jetée en l'air.

Je me tourne vers lui tout en posant la tête sur mes genoux. Nos regards se croisent.

— Tu ne peux défaire l'histoire. Tu es ce qu'elle fait de toi, dit-il enfin.

— C'est-à-dire ?

Bien que je sache plus ou moins la réponse.

— Ta vie a changé le jour où la statue s'est effondrée sur ton petit frère. Tu es devenue la personne que la tragédie a frappée.

— Et dans le cas contraire, j'aurais été quelqu'un d'autre ?

— En partie, bien sûr.

J'attends un instant, écoutant le friselis des feuilles mortes sur les murs de pierres sèches. Le vent se lève.

— Qui es-tu ?

Il me lance un regard plein d'ironie.

— Ton ange gardien, si tu veux. Si tu veux bien accepter cette idée.

Peut-être que oui.

La lumière de la brève journée pâlit déjà. À l'ouest, le ciel se veine de rose.

— Es-tu prête ?

Nous nous levons, rebroussons chemin sur la corniche et débouchons sur la placette. L'horloge de l'église se met à sonner, un son pur et rond.

La place a de nouveau changé. Les toits des maisons sont intacts, des pots d'herbes aromatiques ornent les pas de porte blanchis. Deux vieilles femmes vêtues de noir sont assises sur des tabourets à l'ombre d'un olivier qui entrecroise ses branches sur deux minuscules jardins et un bébé dort dans un couffin sur les pavés à côté d'elles. Le vent agite le linge sur une corde et un couple de chats gris se chamaillent au coin d'une venelle. Je sens une odeur de poisson frit et de feu de bois.

Andreas et moi traversons la place et empruntons la grand-rue. Les fenêtres reflètent la lumière, les portes des maisons sont peintes en bleu et en vert. Il y a des rosiers dans un ou deux jardins, dans d'autres des figuiers et des boîtes de conserve peintes d'où se déversent des géraniums.

Je regarde autour de moi, absolument enchantée. Arhea Chorio est vivante.

Une ribambelle d'enfants débouche d'une allée adjacente, ils sautillent dans la rue à un ou deux mètres devant nous avant d'escalader le mur d'un des jardins. Je les reconnais ; ce sont les chanteurs du nouvel an. Une grosse femme dans un épais tablier de jute apparaît dans l'embrasure de la porte, attrape le plus proche gamin par le col et le propulse dans la maison. J'entends ses cris furieux et les gémissements de l'enfant.

Nous descendons la grand-rue et je vois une autre femme munie d'une pelle à pain en bois brut qui sort des miches chaudes d'un four. Des piles de bûches sont entassées près d'un mur, abritées par un petit toit de bois, un râteau grossier et une binette appuyés contre un autre. Au-delà des maisons, les vieilles terrasses s'étagent jusqu'au pied de la colline. Les murs de soutènement en pierre sont intacts, le sol retourné et ratissé, prêt pour les semailles de printemps.

— Où sont les hommes ?

— Ils pêchent, ils cultivent, me répond Andreas.

La vie était dure dans le vieux village, bien sûr. Le temps a effacé cette existence et son cadre lui-même à partir du moment où les touristes de la plage ont constitué un gagne-pain plus aisé.

Devant les deux dernières maisons de la colline, nous croisons un vieil homme et son âne qui remontent le sentier. L'âne porte un fagot de bois presque aussi haut que lui et le vieil homme marche près de son épaule en l'encourageant avec des murmures et des sifflements. Sa main tapote son flanc tandis qu'ils posent un pied lent et prudent près de nous. Eux aussi, je les ai vus, en bas sur la route de la plage.

Une fois le village derrière nous, je me rends compte que nous sommes presque au crépuscule. Le soleil semble reposer à la surface de la mer, barrée de larges touches de nuages gris et de lavande.

— Je suis si heureuse d'avoir vu le village comme cela, vivant.

— Il est toujours vivant, dit Andreas.

Et je suppose que c'est le cas, comme lui et moi le sommes. Il l'est en ce lieu parallèle, où j'ai vécu – en sursis – depuis la nuit du tremblement de terre.

Le sursis touche à son terme aujourd'hui mais je suis heureuse. Non, je suis au-delà du bonheur. Je suis en paix.

Les lampes sont allumées dans la maison du potier au moment où nous la longeons. La grand-rue de Megalo Chorio est déserte à l'exception des chats qui rôdent au crépuscule. Un dernier glacis de gris lumineux flotte sur la mer à l'ouest de l'île et un fin voile de brume se lève sur l'eau calme de la baie.

Andreas me prend la main et nous descendons le croissant de galets.

L'eau est étrangement chaude. La brume m'entoure les genoux, puis les hanches ; j'y agite mes doigts écartés.

19.

Olivia changea de position sous le drap. Elle ne se trouvait dans cette chambre d'hôpital que depuis deux jours, après avoir quitté l'unité de soins intensifs, mais le spectacle s'offrant à elle était déjà trop habituel. Le sol brillant reflétait les pieds du lit, les paravents, les rectangles trop lumineux des hautes fenêtres, encadrées de rideaux d'un gris boueux. Lorsqu'elle tournait la tête elle voyait l'occupante de l'autre lit, soutenue par des oreillers, un tube de plastique dans le nez. Elle avait au moins l'âge de Meroula, peut-être plus, et ses mains trituraient constamment les draps.

Je veux rentrer chez moi. Depuis qu'elle avait repris conscience, des perfusions dans les bras, un masque sur le nez et la bouche, une soif inextinguible lui brûlant la gorge, les mots lui martelaient l'esprit sans répit. Des silhouettes brouillées se penchèrent au-dessus d'elle quand elle essaya de parler et lui bloquèrent les bras quand elle tenta d'arracher son masque. Puis le visage de Xan apparut avec netteté et les premières choses qu'elle vit clairement furent les larmes dans ses yeux.

— Tu vas guérir, dit-il. Je t'aime.

Olivia savait que c'était la vérité vraie.

Au bout d'un jour, elle fut capable de boire de l'eau puis d'absorber un peu de soupe.

Le lendemain, on enleva les perfusions de ses bras. Un médecin en blouse bleue à manches courtes vint s'asseoir près d'elle. Il lui apprit que quand on l'avait amenée elle n'avait peut-être plus que quelques heures à vivre. Sa vie avait été sauvée par l'hélicoptère. À l'hôpital, on l'avait bourrée d'antibiotiques et, au bout de vingt-quatre heures critiques, l'infection avait été endiguée.

— Vous nous avez tous bluffés, sourit le médecin. Vous êtes très décidée.

— Je veux rentrer chez moi. Quand le pourrai-je ?

— Vous êtes encore faible, nous allons devoir vous garder en observation quelque temps.

Elle était certainement faible car elle ne pouvait pas encore lui tenir tête.

Xan s'asseyait à son chevet et lui tenait la main. Ils ne parlaient guère car ils savaient qu'ils auraient tout le temps plus tard. Olivia se contentait de rester étendue, de regarder son visage, d'en réapprendre chaque trait. Observer le tressaillement des muscles minuscules, la labilité des expressions, lui rappelait cette époque où ils se découvraient, le premier voyage qu'ils avaient fait vers Halemni. Elle lui serrait plus fort la main, et cette pression le faisait sortir de ses pensées pour se pencher vers elle.

— Veux-tu boire ? La lumière est-elle trop forte ?

Elle secouait la tête. Qu'il prît soin d'elle lui suffisait. La béatitude envahissait son corps et nourrissait sa convalescence.

Au bout de trois jours, les infirmières vinrent avec une glace et des articles de toilette qu'elles disposèrent sur son chevet. Le regard affûté par la maladie, Olivia examina le tube rose de crème pour le visage, les dents scintillantes du peigne en fer comme s'ils venaient d'être inventés. Elle s'empara du miroir à main et s'examina.

Ses cheveux avaient repoussé en épis désordonnés et ses sourcils n'avaient pas été épilés depuis avant Noël. Elle avait les lèvres gercées. Mais, mis à part ses joues émaciées et ses cernes, le visage qui la regardait était le sien.

Au terme du jour suivant, le médecin revint la voir.

— Quand pourrai-je rentrer chez moi ?

— Dans quelques jours, probablement.

Xan et elle convinrent qu'à présent qu'elle était hors de danger, il allait regagner l'île pour s'occuper des enfants jusqu'à son retour. Avant de partir, il la souleva dans ses bras et la tint comme s'il redoutait qu'elle puisse se briser.

— Je suis toujours la même, lui dit-elle en riant un peu.

— Dieu merci, répondit-il sans rire du tout.

Une fois dans la salle commune des femmes, Olivia se releva brusquement et repoussa ses couvertures. Elle balança les pieds sur le plancher et se leva, presque sans vaciller. Sa voisine ouvrit brièvement les yeux.

La fenêtre la plus proche lui offrait un aperçu sur la vieille ville. Elle voyait une porte gothique flanquée de tours crénelées et d'une longue muraille. De l'autre côté, l'eau bleue du port et l'embarcadère. Il y avait une jetée de pierre massive, gardée par un phare d'où les ferries appareillaient pour Halemni. Elle appuya les paumes contre la fenêtre et se rafraîchit le front. Le verre s'embua et elle l'éclaircit avec le pouce. Elle fixa l'eau comme si, par sa seule volonté, elle pouvait se propulser vers le port, gravir la rampe et embarquer sur le bateau tanguant en partance pour l'île. Celle-ci l'appelait, et ceux qui s'y trouvaient, avec une intensité qu'amplifiaient la maladie et la proximité de la mort.

— Ovvy ?

Elle se retourna et découvrit Max.

Il tenait un bouquet d'anémones sauvages, bleues et mauves, avec un mamelon d'étamines noires : elle sut qu'il les avait cueillies dans un creux abrité de la colline, au-dessus de la maison du potier. Il déposa les tiges fraîches et pleines de sève dans sa main.

— Je les ai rapportées sur le bateau dans la glacière avec quelques bières.

Ils versèrent de l'eau de sa carafe dans une tasse et y arrangèrent les petites fleurs. Olivia effleura les pétales et leurs pâles veines soyeuses.

— Merci.

— Y a-t-il un endroit où nous puissions parler ?

Max regarda la femme intubée et une autre à la peau parcheminée dont les dents semblaient énormes sur son visage rabougri. Il avait la phobie des hôpitaux et de la maladie.

— Une sorte de salle d'attente, par là.

Il lui donna le bras et ils s'éloignèrent lentement.

— Tu as bonne mine. Étonnamment bonne, lui dit-il d'une voix un peu tremblante, d'autant plus surprenante qu'elle était d'ordinaire assurée. Là-bas, quand il a fallu faire venir l'hélicoptère, je commençais à m'inquiéter.

— Je ne me rappelle pas grand-chose.

Il y avait cependant un souvenir qui revenait sans cesse, comme une poutre surnageant dans le flot de ses pensées.

Elle se rappelait Kitty allongée à côté d'elle, avec ses grands yeux fixes. Les mains de Kitty lui caressaient le cou, rafraîchissant sa fièvre. Un combat se déroulait entre elles, une terrible bataille insondable, et il lui aurait été facile de fermer simplement les yeux. Aide-moi, l'avait-elle suppliée. Et Kitty avait répondu, en faisant effort pour prononcer les mots : je vais le faire.

Après quoi une grande vague de soulagement l'avait envahie.

Le salon disposait de hautes fenêtres au châssis de métal et d'une rangée de chaises rouges. Il y avait aussi une fontaine à eau, une télévision qui passait en boucle les images d'un match de football, une table basse avec un cendrier cabossé. Olivia sourit. C'était un hôpital grec.

Il tira une chaise en face de la sienne et ils s'assirent genoux contre genoux.

— Kitty est-elle là ? demanda-t-elle.

Max parut surpris, puis soulagé. Il avait voulu lui parler de Kitty, mais n'avait pas trop su comment s'y prendre – ce qu'Olivia avait compris parce qu'ils se connaissaient si bien ! Ils se blessaient ou s'irritaient parfois l'un l'autre, elle ne l'ignorait pas, mais cela résultait en partie de leur intimité.

— Non, elle est partie.

— Quoi ? Partie où ?

Elle ne put tout de suite interpréter ces paroles, bien qu'elle en comprît exactement le sens profond.

— Aucune idée. Personne ne le sait. Le lendemain matin de ton transfert ici. (Il s'essuya le coin de la bouche.) Elle a dit au revoir à la femme de Panagiotis. Ainsi qu'à moi et à Christopher, en un sens. Et elle a donné cette souris tricotée à Georgi et à Theo.

Ils se regardèrent droit dans les yeux.

— A-t-elle pris un bateau ?

— Non. Pas que l'on sache.

— Qu'a-t-elle emporté avec elle ?

— Rien, semble-t-il. Sa pièce avait l'aspect habituel. Xan et moi n'avons pas voulu trop farfouiller.

— Il est vrai qu'elle est arrivée les mains vides.

Kitty Fisher s'était dématérialisée, abstraite de la vie quotidienne de l'île. À présent, tandis qu'Olivia pensait à elle, la forme et l'aspect qu'elle avait pris semblaient s'écailler et se dissoudre jusqu'à ce qu'il n'en reste rien. Elle parvenait à se rappeler des vêtements, des conversations, des promenades faites ensemble, des repas partagés, mais tout cela n'était qu'un vernis. Tout ce qu'elle pouvait encore identifier au fond de ces souvenirs, c'était elle-même : sa propre jalousie, sa propre peur. Kitty, apparemment, avait failli s'insinuer entre Max et elle, mais Olivia s'apercevait aujourd'hui que rien ne les séparait. Elle ne s'était jamais sentie si proche de son frère qu'aujourd'hui.

Kitty s'effaçait, de plus en plus vite. Avait-elle seulement été là ? Était-elle vraiment venue s'étendre à côté d'elle, la veille du nouvel an, ou n'était-ce qu'une hallucination due à la fièvre ?

Max se leva et se rendit à la fontaine à eau. Il se pencha, tripota le petit robinet puis remplit deux gobelets en carton et les rapporta. Olivia but quelques gorgées.

— Est-ce qu'elle te manquera ?

Il hocha la tête d'un air grave.

— Oui.

Elle réfléchit.

— Pas à moi, tu sais. Je suis heureuse qu'elle soit partie. Je ne pense pas qu'elle revienne, n'est-ce pas ?

Si Max la trouvait insensible ou brutale, il ne le lui dit pas.

— Non, je ne pense pas qu'elle revienne.

Ils parlèrent d'autre chose, volontairement, pour oublier leur jugement différent sur Kitty.

— Je fais un saut en Angleterre, dit Max, pour passer quelques jours avec eux avant de rentrer.

Il voulait parler de leurs parents, bien sûr, et de leur tranquille maison à la campagne.

— Oui, je pense que c'est une bonne idée, dit calmement Olivia.

Elle reposa son gobelet vide et tendit les mains à son frère. Ils croisèrent leurs doigts et regardèrent leurs mains entrelacées.

Puis elle s'enquit :

— À quelle heure est ton avion ?

— Dans trois heures, dit-il en regardant sa montre.

— Ne tarde pas trop, alors. Il faut arriver très en avance à l'aéroport, ici.

Il se mit à rire. Il avait toujours fallu et il faudrait toujours qu'elle lui dise quoi faire et quand. Elle était le chef et lui son adjoint.

— Très bien, Ovvy.

— Est-ce que ça ira avec Hattie ?

— Je ne sais pas. Je l'espère. Et toi et Xan ?

— Oh oui. (Son visage se fendit d'un sourire.) Oui, j'en suis certaine.

— Je suppose que je ferais mieux d'y aller. Ne me fais plus peur en tombant malade comme ça, d'accord ?

— Je ne pense pas que ça arrive à nouveau.

Ils se levèrent et il l'enlaça.

Ils s'embrassèrent, un peu maladroitement à présent que le moment de la séparation était venu, se tapotèrent l'épaule puis s'écartèrent.

— J'ai pris certaines photos, dit Max. Elles étaient dans ma chambre, la chambre noire.

Il sortit une enveloppe jaune de son sac de cabine et les lui montra. Il s'agissait des photos de Kitty en jersey rayé, avec sa fausse moustache, et aussi de celles d'Olivia maquillée en Kitty. Elle les fixa d'un air absent. L'allure était trompeuse. On pouvait changer son allure, mais pas son identité.

— Cela ne t'ennuie pas ?

Elle haussa les épaules.

— Non, pas du tout. Tu aurais pu toutes les prendre. Je n'en veux pas.

À la porte de la chambre, ils s'étreignirent encore.

— Je suis si contente de t'avoir, lui dit Olivia. Je me demande à quoi ressemblerait le monde si tu n'y étais pas.

— Il serait plus triste, beaucoup plus triste ! observa-t-il en riant.

Quand le médecin vint la voir cet après-midi-là, Olivia lui dit :

— Je veux rentrer chez moi.

Il écrivait une note sur son calepin et répondit :

— Dans un ou deux jours.

— C'est mercredi, demain, n'est-ce pas ?

— C'est exact.

— C'est le jour du ferry local. Je le prendrai demain.

La femme intubée tourna la tête avec lassitude sur son oreiller et observa :

— Vous avez raison. Rentrez chez vous, c'est le mieux.

Vingt-quatre heures plus tard, Halemni était en vue, ses contours bruns familiers s'élevaient sur la mer.

Une sœur de Stefania et deux autres femmes de Megalo Chorio se trouvaient à bord elles aussi et s'étaient précipitées vers Olivia avec des cris d'étonnement et d'inquiétude. Elles s'occupèrent d'elle au cours de la traversée, la firent s'étendre sur trois sièges dans le salon, lui apportèrent de l'eau minérale, écartèrent toute personne qui risquait de l'incommoder. Mais à l'approche de Halemni, Olivia dit à ses protectrices qu'elle avait le vertige et voulait respirer l'air frais sur le pont. Elle poussa les lourdes portes qui ouvraient sur le pont avant. Une poignée de passagers emmitouflés contre les embruns occupaient les sièges en bois. Elle se pencha sur le bastingage pour regarder l'endroit exact où Xan et elle se tenaient quand elle avait débarqué pour la première fois sur l'île. Il faisait froid, elle se sentait faible et nauséeuse, en effet, mais elle tint bon. Tandis que le bateau contournait le promontoire, le village et la colline couronnée par le château des chevaliers s'étalèrent devant elle. Dans la lumière déclinante elle voyait la façade bleu pâle de la maison du potier. Elle repoussa ses larmes du revers de la main.

Pendant que le bateau faisait sa marche arrière pour présenter la poupe à la jetée, que les hélices barattaient l'eau et que les mouettes planaient au-dessus des détritus du port, elle regarda la petite foule qui attendait le bateau. Elle les reconnaissait tous : Yannis, Michaelis, Stavros ; même le marchand d'œufs vivant en ermite qui attendait pour charger ses boîtes d'œufs frais.

Dès que le bateau eut jeté l'ancre, la sœur de Stefania sortit à grandes enjambées.

— Panagiotis ! Ici, cria-t-elle.

Les deux autres femmes pilotaient la convalescente que Panagiotis aperçut. Il sauta dans sa camionnette, fit marche arrière et l'on installa Olivia avec mille précautions sur le siège du passager.

— Tu es là ? Déjà ?

— Je voulais rentrer. Assez d'hôpital !

Xan n'attendait pas le ferry, évidemment. Il était à la maison avec les enfants. Sa hâte de tous les retrouver lui fit serrer les bras autour d'elle et se pencher en avant sur le siège affaissé du pick-up.

Panagiotis, enchanté de son rôle central dans la mise en scène de cette arrivée surprise, se mit à corner, en passant la tête par la fenêtre pour demander qu'on dégage la voie. Le petit groupe se scinda, quelqu'un se mit à applaudir, promptement imité par tout le monde, en signe de bienvenue pour Olivia. La camionnette remonta la grand-rue avec quelques embardées jusqu'à la maison du potier. Panagiotis aida Olivia à descendre, puis remonta avec tact sur son siège pour la laisser seule. Elle contourna lentement le flanc de la maison, puis, sans regarder la porte du studio, se tint à la lisière de la terrasse pour jeter un coup d'œil par la fenêtre de la cuisine.

La pièce était propre et ordonnée. Meroula était assise dans le fauteuil au coin du feu, son ouvrage sur les genoux, mais elle somnolait en ce moment, et sa tête avait glissé sur le coussin. Theo, assis à table, était absorbé par son dessin et, à l'autre bout de la pièce, Georgi et son père étaient debout près de l'évier. L'enfant tenait une poignée dégoulinante de couverts qu'il avait dû sortir de la bassine de vaisselle et Xan choisissait soigneusement une fourchette et un couteau à la fois qu'il séchait avant de les ranger dans le tiroir. Ils se regardaient l'un l'autre en riant, faisant un jeu de cette tâche fastidieuse. Xan portait son vieux jersey bleu à l'ourlet décousu et on avait l'impression qu'il ne s'était ni rasé ni coiffé depuis qu'il l'avait quittée à l'hôpital.

Elle était en équilibre sur la petite vague d'herbes hautes limitant les dalles de la terrasse, presque incapable de respirer à l'idée qu'un nouveau choc vienne frapper leur maison et déchirer ce tableau avant qu'elle ait pu le réintégrer.

Elle avait besoin de leur dire combien elle les aimait tous.

Xan prit la dernière cuiller et l'essuya. Georgi s'essuya les mains sur les fesses de son pantalon et dit quelque chose à son petit frère qui déposa son crayon et accourut pour l'aider à ranger les casseroles sur une étagère. Elle était profondément touchée de les voir se débrouiller tous trois en son absence. Le spectacle lui donnait envie de rire aussi. Meroula se réveilla et, comme elle faisait toujours, regarda aussitôt son ouvrage pour ne pas donner l'impression qu'elle avait dormi. Quand elle eut fait quelques points, elle jeta un coup d'œil par la fenêtre vers la terrasse.

Olivia recula. Elle ne voulait pas être vue en train de regarder sa famille comme si elle l'épiait. Il lui fallut un moment pour se rendre compte qu'être debout de la sorte à observer le tableau éclairé lui donnait le sentiment d'être Kitty. Pauvre Kitty, qui avait dû souvent les voir, encadrés par la chaleur de leur foyer tandis qu'elle rôdait seule de l'autre côté de la vitre !

L'ombre croissante abritait Olivia comme elle avait dû abriter Kitty. Meroula se frotta les yeux, se pinça l'arête du nez et continua à coudre.

C'est à moi, songeait Olivia. Je peux entrer maintenant et laisser tout cet amour, tout ce bonheur m'envelopper. Rien ne viendra les emporter car Xan et moi ne le permettrons pas.

Elle recula sur la bordure d'herbe et gagna la porte d'entrée de la maison. Elle souleva le loquet, retrouvant sous ses doigts la forme brillante bien connue, et ouvrit la porte. Les voix qui venaient de la cuisine s'arrêtèrent au bruit de la porte. On avait enlevé l'arbre de Noël, elle s'en rendit compte, et rangé les guirlandes électriques jusqu'à l'an prochain.

Theo fut le premier à arriver en courant. Il regarda dans sa direction, le soir bleu-gris derrière elle et l'air frais qui s'engouffrait dans la maison.

— Maman ! hurla-t-il. Maman est là !

Il s'élança, les mains tendues, le visage épanoui par un sourire de surprise. Il enfouit le visage dans ses cuisses et elle lui caressa la nuque, le serrant contre elle.

Georgi apparut ensuite et elle l'attira à elle de la même façon en enfonçant les doigts dans leur épaisse chevelure.

— Comment est-ce possible ? s'enquit Xan en arrivant et en les enlaçant tous trois. Les enfants se tortillaient, pressaient leurs visages dans l'abri de la chaleur de leurs parents, redevenus bébés par le simple effet du soulagement. Ils étaient tous les quatre ensemble, balancés par Xan, ivres de bonheur.

— Je vais te le dire, dit-elle en riant.

— Mais tu ne seras plus malade ? demanda avec instance le cadet, non sans lui évoquer Max.

Georgi, plus mûr en cela, n'exprimait pas son anxiété mais elle apparaissait clairement dans ses yeux lorsqu'il la regardait.

— Non, je ne le serai plus.

Meroula apparut, ses ciseaux de couture accrochés à son cardigan, le visage encore ensommeillé.

— Ferme la porte, Xan, ferme-la tout de suite. Ne la laisse pas debout dans ce froid.

Olivia était allongée dans la chambre aux volets fermés, la tête appuyée sur l'épaule de son mari. L'odeur des oreillers, l'obscurité plus dense du mobilier contre les murs nus, le rythme de la respiration de Xan, tout lui était intensément familier. Tout cela était ordinaire et donc précieux. Ses souvenirs de la Saint-Sylvestre, de Kitty étendue ici à la place de Xan, l'image imprécise d'un homme n'étant pas Max assis sur la chaise dans le coin, tout cela n'était que déformations, délire de la fièvre. Elle avait eu une septicémie, causée par sa chute et sa blessure au bras le soir de la Saint-Pandelios. La blessure n'avait pas cicatrisé correctement puis s'était infectée, lui avaient appris les médecins. Leur terminologie médicale était précise. Tout ce qui était arrivé s'expliquait. Elle s'était imaginée sur le point d'être remplacée par Kitty, mais ce n'était que le fruit de son imagination – rien de plus. Kitty était un être vivant, au triste passé et Olivia supposait que sa propre existence tranquille lui avait paru digne d'être vampirisée.

Mais Kitty était partie. Après tout, Halemni et les Georgiadis ne s'étaient peut-être pas avérés aussi intéressants qu'elle l'espérait. C'était l'affaire de Kitty. Tout ce qui importait vraiment, se disait Olivia, c'était qu'elle fût partie et ne revînt pas. Elle avait emporté une saison de catastrophes avec elle.

La main de Xan glissa de sa hanche au creux de sa taille puis il dessina sa cage thoracique du bout des doigts, en hésitant, comme s'il essayait par ses caresses de ranimer sur ses os ses anciennes formes plus épanouies.

Comme leurs bouches s'effleuraient, elle sourit.

— J'ai retrouvé la taille que j'avais lors de notre première rencontre.

La rue poussiéreuse, les enfants thaïs vociférant, ce bonhomme, tel un grand ours, qui l'observait.

— Je préfère quand tu es plus en chair.

— Tu veux que je devienne grosse ?

Il hocha une tête somnolente.

— Oui, s'il te plaît.

Elle prit cela pour argent comptant, qu'il la voulait et personne d'autre, qu'il ne faisait pas de comparaison, qu'il l'aimait pour sa force et son bonheur, sa façon décontractée de s'accepter telle qu'elle était.

Elle répliqua, en simulant la mauvaise volonté :

— Je verrai ce que je peux faire.

Plus de trois jours avaient passé avant qu'elle ne s'aventure dans le studio.

Bien que ce fût le milieu de l'après-midi, elle alluma le plafonnier dès qu'elle ouvrit la porte. Tout lui apparut au premier coup d'œil. Il y avait eu du vent et une couche de poussière sablonneuse s'était déposée sur la table et le carrelage. Les rares habits de Kitty, qui n'étaient pas vraiment les siens, mais ceux d'Olivia ou de l'aide humanitaire d'après le raz de marée, étaient pendus à des crochets derrière la porte. Le bouquet de Noël de Max trônait près du lit et la poussière s'était accumulée dans les volutes du ruban rouge. La caricature de Christopher était appuyée contre le mur, les ouvrages d'histoire et de langue grecques rangés en pile bien nette. Il n'y avait personne ici, pas un soupçon de Kitty dans le vieux caban ou les plis des draps. Elle était absolument partie. Il était difficile d'imaginer que cette minuscule collection de biens empruntés ou économisés avait jadis paru menaçante.

Coiffant les livres, il y avait un carnet, du genre bon marché, quadrillé et à la couverture rouge, que vendait Hélène dans la boutique. Olivia le feuilleta. Elle y vit l'alphabet grec et sa traduction phonétique et une liste de vocabulaire, *pain, miel, thé, garçon, mère.* Rien d'autre. Pas une note, pas une observation personnelle pour habiller le souvenir de Kitty Fisher.

Olivia déroula le sac-poubelle noir qu'elle avait apporté avec elle. Elle y jeta le carnet et les habits en vrac, le bouquet et le dessin de Christopher. Elle mit les livres de côté pour les ranger sur leurs étagères, les siennes ou celles de Christopher. Dans la minuscule salle de bains carrelée, elle ôta le pain de savon de sa soucoupe et le peigne de sa tablette de plastique blanc accrochée sous la glace. Il n'y avait pas un seul cheveu dans les dents du peigne ni sur le savon.

Quand toutes les traces de l'occupante de la pièce furent enfermées dans le sac en plastique et qu'elle en eut noué le lien, Olivia défit le lit. Elle plia les couvertures pour les ranger avec les autres dans le placard d'hiver, puis rassembla les draps dans ses bras. Sans l'avoir voulu, elle enfouit le visage dans les plis et respira fort. On percevait une très vague odeur, mais qui n'éveilla aucun sentiment d'altérité en elle.

Levant la tête, elle regarda par la fenêtre vers l'étroite bande de mer. Quels que fussent le désir ou la curiosité résiduels qui lui avaient fait sentir les draps d'une autre femme, ils n'avaient plus d'importance. Kitty était partie.

Les enfants allaient rentrer de l'école. Olivia laissa les draps près de la porte, avec le sac. Elle prit les livres sous le bras et jeta un dernier coup d'œil circulaire. Il ne restait rien, rien qu'une poussière pâle souillée par ses propres mouvements. Au printemps, quand l'été ne serait plus très loin, elle reviendrait tout préparer pour les Darby et compagnie.

Tous les studios disposaient d'une clef car les touristes en demandaient. Personne sur l'île ne fermait jamais sa maison en hiver mais Olivia n'en tourna pas moins le verrou puis pressa la poignée par acquit de conscience. Elle n'aurait su dire si elle se protégeait d'intrus éventuels ou bannissait un souvenir.

Il y avait une grande poubelle communale dans une allée voisine de la Taverna Irini. Elle en souleva le couvercle et y laissa choir le sac noir. Parmi tous les autres, il devint aussitôt anonyme. Elle referma hermétiquement le couvercle.

Xan se trouvait à la cuisine. On le voyait moins, désormais, au café des hommes.

— J'ai débarrassé le studio, lui annonça-t-elle.

Le studio, pas le sien ou celui de Kitty.

— J'aurais pu m'en charger, observa-t-il en la débarrassant de la pile de livres et des draps.

— Je tenais à le faire, dit-elle posément.

Ce soir-là, Christopher regarda les dos des livres qu'Olivia n'avait pas déjà rangés.

— Oui, ceux-ci m'appartiennent. N'aimerais-tu pas les garder ?

Ils étaient assis à table, Xan présidait entre Olivia et Christopher, comme c'était arrivé d'innombrables fois. La nuit était fraîche et ils portaient plusieurs pulls l'un sur l'autre pour n'avoir pas à faire de feu. Georgi et Theo dormaient dans leur chambre. Xan et Christopher s'échangeaient la bouteille de Metaxas pour se réchauffer davantage.

— Pourquoi ? s'enquit distraitement le maître de maison. N'as-tu plus de place dans ta tanière ?

Christopher aligna sa blague à tabac sur le bois grenu de la table. Sa chevelure lui coupait le visage en deux, lui cachant un œil. Il ne regardait pas dans la direction d'Olivia.

— Je rentre en Angleterre.

Lorsqu'il l'eut dit, elle comprit qu'elle s'y était attendue.

— Tes affaires seront encore là quand tu reviendras l'été prochain, remarqua Xan.

— Je veux dire que je pars pour de bon.

Les nervures du bois n'étaient pas parallèles. Il faisait coulisser sa blague, dans l'espoir de trouver un alignement satisfaisant.

— Je regrette de vous laisser sans professeur, mais je ne crois pas que vous aurez du mal à en trouver un autre. Les barbouilleurs d'aquarelles sont treize à la douzaine.

Xan se redressa, fit passer ses grands bras derrière le dossier de sa chaise.

— Pas comme toi, ça ne court pas les rues. Mais enfin pourquoi, après tout ce temps ?

— C'est une des raisons. Je ne peux pas vivre à jamais ici, n'est-ce pas ?

Il a raison, songeait-elle. Il ne pourrait pas rester ici éternellement. C'était bon pour Xan et elle, liés à l'île par leurs enfants, leur engagement l'un vis-à-vis de l'autre. Christopher devait rentrer au pays, repartir de l'autre pied. Son frère était peintre, très lancé, lui avait-il dit. L'ambition l'envahirait peut-être lui aussi, fût-elle tardive.

Xan avait l'air stupéfait.

— Que vas-tu faire ?

— Trouver un boulot de prof. Peut-être affilié à une école. Et puis peindre pour moi, aussi.

Olivia se leva. Elle gagna la chaise de leur ami et posa la joue sur sa tête. Lorsqu'elle referma les bras autour de ses épaules, il se raidit, comme s'il redoutait qu'un mouvement pût briser quelque chose. Elle comprenait comme jamais qu'il l'aimait, qu'il ne serait jamais payé de retour et qu'il serait égoïste de souhaiter qu'il restât.

— Tu nous manqueras, dit-elle en sachant bien qu'il aurait aimé entendre tu *me* manqueras.

— C'est réciproque.

— Je ne comprends pas : pourquoi maintenant ? insistait Xan. Après le raz de marée et tout ce que tu as fait pour nous aider à remettre les choses en place. Toi et Kitty. Et puis voilà que vous disparaissez tous les deux.

— Xan ! intervint Olivia.

— C'est ce qui s'impose, c'est tout.

La bouche de Christopher se referma hermétiquement sur ces mots. Olivia desserra son étreinte et s'éloigna. Ne pars pas, eût-il voulu lui crier.

Elle déboucha la bouteille de cognac et remplit leurs verres, sans s'oublier.

— Un toast. Pour toi, Christopher, et pour l'avenir.

Son regard alla de l'un à l'autre. Le visage d'Olivia reprenait des rondeurs après sa maladie. Il irradiait une nouvelle beauté et le bonheur habitait ses yeux. Kitty en était la cause, se dit-il. D'où qu'elle fût venue, que la terrible atmosphère sinistre émanant d'elle fût ou pas une création de son imagination solitaire, qui qu'elle fût et quelle que fût sa destination finale, ils lui devaient au moins cela. Olivia avait ce qu'elle désirait et peut-être que le voir par les yeux de Kitty en avait doublé la valeur. Lui n'avait pas ce qu'il désirait mais il avait vu la futilité d'espérer, qu'il s'agît d'Olivia ou de quelque double. Peut-être qu'une fois rentré en Angleterre, il pourrait mettre tout cela derrière lui. Peut-être pourrait-il apprendre à se montrer malin et indifférent, tout comme Dan.

Quelle que fût l'opinion que ses amis avaient choisi de garder de Kitty, quelle que fût l'explication qu'ils avaient retenue, il n'avait pas besoin de la commenter.

Il prit son verre et le vida.

— À l'avenir, dit-il en écho.

— Quand penses-tu partir ? demanda Xan d'une voix morose, en s'essuyant les lèvres sur le dos de la main.

— Dans deux ou trois semaines.

Rien n'était très rapide sur Halemni au creux de l'hiver.

— Je vais te dire une chose, alors. Pourquoi n'emmènes-tu pas Olivia avec toi ? Elle a besoin d'un changement de cadre et de repos. (Il regarda sa femme.) Va passer quelques jours avec tes parents. Les garçons et moi nous débrouillerons très bien. Christopher prendra soin de toi à l'aller et tu reviendras quand tu seras prête. N'est-ce pas une bonne idée, Christopher ?

— Je le crois et je serais heureux de t'accompagner.

Elle inclina la tête. L'Angleterre, se disait-elle. Pas chez moi, mais l'Angleterre.

— Cela fait longtemps que je ne les ai vus.

— C'est dit, alors, fit Xan.

Il souriait, content de lui et d'une générosité qui ne lui avait guère coûté.

20.

Christopher et Olivia prirent un vol charter de Rhodes à Londres. Installés au fond de l'avion, ils ne parlaient guère. Christopher lisait un roman et Olivia feuilletait le magazine de l'avion car elle avait oublié son livre dans sa valise. Après avoir passé tant d'années à voler autour du monde, elle se rendait compte qu'elle avait totalement oublié comment on voyage. L'idée ne l'ennuyait pas le moins du monde. Les publicités tapageuses du magazine pour des montres et du whisky lui semblaient plus grotesques que désirables. Elle finit par scruter le ciel bleu et la couche de nuages au loin en dessous d'eux qui ne cessait d'épaissir à mesure qu'ils remontaient vers le nord.

De Gatwick, elle avait espéré attraper un train direct pour le Dorset mais il n'y avait pas de correspondance. Elle monta donc dans un train pour Londres en compagnie de Christopher et de sa pile de bagages miteux retenus par des ficelles. Ils s'installèrent genou contre genou sur des sièges crasseux, et regardèrent les maisons, les arbres nus et les jardins qui donnaient sur la voie. Cela faisait plus de six ans qu'elle n'était pas venue – Georgi était un bébé à l'époque. Cette Angleterre réelle lui évoquait un pays étranger visité il y a longtemps et plus ou moins oublié. La lumière grise faiblarde, le crachin et l'entassement désordonné de maisons, tout cela était minable et peu accueillant.

— Ne l'évalue pas à la vue qu'offre un train par un après-midi humide, l'avertit son compagnon de voyage.

Il avait hâte de pouvoir fumer, elle le voyait à sa façon de tapoter sa blague à tabac sur la cuisse en suivant le rythme des cahots de la voiture. Elle lui sourit, en pensant que c'était elle qui aurait dû le consoler car lui était là pour de bon.

À Victoria Station, elle tenta de le persuader de la laisser se débrouiller.

— Je vais m'en sortir. File vite chez ton frère. Où se trouve son appartement ?

— Pas avant que tu ne sois sur le bon chemin. Il habite l'East End. C'est devenu élégant. Surveille les bagages, je vais te dénicher un train.

Il faisait déjà sombre. Pendant qu'elle attendait à côté des valises, la vaste verrière prit brièvement une lumineuse teinte bleu marine puis noircit, comme si on avait tiré une couverture dessus. Le bruit des annonces déferlait au-dessus d'elle. Il y avait trop de choses à voir, les vitrines des magasins W. H. Smith et Boots débordaient d'objets bariolés, l'étal du fleuriste ressemblait à une barricade de fleurs énormes et surnaturelles, une multitude de gens se ruaient vers elle sur le sol lustré. Elle avait tout à fait oublié qu'il existât tant de gens et de choix possibles.

Christopher revint vers elle à grandes enjambées. Avec son antique chapeau de paille et une veste de bourgeron bleu, il avait l'air aussi exotique qu'il se sentait l'être parmi ces banlieusards.

— Dix-sept heures quinze, quai sept, lui dit-il.

Elle lui savait gré de son aide et était amusée de voir qu'elle en avait besoin.

Elle avait le temps de téléphoner à ses parents et de leur demander de venir la chercher à la gare.

— Ton père serait venu te chercher à l'aéroport si tu nous avais prévenus, se récria sa mère.

— C'est très bien comme ça, dit-elle en élevant la voix pour dominer le brouhaha de la gare.

Elle raccrocha et rejoignit Christopher. Il avait ôté son chapeau qu'il tenait des deux mains par le bord. Il semblait sur le point de la demander en mariage ou de révéler une nouvelle très grave. Ils hésitèrent tandis que la foule les débordait de tous côtés vers les trains. Puis ils firent un pas l'un vers l'autre. Christopher posa son chapeau sur la pile de ses sacs. Très lentement, il leva la main et la porta sur le côté de sa gorge, juste en dessous de la mâchoire.

Olivia se pencha en avant et l'embrassa sur la bouche, doucement, volontairement. Ses doigts glissèrent sur sa nuque et s'y attardèrent. Puis il déplaça un peu la tête sur le côté pour que leurs joues se touchent.

— Tu me manqueras, dit-elle.

Il hocha la tête, puis se redressa et recula. Il examina son visage, le mémorisa, le comparant en esprit au souvenir de celui de Kitty. Une fois de plus, leurs traits se brouillaient, s'interpénétraient et s'agençaient pour former une image composite.

Il avait eu peur pour Olivia. L'autre femme aurait pu lui faire du mal : son imagination lui avait présenté tour à tour une douzaine d'horreurs exacerbées. Mais il comprenait que c'était passé, qu'il n'y avait plus à avoir peur de quoi que ce soit : Kitty était partie. Son visage s'éclaircit et il lui sourit.

— À bientôt, dit-il.

Il tendit le doigt vers le quai le long duquel le train s'était rangé. Un flot de voyageurs allait le prendre d'assaut.

— Vas-y, lui conseilla-t-il.

Il voulait écourter les adieux.

Elle hésita.

— À bientôt, dit-elle à son tour, incertaine.

Elle s'empara de son petit sac et s'éloigna à pas rapides. Il suivit des yeux sa haute taille dans la foule, jusqu'à ce qu'elle disparaisse à sa vue.

Lorsqu'elle descendit du train une fois encore, l'air sentait la fumée et l'humidité. Le quai et les voitures garées derrière un grillage scintillaient sous la pluie, des halos brumeux entouraient les réverbères. Son sac lui pesait, elle marchait lentement, et les banlieusards filaient devant elle. Quand le monde se fut dispersé, elle repéra son père qui attendait près de la sortie. Il était plus petit que l'homme qu'elle cherchait du regard ; il enfonçait ses mains, posture un peu défensive, dans les poches de sa veste de chasse matelassée. Il leva le menton, soulagé de l'apercevoir.

— Ah te voilà ! dit-il quand elle l'eut rejoint.

Elle se rendit compte, et ce fut un choc, qu'elle le dépassait désormais d'une demi-tête, lui qui était jadis si grand. Il approchait des quatre-vingts ans et l'âge le voûtait. Une couronne de cheveux gris courait autour de son crâne chauve. On ne discernait plus qu'un très vague reflet de son extrême beauté d'autrefois.

— Eh oui !

Il tendit le bras vers son sac, mais elle refusa qu'il le prenne. Ils marchèrent côte à côte jusqu'au parking.

— Ta mère prépare le dîner. Elle a pensé que tu aurais faim.

Olivia sourit.

— Bien sûr.

Son appétit faisait l'objet d'une plaisanterie familiale.

Il y avait apparemment plus de circulation dans les rues et deux lotissements flambant neufs avaient poussé dans la rase campagne subsistant entre la ville et le village de ses parents.

— Oui, tout change, soupira son père.

La vieille maison carrée se dressait, isolée dans son grand jardin. Comme ils remontaient l'allée elle entendit la pluie ruisseler sur les conifères, le bourdonnement des voitures au loin, le vent dans les arbres nus. Tout cela paraissait plus étranger que familier. Cet endroit n'était pas son chez-elle.

La porte d'entrée s'ouvrit et un cône de lumière jaune balaya le dallage.

— Au r'voir, madame Flint, s'exclama une grosse femme en fichu qui sortait. Oh, v'là déjà vot'homme et vot'fille !

Denis la présenta comme une voisine, si gentille, toujours soucieuse de savoir s'ils avaient besoin de quelque chose. Ce sont des vieilles personnes, à présent, pensait Olivia. Rejetées en pleine mer, exposées aux vents divers du voisinage, après que la marée a emporté leurs enfants.

— Bonjour, dit-elle gauchement.

— Je suis bien contente de faire votre connaissance. Entrez vite, ne restez pas dans les courants d'air.

Il fait froid, se dit Olivia. L'humidité semblait s'être déjà immiscée dans ses os.

Maddie, sa mère, portait un pull rose corail et un rouge à lèvres assorti. Ses cheveux étaient fraîchement lavés et mis en plis. La voisine venait peut-être la coiffer.

— Nous étions si inquiets à ton sujet. Xan se refusait à nous donner des détails. Et tu as l'air si amaigrie !

Olivia embrassa sa mère, humant les effluves d'Arpège et de poudre de riz.

— Il n'y avait pas de raison de s'inquiéter. Je suis solide comme un cheval, tu le sais bien.

Un poêle à gaz et à charbon chauffait le salon. Les rideaux étaient tirés et les bouteilles et les verres posés sur un plateau. Olivia n'avait jamais vécu dans cette maison mais la pièce était remplie de meubles, de tableaux et de photos encadrées qui réveillaient ses souvenirs. Max et elle avaient joué à se cacher sous cette desserte, ils avaient fabriqué ces serre-livres en cours de menuiserie. Elle avait le choix entre du sherry et un gin tonic. Une horloge émettait son tic-tac.

Restaient les nouvelles à échanger sur la famille, des dessins et des cadeaux de Georgi et Theo à remettre, les verres à remplir avant de passer à table. La pièce était chaude et Olivia sentit sa nervosité s'apaiser avec le gin qui lui parcourait les veines. Xan avait vu juste. Même si cela leur coûtait une fortune, elle avait eu raison de venir.

Ils dînèrent dans la salle à manger. De l'agneau grillé, des carottes et des pommes de terre. Denis portait docilement les plats du passe-plat à la table. Il attendait en penchant légèrement la tête l'instruction suivante.

— Ne fais pas tomber ça, lui dit sèchement sa femme. Et mets un napperon dessous.

Olivia se rappelait les soirs où sa mère avait attendu sans fin son beau mari, critique, à l'impatience cruelle, qu'il rentre du travail ou d'ailleurs, où que ce fût. C'était vrai. Tout avait changé.

Ils parlèrent du tremblement de terre, du tsunami et de leurs conséquences, de la visite de Max. Olivia attendit qu'on mentionne le nom de Kitty, mais en vain. Elle ne le prononça pas non plus. Comment aurait-elle pu expliquer sa présence ?

— Nous avons trouvé bizarre que Max quitte Hattie et les filles et les laisse toutes seules pour Noël comme cela. Y a-t-il des problèmes, à ton avis ? s'enquit sa mère.

— Rien de grave, pour autant que je sache.

Denis plia sa serviette et la coinça dans son anneau.

— Les jeunes ont des hauts et des bas, Maddie. Il faut les laisser régler leurs problèmes. Cesse de les ressasser.

— Poser une question ne s'appelle pas ressasser, à mon avis.

Il annonça qu'il allait écouter les nouvelles. Maddie, la bouche pincée et les doigts pianotant silencieusement sur la table vernie, le regarda gagner la porte. Puis mère et fille passèrent à la cuisine pour faire la vaisselle.

— Ton père perd la mémoire. Il se répète.

Olivia hocha la tête. Il était devenu hésitant comme confus de déranger, et physiquement diminué. Après toutes ces années, l'équilibre du pouvoir s'était inversé en faveur de l'épouse. Maddie était la plus forte, à présent. C'est donc comme ça que ça se passe, songeait Olivia. Mais ça n'arrivera pas avec Xan et moi. Cette certitude brillait en elle, aussi chaude et lumineuse que les flammes du poêle à gaz.

Xan et moi avons toujours été égaux parce que nous étions forts quand nous nous sommes trouvés et nous le resterons car nous agissons toujours de concert, ce qui renforce notre lien au lieu de l'user. Max et moi avons dû comprendre ce qui n'allait pas entre nos parents quand nous étions enfants, même si nous ne pouvions l'expliciter, et instinctivement nous avons fui la possibilité de faire un tel mariage. Nous avions besoin d'affronter le monde et d'établir notre indépendance.

C'est peut-être une coïncidence, songeait-elle encore, que nous nous soyons fixés si loin d'ici, quelque type de chez-soi que représente ce nouveau lieu. Mais ce n'est pas une coïncidence que nos deux mariages diffèrent de celui de nos parents. Ils sont truffés de difficultés et de fissures, comme ceux de tout le monde, mais ils sont dynamiques. Ils sont toujours vivants.

Maddie suspendit son torchon et ôta son tablier.

— Ne t'inquiète pas des casseroles. Joyce s'en occupera demain matin. Elle est très bien pour ça.

Joyce devait être la femme en fichu.

— Elle a l'air.

Sa mère la suivit à l'étage dans la chambre d'amis. Au-dessus du lit, une étagère à petits cahiers contenait les figurines d'animaux en porcelaine qu'Olivia avait reçues quand elle était enfant. Elle avait alors la réputation d'une collectionneuse, sans du reste goûter le moins du monde les chatons avec des nœuds papillons autour du cou ou les personnages de Disney. L'idée lui apparut tout à coup que les présupposés de familles entières pouvaient être inexacts : le fort n'était en fait qu'un lâche, le guide aurait préféré être guidé. Elle s'empara d'un Bambi en porcelaine.

— Regarde-les. Tu sais, en réalité, je ne les ai jamais aimés.

Maddie se mit à rire. Elle tendit la main et s'empara d'une poignée de figurines du haut pour les jeter dans la corbeille en papier fleurie qui se trouvait près de la coiffeuse.

— Ça ne m'étonne pas. Elles sont hideuses. Je devais essayer de faire de toi une petite fille modèle au lieu d'une sauvageonne.

Olivia jeta le Bambi avec ses pairs. Il se brisa dans un tintement réjouissant.

— Était-ce donc la raison ?

— Oh ! mon Dieu, oui.

Toutes deux riaient, à présent.

— Je suis heureuse que tu sois là, reprit sa mère. J'ai parfois l'impression de ne plus avoir d'enfants.

— Mais si, tu nous as, Max et moi.

— Je me rappelle. Dis-moi, ai-je donc totalement raté votre éducation ?

Maddie avait bu deux verres de sherry et une demi-bouteille de vin.

— Mais non.

Olivia regarda les cheveux bien coiffés de sa mère et son rouge à lèvres. Le choix qu'elle avait fait ne ressemblait certainement pas à un ratage. Tirer le meilleur parti de la situation, voilà comment la génération de ses parents aurait décrit les choses. Cette maison respirait la mélancolie, mais pas la tragédie. L'enfance de Kitty, l'histoire de ses parents, là était la vraie tragédie. Olivia se demanda comment Maddie et Denis auraient survécu si la hache du vrai malheur s'était abattue sur eux, si Max ou elle étaient morts comme le petit frère de Kitty. Ils ne seraient plus ensemble à présent, se dit-elle. Tirer le meilleur parti de la situation n'envisageait pas ce genre d'éventualité.

Cesse d'être si morbide, se reprit-elle. Rien de tout cela n'était arrivé : ici, ils se chamaillent au sujet des petits détails de la vie quotidienne comme ils le feront jusqu'à la fin. Elle enlaça sa mère et la serra fort.

— Bonne nuit, Maman. Tu as toujours très bien agi, personne n'aurait pu mieux faire. Dis bonne nuit à Papa pour moi.

— Bonne nuit, ma grande fille.

Une couverture électrique chauffait les draps. Étendue dans le noir, dans l'attente du sommeil, Olivia pensait à son immense amour pour Xan et ses enfants. Le sentiment de sa chance lui réchauffait le cœur.

Les journées de Denis et Maddie suivaient une routine précise et détaillée. Ils prenaient leur petit déjeuner – un demi-pamplemousse coupé en quartiers la veille au soir et des toasts nappés de marmelade maison – à huit heures et demie tous les matins. Après quoi Maddie s'occupait du ménage et de la lessive, secondée par Joyce pour les tâches les plus pénibles. Denis papillonnait devant elles, ombre confuse, en s'efforçant de ne pas les gêner. Le café était préparé à onze heures et quand Joyce les avait quittés, ils prenaient leur déjeuner, un potage ou une salade, tout en faisant les mots croisés. Maddie résolvait plus vite les énigmes, désormais, alors qu'autrefois son mari, toujours plus prompt, la laissait indécise et perplexe, les sourcils froncés. La table une fois débarrassée, Denis s'emparait du journal et montait faire un somme. Maddie aimait partir en promenade et Olivia l'accompagna.

— C'est un tel bonheur de t'avoir ici, déclara sa mère comme elles s'éloignaient, bottées, avec des chapeaux et des gants pour combattre le froid de janvier.

Le vent fouettait les haies et des rafales de pluie piquetaient leurs visages.

— Cela me fait grand plaisir à moi aussi, répondit Olivia. Tu devrais peut-être adopter un chien pour te tenir compagnie en mon absence ?

— C'est bien assez d'avoir à s'occuper de ton père, je t'assure.

Elles parcoururent des allées embourbées ou escaladèrent des échaliers pour suivre les sentiers traversant les champs. Maddie parla sans arrêt et sa fille devina qu'elle ne le faisait plus guère avec son mari car trop d'années avaient passé et que leur dialogue s'était installé dans des sillons qui ne permettaient plus ni improvisation ni diversion. Pourtant, sa mère n'avait personne d'autre à qui se confier et, en écoutant cette petite femme vive pendant qu'elles contournaient les bois ruisselants et respiraient l'odeur d'humus, Olivia sentit grandir son admiration. Elle lui avait jadis paru vulnérable, voire pitoyable, mais aujourd'hui elle avait acquis une stature bien à elle. Son indépendance, si tard dans sa vie, était une récompense.

— Crois-tu que j'aie perdu mon temps ? lui demanda encore sa mère.

Comme sa question précédente sur le ratage de son éducation, elle formula celle-ci avec une ardente anxiété. Maddie ne lui avait jamais demandé des choses pareilles auparavant, ni ne les avait même jamais suggérées. Cela indiquait, songeait Olivia, que sa mère s'attribuait le droit d'avoir mené une vie personnelle, fût-ce rétrospectivement.

— Toi seule peux répondre à cette question. Agirais-tu autrement si tu avais une seconde chance ?

— Laisse-moi réfléchir. Pas en ce qui vous concerne, toi et Max, bien entendu. Vous avez toujours été plus importants à mes yeux que tout le reste. Tu le comprends bien.

C'était une affirmation, pas une question. Et, en effet, Olivia le comprenait bien.

— Plus importants que Papa ?

— Oui.

La différence résidait là. Pour Olivia, Xan et les garçons étaient inextricablement liés, tous les trois, dans l'épais réseau de son amour. Personne n'était moins important que l'autre. Et elle ne pouvait imaginer de vivre sans l'un d'eux, ou loin de Halemni : elle réprima un frisson de superstition aussi noir qu'une aile de chauve-souris. Il y avait quelques semaines à peine, quand Kitty s'était massivement insinuée dans leurs vies, elle s'était prise à rêver d'une Angleterre faite de treilles de cytises, et de mères dans leur Volvo. La réalité d'aujourd'hui était beaucoup plus proche de la vérité – des branches nues fouettant un ciel vert-de-gris, le sifflement de la circulation sur une route de campagne, de rares touffes d'herbe collées sur une boue épaisse. Elle reconnaissait tous ces détails, en acceptait la familiarité, mais ne s'y sentirait plus jamais chez elle. Kitty était simplement survenue en altérant les perspectives, en obligeant Olivia à considérer son monde sous un nouveau jour.

Halemni était un lieu spartiate, Xan et elle ne connaîtraient jamais un confort douillet, sans parler de luxe, dans leur paradis d'agence de voyages. Mais elle s'était rendue presque partout ailleurs et il n'y avait aucun lieu où elle eût préféré se trouver.

Le chapeau tricoté de sa mère dansait près de son épaule.

— J'aurais pu faire certaines choses autrement. J'aurais pu avoir un métier. Être assistante médicale, peut-être.

— Ou travailler dans une banque.

— Ou porter l'uniforme. Contractuelle.

Elles remontaient l'allée qui menait à la maison et durent s'arrêter parce qu'elles riaient trop. Olivia regardait le visage de sa mère, rouge de gaieté, et peut-être pour la première fois depuis son enfance, elle se dit : elle va bien. Elle a tenu bon et elle a le pouvoir à présent. Papa a besoin d'elle et son impatience à son égard a quelque chose de victorieux. Ce n'est pas l'idéal, mais c'est mieux que rien, mieux que ce qui aurait pu être.

Elle tendit la main et s'empara de celle de sa mère : leurs doigts gantés se croisèrent. Débouchant du virage, une Jaguar grise, qui roulait trop vite, dut freiner et faire une embardée pour les éviter. Le klaxon les fit sursauter et se ranger sur le côté.

— Pourquoi faut-il qu'ils soient si pressés ! hurla Maddie.

— En fait, je crois que nous sommes en tort.

Olivia prit le bras de sa mère et la guida vers la maison. Il restait à accomplir toute une partie du programme de la journée. Une tasse de thé, une période calme avec un livre, les préparatifs du dîner, un apéritif puis le dîner et la journée s'acheminerait vers l'heure du coucher. Cette régularité était apaisante, en un sens. Juste pour une semaine.

Dans un endroit parallèle et à quelques kilomètres à peine, la Jaguar mit son clignotant et s'engagea dans l'allée d'un château-hôtel. Peter Stafford gara la voiture sur l'allée de gravier et s'empressa d'aller ouvrir la portière du passager. Lisa déplia les jambes et il l'aida à sortir.

Elle jeta un coup d'œil aux fenêtres et à la glycine fournie enserrant la façade.

— Ça a l'air sympa, dit-elle.

Un bagagiste en gilet rayé venait à leur rencontre.

Les appartements de Dunollie Mansions étaient tous deux vendus et ils venaient d'acheter une belle maison à Fulham, non loin de chez Clive et Sally Marr. Lisa aurait préféré rester chez eux et inviter des amis, surtout maintenant, mais Peter aimait encore quitter Londres pour le week-end. Il renouvelait chaque année sa collection de guides et aimait sélectionner les hôtels dont il pensait qu'elle les aimerait. Mais sur le chemin, cet après-midi, il avait paru fatigué et absent. C'est moi qui devrais être fatiguée, pensait Lisa tandis qu'ils suivaient le groom qui les menait à leur chambre.

La suite avait des fenêtres d'angle qui dominaient des hêtres et des chênes. Leurs branches nues étaient parées de diamants d'humidité. Il y avait un sofa devant les fenêtres, les fauteuils, les guéridons et les coussins de chintz ornés de fanfreluches et de ganse rouge habituels, ainsi qu'un lit extra large. Peter commanda du thé et le groom se retira. Lisa s'aventura dans la salle de bains et ouvrit les robinets de la baignoire. Elle vida les flacons miniatures au hasard, se dévêtit et entra dans l'eau. Elle entendit que de l'autre côté Peter passait un coup de fil professionnel. Elle se laissa aller dans l'eau chaude, les mains croisées sur le ventre.

Lorsqu'elle rouvrit les yeux, il lui apportait une tasse de thé. Il la déposa sur le rebord de la baignoire, puis s'assit sur le couvercle des W-C. La buée sur ses lunettes l'obligea à les ôter et à frotter les verres miroitants avec un mouchoir en papier.

— Puis-je rester ?

— Si tu veux.

Lisa n'aimait pas qu'il soit docile. Elle préférait qu'il montre de l'autorité lorsqu'il s'occupait d'elle. Elle se redressa et commença à se savonner, en se tournant de profil pour qu'il puisse admirer ses rondeurs.

— Qui était à l'appareil ?

Il soupira en se pinçant le nez.

— Sullivan.

Il commença à lui parler du problème, mais elle n'écoutait pas. Elle n'avait posé la question que par politesse.

— Allons, dit-il enfin. N'y reste pas trop longtemps, tu vas avoir la tête qui tourne.

Il déplia une serviette qu'il lui tint ; elle vint s'y lover pour qu'il la frictionne. Il la prit dans ses bras et la porta jusqu'au lit. Lorsqu'ils se mirent à faire l'amour, il caressa son ventre.

— Treize semaines, chuchota-t-il. Encore vingt-sept.

Elle souriait paresseusement. C'était ce qu'elle aimait. Elle trouvait normal d'être adorée. Mais au bout d'un moment, elle se redressa sur un coude. Peter reposait sur le dos, le regard dans le vague.

— Y a-t-il un problème ? murmura-t-elle.

— Non, je suis fatigué, c'est tout.

— Tu étais très silencieux sur le chemin. Il y a quelque chose, chéri, n'est-ce pas ?

Peter roula sur le lit et s'assit à l'autre extrémité, en lui tournant le dos. Il était bien conservé pour son âge, mais il avait des petites poignées d'amour. Il se leva et alla ouvrir les placards jusqu'à ce qu'il trouve le bar et une mignonnette de whisky.

— Tu veux quelque chose ?

— Je ne suis pas censée boire, n'est-ce pas ? Y a-t-il un Coca ?

— Je ne crois pas. C'est son anniversaire, en fait.

— Quoi ? De qui ?

— De Catherine. De Cary, dit-il prudemment.

— Oh, je vois. Pourquoi ne pas l'avoir dit ? Nous serions restés à la maison.

Qu'on m'épargne, songeait Lisa, le chagrin et le remords. Elle est *morte*, n'est-ce pas ? Partie, bien qu'on ne l'ait jamais oubliée, semble-t-il. Elle commençait à comprendre que la première femme de Peter rôderait toujours dans le souvenir de son mari et de ses amis, s'interposerait entre lui et elle d'une manière qu'elle ne pourrait jamais éradiquer.

— Être ici ou là n'aurait fait aucune différence.

Peter but son whisky.

Lisa se ressaisit. Elle n'aimait pas qu'on l'emportât sur elle, qu'on fût vivant ou mort. Elle se leva et s'aperçut qu'il lui avait défait sa valise et suspendu ses vêtements. Elle enfila ses bas et décrocha une robe de tricot noir de son cintre. Elle veilla à ce qu'il la regarde tandis qu'elle se tortillait dans l'étroit fourreau et le lissait sur son ventre.

— Si Cary n'était pas morte dans le tremblement de terre, crois-tu que tu lui serais revenu ?

Il la regardait, avec dans les yeux un éclat implorant qu'elle détestait. Il voulait s'entendre dire que tout était bien, qu'il serait pardonné. Les hommes étaient tous pareils. Faibles, sauf dans le corset de fonte de leur égoïsme.

— Non, avoua-t-il. C'est étrange. C'est le fait qu'elle soit morte, définitivement hors de ma portée, qui la rend présente à mon esprit.

Au moins, c'était sincère. Elle vint à lui, se mit devant lui et attira sa tête sur l'enfant dans son ventre.

— Pauvre Peter. Pauvre chéri. C'était un affreux séisme. Cary est morte. Personne n'aurait rien pu y changer. Ni toi ni personne.

Il hocha la tête, la moitié du visage chiffonnée contre elle. Lisa lui caressa les cheveux jusqu'à ce qu'il se redresse.

— Descendons, lui dit-elle.

Il acquiesça. Elle savait qu'il boirait un ou deux autres whiskies et du vin à table et qu'il dormirait lourdement, en remuant un peu dans ses rêves. Elle s'empara de son sac à main. Il était en velours noir, en forme de tulipe, et s'ouvrait comme une corolle de pétales doublés de soie rose.

À la place de sherry ou de gin avant le dîner, il y eut du champagne. Denis exhiba la bouteille et la déboucha fastueusement en s'aidant d'une serviette. Il aurait voulu trouver un seau à glace mais Maddie lui dit que la bouteille serait vide bien avant qu'il ait pu mettre la main dessus et l'ait rempli.

Ils burent à la santé de leur fille.

— Voici mon toast, dit Olivia à son tour : aux mères et à leurs filles.

Maddie rougit de plaisir.

Elle avait mitonné un dîner particulièrement soigné et Denis versa du bourgogne dans leurs plus beaux verres.

— Te souviens-tu ? dit-elle en levant le sien. C'est toi et Max qui nous les avez offerts pour nos noces d'argent !

Les souvenirs les escortèrent jusqu'au faisan aux canneberges et à la crème brûlée dont Maddie assurait qu'elle avait toujours été le dessert favori d'Olivia. Ils évoquèrent le Noël où Olivia et Max avaient eu tous deux la varicelle, plusieurs vacances d'été sur les Norfolk Broads, des week-ends chez les cousins distingués de Denis, dans leur grand manoir campagnard. Que ces souvenirs fussent si sélectifs n'avait rien d'étonnant, se disait Olivia. C'était comme feuilleter des albums de photos de famille. Chaque jour semble avoir été vécu en déjeuners sur l'herbe, en mariages ou sur des plages ensoleillées. Les bons moments étaient tous là, saisis pour que tout le monde les voie, alors que les sombres étaient enfermés à double tour dans chaque individu. Les histoires secrètes étaient solitaires, mais les célébrations étaient partagées par tous. Peut-être qu'à la fin, dans la vieillesse où étaient arrivés Denis, Maddie et même Meroula, les deux versants de l'histoire se mélangeaient à nouveau. Pour ses parents, à cette distance, les bons souvenirs semblaient constituer presque toute la vérité.

Ce n'est pas une mauvaise conclusion, songea-t-elle.

L'alcool empourprait le nez et les joues de son père. Il devint jovial et puis sentimental.

— Toi et Max, murmura-t-il. Sais-tu combien ta mère et moi sommes fiers de vous ?

Maddie lui lança un regard rapide puis leva les sourcils à l'adresse d'Olivia.

— Nous devrions installer le vieux projecteur, tu sais.

Il avait acheté une caméra bien avant l'invention des caméscopes et les anniversaires comme les Noëls ne se concevaient pas sans son intervention.

— Pas ce soir, se récria sa femme.

Il lui sourit.

— Où ai-je déjà entendu cela ?

— J'aimerais voir certains des vieux films, les coupa Olivia.

Aussitôt son père se leva et se mit à fureter dans les placards.

— Ne chamboule pas tout. Je vais les chercher s'il le faut, dit Maddie en soupirant.

Olivia la suivit à l'étage tandis que son père déplaçait quelques meubles pour dégager un espace de mur blanc. Dans la chambre douillette et moquettée de sa mère, Olivia tendit les bras pour que Maddie y empile des boîtes. Les vieilles bobines de film étaient étiquetées avec les dates et les événements notés par son père : elles composaient un monument public à la vie de famille.

— Regarde-moi tout ça. La célébration par l'omission, commenta sa mère.

— C'est exactement ce que j'allais dire.

Elles se sourirent, un sourire complice qui renfermait toute leur reconnaissance partagée.

— Lui en veux-tu toujours ? demanda Olivia.

Elle regardait au-delà des épaules de sa mère les photos disposées sur sa commode.

— À quoi cela servirait-il ?

— À rien, évidemment.

— Il est resté, n'est-ce pas ? Je me demande parfois à quoi aurait ressemblé ma vie s'il était parti.

Olivia détourna les yeux des photos.

— Oui, cet unique événement, selon qu'il arrive ou pas, peut changer le cours de tout ce qui suivra.

Sa mère referma vivement le placard.

— Peu importe aujourd'hui. C'est toi, Xan, Max et Hattie qui êtes importants. Dois-je m'inquiéter pour vos mariages, à ton avis ?

Olivia réfléchit avant de répondre.

— Il y a eu un moment où les choses auraient pu mal évoluer pour nous. Il n'y a pas très longtemps. Mais tout s'est remis d'aplomb. Je ne suis pas catégorique pour Max et Hattie, comment pourrais-je l'être ? Nous ne connaissons que notre mariage à nous et sa propre perspective.

— Cela au moins, je le sais, remarqua sa mère.

— J'espère qu'ils réussiront.

Denis cria dans l'escalier :

— C'est pour aujourd'hui ou pour demain ?

Il avait installé une rangée de trois chaises et posé le projecteur sur une table.

— Choisis un film, n'importe lequel, ordonna-t-il à Olivia.

Elle en choisit un, de l'année de ses sept ans, Max en ayant cinq. Son père inséra la bobine dans le projecteur.

— C'est vraiment une merveilleuse machine que cet appareil, tu sais. Increvable. Je ne sais pas ce qu'ils trouvent à tous ces machins vidéo.

Un rectangle tacheté se stabilisa sur le mur de la salle à manger.

On découvrit deux enfants enfourchant un cheval à bascule d'autrefois. La tête du cheval occupait tout l'écran, avec ses naseaux dilatés, la crinière en crins véritables au-dessus d'une bouche remplie de dents de bois ; puis la caméra fit un panoramique sur les visages des enfants. La fille était une immense enfant aux cheveux pâles qui formaient un halo raide. D'une main elle brandissait un sabre en faisant danser le cheval pour le mettre au galop. Son frère était devant elle, plus petit, plus fragile, cramponné à la crinière. Ils se trouvaient dans la salle de jeux du manoir des cousins paternels. Olivia se rappelait encore le lino, l'odeur de toile huilée de cette pièce, les grands placards remplis de puzzles en bois, de Meccano, d'un petit train Hornby.

— Les dents de ce cheval me faisaient peur, dit Olivia.

— Tu n'as jamais eu peur de rien, s'esclaffa son père.

Une autre silhouette entra dans le cadre. C'était une fille d'environ seize ans, aux cheveux ondulés descendant jusque sur les épaules ; elle tapotait gentiment la croupe peinte du cheval. La grande fillette renversa la tête en arrière et se mit à rire tandis que le garçon se cramponnait encore plus fort.

— La grande Olivia, dit Olivia sur un ton interrogateur.

C'était la fille des maîtres de maison, le centre de l'envie, de l'admiration, de l'amour d'Olivia pendant toute sa première enfance. Sa dévotion à son égard était telle qu'elle avait même adopté son prénom et refusé par la suite qu'on l'appelle autrement. La grande Olivia était devenue infirmière. Elle ne s'était jamais mariée et avait fini sa carrière comme surveillante générale d'un hôpital de Sheffield.

Le téléphone sonna et Maddie alla répondre.

— C'est Xan, dit-elle à son retour.

Xan ne se servait jamais du téléphone à la maison du potier.

Olivia se rua vers l'appareil.

— Tout va bien ? Georgi, Theo ?

— Oui, oui.

Sa voix nonchalante la touchait au plus profond d'elle-même.

— Je voulais juste te souhaiter un joyeux anniversaire. Et te dire de rentrer vite.

— Dans deux jours. Je serai à la maison dans deux jours.

— C'est parfait. Je t'aime.

— Je le sais.

Lorsqu'elle regagna la salle à manger, Maddie regardait toujours le film qui tressautait. Deux enfants couraient dans un majestueux jardin orné de statues de pierre. La tête de son père s'était affaissée sur sa poitrine.

— Je savais qu'il s'endormirait en cinq minutes, remarqua sa mère.

Olivia fit ses bagages, pour autant qu'elle en eût. Lorsqu'elle eut fini, sa mère l'appela dans sa chambre. Elle était assise sur son lit, les films et une pile d'albums de photos posés sur la couverture à côté d'elle. La maison était tranquille. Denis était monté dans sa propre chambre avec le journal pour faire un somme.

— Aimerais-tu les emporter ? dit Maddie en indiquant le monument de la gloire familiale.

L'image parfaitement nette de Kitty remontant la grand-rue de Megalo Chorio à travers les débris du tsunami s'imposa à Olivia. Elle était trempée, comme une rescapée de naufrage, et portait les souvenirs de famille de Meroula sur les bras.

Doucement, elle répondit à sa mère :

— Non, garde-les, toi. Ils sont à toi et à Papa.

Ses yeux revinrent à la commode et aux deux photos parmi le bataillon de clichés encadrés. Son visage à deux reprises, l'un avec une moustache peinte, l'autre théâtralement maquillé.

— C'est Max qui me les a données. Tu es née avec ce don, l'un de ces visages qu'adorent les appareils photo. Tu aurais dû gagner ta vie devant plutôt que derrière l'appareil.

— Oh, non. Je n'aurais pas aimé cela.

Pas plus que Kitty ne l'avait aimé.

— Qui les a prises ? Xan ?

— Non. C'est une femme qui est restée chez nous quelques semaines, après le raz de marée. Elle est venue et repartie sans crier gare. Max n'en a pas parlé ?

Maddie parut surprise.

— Non ! Comment s'appelait-elle ?

— Kitty.

Maddie eut un drôle de bruit de gorge.

— C'était le nom que je te donnais tout bébé, Catherine Kitty Cat. Avant que tu ne proclames à la face du monde qu'il faudrait t'appeler Olivia, comme ta grande cousine.

Le silence frissonna durant une seconde dans la tête d'Olivia. Le temps perdit sa linéarité et se transforma en un labyrinthe, une illusion optique de plans parallèles. Elle aurait pu ressentir un choc ou la peur, mais ce qui s'empara d'elle fut l'amour. L'affection et la gratitude s'écoulèrent d'elle pour ce qui n'était pas et aurait pu être.

Pauvre Kitty, si belle et si abîmée.

Rien d'étonnant à ce qu'elle voulût s'emparer de ma vie. Rien d'étonnant si je redoutais son aptitude à le faire. C'était sa vie à elle aussi et j'aurais pu occuper sa place, l'espace d'une seconde par un après-midi d'été. Une seconde a suffi à terminer une vie et à faire diverger toutes les autres.

Maintenant je comprends. Maintenant je sais.

Je n'aurai pas besoin de la craindre davantage. D'où qu'elle soit venue, quelle que soit la manière dont elle s'est glissée dans mon univers et l'a quitté, Kitty n'existe pas ici et maintenant.

Et je pense donc qu'elle est en paix.

Maddie la regardait curieusement. Quand elle put parler à nouveau, Olivia murmura :

— C'est un joli prénom. Un peu démodé. Je n'ai jamais demandé à Kitty d'où lui venait le sien.

Sa mère réunit les albums de photos et entreprit de les ranger dans leur placard.

— J'aimerais avoir une fille, remarqua Olivia.
Sa mère se retourna.
— Est-il trop tard ?
— Oh oui, je crois. Beaucoup trop tard.

Denis et Maddie l'accompagnèrent tous deux à la gare pour qu'elle prît le train de Londres. Olivia les regarda depuis la fenêtre tandis que le wagon s'éloignait. Ils étaient côte à côte, sans se toucher, sans se regarder, mais leurs bras décrivaient une arabesque identique. Leurs silhouettes se découpaient, menues et fragiles, contre les grilles et l'allée encombrée du parking.

Elle ne se détourna que lorsqu'ils furent cachés à sa vue.

Je rentre chez moi, se dit-elle. Je vais retrouver Xan. Elle appuya la tête contre les coussins poussiéreux et ferma les yeux pour mieux voir : la digue du port, le croissant de plage, la pente de la colline vers la maison du potier. Xan, Georgi et Theo.

En route pour Halemni.

Composé par Nord Compo
à Villeneuve-d'Ascq

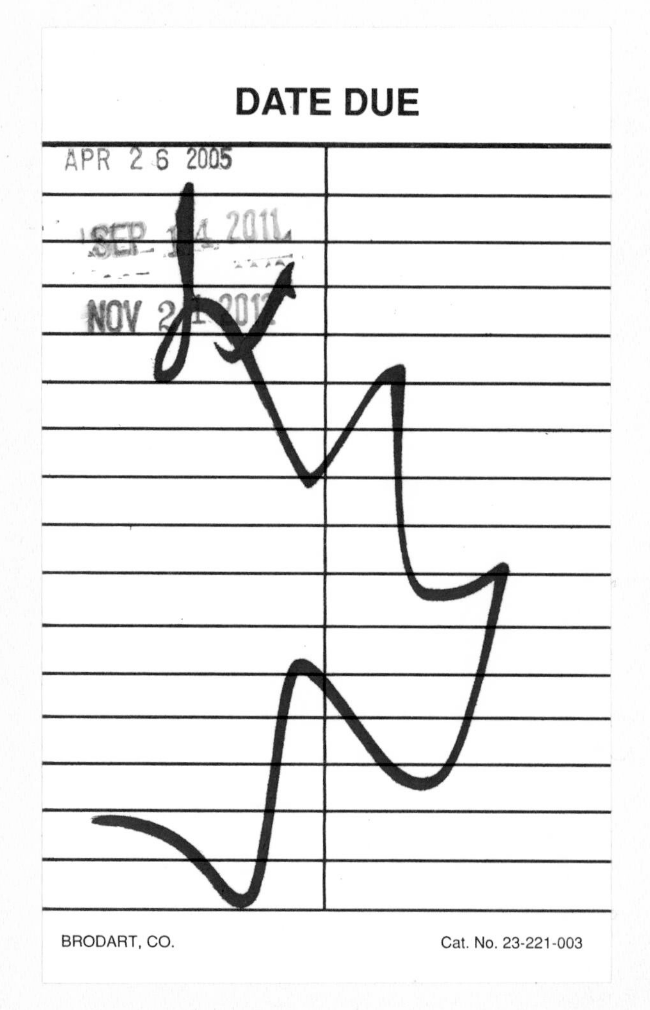
DATE DUE
APR 2 6 2005
SEP 14 2011
NOV 2 1 2012
BRODART, CO.
Cat. No. 23-221-003

transcontinental
IMPRESSION
IMPRIMERIE GAGNÉ

IMPRIMÉ AU CANADA